D1413152

Verity

Du même auteur
aux Éditions J'ai lu

Le manuscrit du déshonneur
N° 8959

LES INSOUMISES

1 – Audrianna
N° 9823

MADELINE HUNTER

Les insoumises – 2

Verity

*Traduit de l'américain
par Cécile Ardilly*

AVENTURES
&PASSIONS

Vous souhaitez être informé en avant-première
de nos programmes, nos coups de cœur ou encore
de l'actualité de notre site *J'ai lu pour elle* ?
Abonnez-vous à notre *Newsletter* en vous connectant
sur **www.jailu.com**

Retrouvez-nous également sur Facebook
pour avoir des informations exclusives :
www.facebook/pages/aventures-et-passions
et sur le profil J'ai lu pour elle.

Titre original
PROVOCATIVE IN PEARLS

Éditeur original
Jove Books, published by The Berkley Publishing Group,
a division of Penguin Group (USA) Inc., New York

1

Un ami digne de ce nom est censé vous écouter geindre sans broncher. C'est ainsi qu'en cette belle matinée d'août, Grayson, comte de Hawkeswell, profita d'un voyage en carrosse avec son ami Sébastien Summerhays pour décharger sa bile.

— Maudit soit le jour où ma cousine m'a présenté cette fripouille ! pesta-t-il.

Il s'était juré – oui, *juré* – de ne pas s'emporter. Voilà pourtant qu'il se mettait à fulminer contre le grotesque de sa destinée, obligeant le pauvre Summerhays à endurer le flot de ses lamentations.

— Dois-je comprendre que Thompson ne s'est pas montré coopératif ? demanda Summerhays.

— Fichtre, non ! En revanche, le mandataire de l'héritage de Verity se range à mon avis et réclame avec moi l'ouverture d'une nouvelle expertise. Avec l'intervention d'un juge, et l'aide de Dieu, je serai peut-être débarrassé de cette affaire une fois pour toutes d'ici la fin de l'année.

— Quelles raisons Thompson aurait-il de s'opposer à l'expertise ? Cela n'a pas de sens. Il n'a rien à y gagner – à moins qu'il n'ait perdu la tête.

— C'est mon titre qui l'intéresse. Il veut le conserver. Du moins, c'est ce que veut sa femme. Elle l'exploite au maximum autant qu'elle le peut. Quant à Thompson, il ne s'en plaint pas. Tant que cela dure, il a les pleins pouvoirs sur l'entreprise. Si nous sortons de cette impasse, il risque de tout perdre.

— Eh bien, l'air de la campagne te fera le plus grand bien. Tu as grand besoin de te reposer.

En bon ami qu'il était, Summerhays eut un sourire indulgent, affichant l'empathie du médecin pour son patient.

Hawkeswell se vit soudain à travers les yeux de Summerhays, et la colère céda à l'amertume.

— Je fais un bon bouffon, tu ne trouves pas ? Voilà ce qui se passe quand on se marie pour de l'argent.

— Les mariages arrangés sont monnaie courante. Tu n'as simplement pas eu de chance.

— Pourvu que cela change rapidement ! Je suis endetté jusqu'au cou et j'ai déjà vendu tout ce qui était monnayable. On dirait bien que cet hiver, ce sera du pain sec et de l'eau.

Ils changèrent de sujet, mais l'énigme maritale qui avait fait de sa vie un cauchemar depuis deux ans ne quittait pas son esprit. Verity s'était noyée dans la Tamise, pourtant son corps n'avait jamais été repêché. Comment s'était-elle retrouvée là le jour même de leur mariage ? D'ailleurs, pourquoi avait-elle quitté la propriété de Grayson ? Tant de mystères non élucidés à ce jour. Certains tenaient Grayson pour responsable.

Sa réputation d'homme irascible corroborait cette hypothèse. N'importe quel abruti, toutefois, pouvait comprendre qu'il n'avait aucun intérêt à ce que Verity disparût ce jour-là. Une union non consommée était une union contestable, comme le lui avait clairement expliqué le mandataire testamentaire de la jeune femme en refusant de lui verser la rente de son fidéicommis. Ce serait à l'Église de décider du bien-fondé du mariage, du moins si un jour on la déclarait morte. En attendant...

En attendant, son mari – si on lui accordait ce titre – rongerait son frein. Elle vivante, officiellement en tout cas, il ne pouvait pas se remarier. Or, l'argent pour lequel il s'était marié était bloqué.

Son impuissance le hérissait. Il était le jouet du destin ! Et pour combien d'années encore ?

— Merci de me tenir compagnie, Summerhays. Tu es trop bon pour m'avouer que je t'ennuie. Merci de m'avoir proposé de faire une partie de la route avec toi.

Hawkeswell rejoindrait ensuite le Surrey à cheval.

— Allons, tu ne m'ennuies pas. Tu es simplement au cœur d'un marasme pour lequel, malheureusement, je n'ai aucune solution. Puisque tu refuses que je te prête…

— Je refuse de m'endetter davantage – auprès d'un ami, qui plus est. Je doute déjà d'être un jour capable de rembourser mes dettes actuelles.

— Ne dis pas de bêtises. En attendant, si tu en es effectivement réduit à manger du pain sec, tu accepteras peut-être mon offre. Si tu ne le fais pas pour toi, fais-le pour ta tante et ta cousine.

— Je ne peux pas accepter.

Mais, si la situation empirait, il reviendrait sûrement sur ces paroles. Qu'il souffre lui-même de la précarité était une chose ; c'en était une autre de voir ses proches en pâtir à leur tour. Il se rongeait déjà les sangs, culpabilisant de ne pouvoir faire montre de plus de générosité, non seulement envers sa tante et sa cousine, mais aussi envers les braves gens qui vivaient sur ses terres inaliénables.

— As-tu prévenu ton épouse de ton arrivée prématurée ?

Summerhays s'était marié au printemps, et sa femme rendait fréquemment visite à ses amies dans le Middlesex. L'été venu, pour échapper à la chaleur de la ville, elle prolongeait ses séjours à la campagne.

— J'ai conclu mes affaires si tard que je n'en voyais plus la nécessité. Je vais lui faire la surprise. Audrianna ne m'en voudra pas.

Hawkeswell admira le ton confiant de son ami. D'ordinaire, une femme n'appréciait guère que son mari interfère dans ses projets. Summerhays eût-il été un autre type d'homme, sa femme un autre genre de femme, son arrivée impromptue, un jour avant la date prévue, aurait pu donner lieu à une scène embarrassante.

Le carrosse enfila la grand-rue du village de Cumberworth, accompagné de l'hongre noir jais de Grayson qui trottait à côté. Une fois dans le Surrey, songea-t-il, il lui faudrait rendre visite à sa tante pour lui annoncer qu'elle devrait bientôt se séparer de sa maison de ville. Une perspective peu joyeuse.

Mais ce qu'il redoutait davantage encore, c'était l'entretien avec le régisseur de son domaine, qui allait une fois de plus lui conseiller de clôturer les terres dévolues à l'usage collectif. Hawkeswell avait toujours résisté à l'adoption de cette méthode moderne. Il voulait éviter de l'imposer aux familles dont la survie dépendait de ces parcelles.

Ces fermiers, qui n'avaient pu compter sur lui pour entretenir la toiture de leur chaumière, n'allaient pas maintenant subir un nouveau coup dur. Pourtant, à moins que les choses changent, tout le monde pâtirait bientôt des retombées de sa situation.

Au sortir du village, la route dessina un virage. À peine un kilomètre plus loin, le carrosse bifurqua pour emprunter une allée privative. Un panneau leur indiqua qu'ils pénétraient dans le domaine des « Fleurs Rares ».

Le cocher arrêta l'attelage après les arbres, devant une charmante bâtisse de pierre entourée d'un jardin de plantes vivaces.

Summerhays ouvrit la portière du carrosse.

— Viens saluer ces dames. Audrianna voudra absolument te voir.

— Je préfère prendre mon cheval et partir de suite. C'est toi qu'elle veut voir.

— Ta monture a besoin de repos. Accompagne-moi, j'insiste. Mme Joyes t'offrira une collation avant que tu ne reprennes la route. Ce qui te donnera l'occasion de découvrir le jardin. C'est l'un des plus beaux du Middlesex.

Guère pressé de se rendre dans le Surrey où l'attendaient des devoirs peu réjouissants, Hawkeswell emboîta le pas à son ami et tous deux s'avancèrent vers la porte d'entrée. Une femme svelte leur ouvrit et s'inclina devant Summerhays.

— Milady ne vous attendait pas aujourd'hui, monsieur. Elle n'a pas encore fait ses bagages. Vous la trouverez dans le jardin.

— Ce n'est pas grave, Hill. Inutile de m'escorter, je connais le chemin.

Hill fit une nouvelle révérence, mais les accompagna tout de même. Ils traversèrent un salon et une bibliothèque douillette, remplie de fauteuils matelassés. Hill les abandonna une fois parvenus dans un second salon, plus intime, à l'arrière de la maison.

— Suis-moi, fit Summerhays en enfilant un couloir débouchant sur une grande serre. Mme Joyes et ses amies entretiennent ici un petit commerce baptisé les Fleurs Rares. Tu as eu l'occasion de voir leur talent à l'œuvre à mon mariage et à d'autres fêtes durant la saison dernière. Voici l'endroit où leur magie opère.

La serre était impressionnante. Citrus, asparagus, plantes grimpantes et autres emplissaient l'espace de parfums. Des fenêtres en hauteur étaient ouvertes, permettant à la brise de s'engouffrer dans la verrière où elle agitait feuilles et pétales.

Ils avancèrent vers le fond. Une vigne chargée de grappes pendait au-dessus d'une table de pierre entourée de fauteuils en fer forgé. Hawkeswell jeta un coup d'œil par la cloison de verre. À travers les vitres déformantes, la scène s'apparentait davantage à une aquarelle au lavis qu'à une peinture à l'huile. Les couleurs s'estompaient, se mélangeaient, les lignes se confondaient. On distinguait toutefois un quatuor de femmes, installées sous ce qui semblait être une tonnelle, près d'un mur en brique au bout du jardin.

Summerhays ouvrit la porte, et le tableau se précisa. C'était une tonnelle de roses blanches. Sous le treillis, sur un banc à l'abri du rosier, Audrianna était assise auprès de la parfaite Mme Joyes. Celle-ci avait un teint de porcelaine et des yeux d'un gris profond. Hawkeswell avait rencontré Daphné Joyes au mariage de Summerhays.

Deux autres femmes étaient installées sur la pelouse, face au banc. L'une était une blonde à la coiffure sophistiquée, l'autre portait un simple chapeau de paille dont le large bord ombrageait son visage.

Mme Joyes vit les gentlemen sortir de la serre. Elle leva un bras pour les saluer.

Les deux femmes à terre suivirent son geste pour voir à qui il s'adressait. Alors, celle au chapeau de paille retourna aussitôt le visage vers Audrianna et lui consacra toute son attention.

Hawkeswell fut parcouru d'une étrange sensation, comme si on eût pincé en lui la corde d'un instrument silencieux. Certes, son chapeau assombrissait ses traits. Pourtant, il aurait juré que…

Le chapeau était désormais immobile. La jeune fille ne se tourna pas une seconde fois, pas même lorsque Audrianna et Mme Joyes leur crièrent de les rejoindre. Ce port de tête… De nouveau, une corde sourde résonna en lui.

Empruntant un chemin sableux serpentant parmi les fleurs, les hommes s'approchèrent.

— Qui sont ces deux femmes ? demanda Hawkeswell. Celles qui sont assises sur la pelouse.

— La blonde est miss Celia Penniford. L'autre, miss Elizabeth Smith. Lizzie, comme elles la surnomment.

— Tu les as déjà rencontrées ?

— Bien sûr. Je connais toutes les « Fleurs Rares ».

Hawkeswell poussa un profond soupir de soulagement. Bien sûr que Summerhays les connaissait toutes ! Son instinct l'avait alarmé à tort.

— En fait, maintenant que j'y pense, je les connais toutes sauf Lizzie. Je l'ai aperçue de loin, se promenant dans le jardin ou dans la serre, couverte de son chapeau de paille. Pourtant, je ne me rappelle pas lui avoir été présenté.

Ils rejoignirent les dames. La jeune fille au chapeau détourna résolument la tête. Au milieu du chaos des salutations, personne ne sembla remarquer son mutisme, ni même trouver cela grossier. Personne ne parut prendre conscience que jamais Lizzie n'avait été présentée à l'époux d'Audrianna. Cependant, un comte venait de fouler la pelouse de ce jardin pour la première fois et, courtoisie oblige, cette tête ne saurait rester détournée éternellement.

Quand Lizzie se leva, Hawkeswell ressentit un choc. Sa silhouette menue, enveloppée de cette simple robe de mousseline bleu pâle, pivota vers eux. La tête humblement inclinée et le visage ombragé par le large bord du chapeau, Lizzie fit une révérence.

Hawkeswell se rasséréna. Non, il avait fait fausse route. À vrai dire, il ne gardait qu'un souvenir très flou de ses traits. Bref, son esprit lui jouait des tours, voilà tout.

— Je vais demander à Hill de nous apporter des rafraîchissements, fit Lizzie dans un soupir.

Elle s'inclina de nouveau avant de s'éloigner. Les femmes, occupées à causer, remarquèrent à peine son départ.

Cette façon de pencher la tête, encore. Cette démarche...

— Arrêtez.

Tout le monde se figea et le dévisagea. À l'exception de Lizzie. Elle continua de s'éloigner sans se retourner. Son allure se modifia toutefois : elle semblait prête à détaler.

Il se précipita à sa suite et lui saisit le bras.

— Lord Hawkeswell, je vous en prie ! s'indigna Mme Joyes, très surprise.

Alarmée, elle interrogea Summerhays du regard.

— Hawkeswell ? tenta ce dernier.

Grayson leva une main pour le sommer de se taire. Il scruta le petit nez délicat qui dépassait du chapeau.

— Regardez-moi, s'il vous plaît. Maintenant.

Elle fit d'abord la sourde oreille mais, après un long moment d'hésitation, elle se tourna néanmoins vers lui. Elle dégagea son bras et l'affronta. De longs cils noirs et drus caressaient presque ses joues de porcelaine.

Elle frémit. Ses longs cils se soulevèrent. Ce ne fut pas son visage qui le convainquit. Pas cet ovale, ni même cette chevelure noire, ni cette bouche en cœur. Non, ce fut la touche de résignation, de peine et de révolte qu'il lut dans le bleu de ses yeux.

— Sacristi, Verity ! C'est bien vous !

2

— Si elle n'est pas là dans deux minutes, je vais moi-même monter la trouver. Je vous jure que je détruirai cette maison de mes propres mains s'il le faut et...

— Calmez-vous, milord. Je suis sûre qu'il s'agit d'un malentendu.

— Me calmer ? *Me calmer ?* Ma femme disparue depuis deux ans, présumée morte, coule en réalité des jours paisibles à la campagne, à quelques kilomètres à peine de Londres, sachant pertinemment qu'on remue ciel et terre pour la retrouver, et vous me dites de me calmer ? Je vous signale au passage que votre rôle dans cette affaire frôle le crime et que...

— Je ne vous laisserai pas m'insulter, lord Hawkeswell. Quand vous serez suffisamment calme pour tenir une conversation civilisée, faites-moi appeler. En attendant, je me posterai en haut de l'escalier munie de mon pistolet, au cas où vous auriez l'intention de vous montrer violent.

Sans se défaire de son élégance éthérée, la pâle Mme Joyes sortit du salon d'un pas délicat.

Pendant ce temps-là, Summerhays avait farfouillé dans les placards.

— Voilà du porto ! Cesse donc d'arpenter cette pièce comme un animal en cage et tâche de te contrôler, Hawkeswell. Autrement, tu risques de te ridiculiser.

Celui-ci ne tenait pas en place, ne pouvant s'empêcher de lever les yeux au plafond, vers l'étage où cette maudite femme s'était réfugiée.

— S'il y a un homme sur terre qui a des raisons d'être en rogne, Summerhays, c'est bien moi. De toute façon, elle m'a déjà fait passer pour un clown. Je n'ai plus grand-chose à perdre.

— Pas de verres. Ceci fera l'affaire, décréta son ami en brandissant une tasse de thé en fine porcelaine où il versa du porto. À présent, bois cela et compte jusqu'à cinquante. Comme au bon vieux temps, lorsque tu avais un coup de sang.

— J'aurai l'air d'un imbécile si je bois là-dedans. Eh puis zut !

Il saisit la tasse et la vida d'un trait. Ce qui n'eut pas l'effet escompté.

— Maintenant, compte.

— Maudit soit…

— Compte, te dis-je ! Ou je serai obligé de te faire entendre raison par la force, ce qui ne m'est pas arrivé depuis des années – quand ton fichu caractère m'y avait contraint. Un, deux, trois…

Hawkeswell se mit à compter en serrant les dents, et en arpentant la pièce de long en large. Quoique son visage auparavant rubicond reprît une teinte normale, c'est à peine si sa colère faiblit.

— Mme Joyes ignorait sa véritable identité ? Ta femme aussi ? Je n'y crois pas un instant.

— Si jamais tu continues à insinuer que ma femme a menti, tu rentreras à Londres sur une civière, rétorqua Summerhays d'un ton menaçant.

— Toi qui invoquais le bon vieux temps, n'oublie pas que je rends coup pour coup, voire pire.

Hawkeswell ravala sa rage et se remit à compter au rythme de ses pas.

— Qu'est-ce que c'est que cette fichue maison ? s'écria-t-il une fois parvenu à trente. Qui donc accueille une étrangère sans lui poser la moindre question ? C'est complètement insensé !

— C'est le Règlement en vigueur ici. On ne pose pas de questions. Apparemment, Mme Joyes est bien placée pour comprendre pourquoi certaines femmes renient leur passé et le rejettent catégoriquement.

— Je ne vois pas pourquoi.

— Vraiment ?

Hawkeswell cessa de faire les cent pas pour foudroyer Summerhays du regard.

— Tu insinues qu'elle a des raisons de me craindre ? Bon sang ! C'est à peine si elle me connaissait.

— Parfois, il n'en faut pas plus pour effrayer une femme.

— Tu dis vraiment n'importe quoi.

Summerhays haussa les épaules.

— Tu n'en es qu'à quarante-cinq.

— Je me sens déjà beaucoup plus calme.

— Allons, faisons les choses dans les règles.

Hawkeswell frappa le sol cinq fois d'un pas lourd.

— Me voilà calmé. Va dire à cette fichue Mme Joyes que j'exige de parler à *ma femme*.

Summerhays croisa les bras en l'examinant d'un œil prudent.

— Encore cinquante pas, ce sera préférable.

Assise sur son lit, Lizzie écoutait les mugissements indignés provenant du rez-de-chaussée. Elle allait bientôt devoir se résoudre à descendre. Mais on pouvait bien lui octroyer quelques minutes de répit. Le temps de se préparer à la perspective de sa nouvelle vie de prisonnière.

Quelle sotte elle avait été ! Elle aurait dû prendre la poudre d'escampette dès qu'Audrianna s'était fiancée à lord Sébastien, au printemps passé. Ou la semaine précédente, une fois ses vingt et une bougies soufflées. Elle qui s'était préparée à mener une bataille à sa majorité, voilà qu'elle se retrouvait prise au piège.

Tôt ou tard, une fois qu'elle serait retournée vivre dans la société, Hawkeswell aurait pourtant fini par la débusquer. C'était inéluctable. Aussi avait-elle prévu de s'entourer de proches prêts à lui porter main-forte ; elle l'aurait attendu de pied ferme. Mais, au lieu de cela, elle s'était attardée dans cette maison, ce qui l'avait menée à sa perte ; après tous ses efforts pour échapper à ce mariage, elle risquait désormais d'en être captive à jamais.

Elle cessa de se flageller. C'était par amitié qu'elle était restée, une amitié hors du commun. Céder à la tentation de passer une ultime semaine avec ses chères amies, c'était excusable ; toutes réunies une dernière fois. Or, la nouvelle de la visite imminente d'Audrianna lui était parvenue le jour même où elle avait prévu de faire ses adieux ; cela avait suffi à la convaincre de rester encore un peu, en dépit de ses appréhensions.

De lourds pas résonnèrent à travers la demeure. Un nouveau juron transperça le plancher. Hawkeswell était en grande forme !

N'importe quel homme, à sa place, aurait réagi violemment, encore qu'elle l'eût toujours soupçonné d'être plus irascible que les autres. Il ne lui avait pas fallu plus de quelques secondes, lors de leur première rencontre, pour savoir qu'ils n'étaient pas faits pour s'entendre. Nul doute qu'il était de mèche avec Bertram dans toute cette affaire. Il aurait préféré qu'elle soit morte, pour ne pas subir l'humiliation de sa fuite.

On gratta à la porte. Elle ne désirait pas plus voir ses amies que l'homme qui pestait en bas, mais c'était inévitable. Elle les pria d'entrer.

Elles affichaient le visage escompté. Sous sa chevelure châtain, Audrianna écarquillait les yeux d'étonnement. Âme charitable, elle lui accordait le bénéfice du doute. Celia, que rien n'étonnait, paraissait simplement excitée par la curiosité. Et Daphné était d'une exquise pâleur et, comme toujours, d'un calme stoïque.

Daphné et Celia s'assirent sur le lit, de part et d'autre de la jeune femme. Audrianna resta debout, face à elle.

— Lizzie, balbutia celle-ci.

À ce nom, toutefois, elle s'interrompit et ses joues s'empourprèrent.

— Vous pouvez m'appeler Verity, à présent. Je ferais mieux de m'y réhabituer.

Le visage d'Audrianna se décomposa, à croire qu'elle s'était accrochée à l'idée d'un malentendu.

— Alors, il dit vrai, fit Daphné, visiblement déçue elle aussi. Il n'y a pas erreur sur la personne. Tu es l'épouse de Hawkeswell.

— Tu ne t'es jamais doutée de rien, Daphné ? demanda Verity.

— Non. Peut-être ai-je préféré fermer les yeux. Cette disparition tragique qui défrayait la chronique semblait avoir eu lieu dans un autre monde. Pas une seule fois, je n'ai fait le rapprochement entre la jeune femme rencontrée près du fleuve ce jour-là et celle qui avait disparu.

— Moi, j'avais deviné, déclara Celia. Du moins, l'idée m'avait effleuré l'esprit. À une ou deux reprises.

Audrianna posa un regard ahuri sur la jolie blonde. Celle-ci prit la main de Verity et la caressa.

— Mais je ne voulais pas y croire. « Cette fille est sûrement morte, me disais-je. Il est impossible que ce soit Lizzie. À moins qu'elle n'ait perdu la mémoire, une femme ne s'enfuit pas le jour de son mariage pour mener une vie d'ermite. Surtout s'il s'agit d'une riche héritière, fraîchement mariée à un comte. »

Personne ne commenta. Il existait une règle d'or dans cette demeure. On ne forçait personne à parler. On n'exigeait pas d'explications. C'était d'ailleurs pour cela que Verity avait pu y rester. Mais à présent, tout le monde attendait des éclaircissements.

— Pourquoi ? lâcha Audrianna.

— Tu avais sûrement une raison valable, intervint Daphné, prenant sa défense.

Verity se leva du lit. Elle s'approcha de la psyché pour constater les dégâts occasionnés par son chapeau sur sa coiffure. Devait-elle se redonner un coup de peigne avant de descendre affronter Hawkeswell ? Ce serait plus élégant. Seulement, elle craignait de paraître encore plus à son désavantage en tentant d'arranger les choses.

En son for intérieur, elle rit de ses propres calculs. De toute façon, face à Hawkeswell, aucune femme ne paraissait à son avantage. D'une part, il y avait son titre, qui pesait lourd dans la balance. D'autre part, c'était un fort bel homme, grand, svelte, large d'épaules – bref, bâti comme un dieu. Et les yeux bleus dont était serti son visage taillé à la serpe auraient troublé n'importe quelle femme.

Ces yeux d'un bleu saphir, qu'elle avait repérés d'emblée quand il était sorti de la serre. Elle l'avait aussitôt reconnu.

— On m'a imposé ce mariage.

Elle se mit à rajuster le chignon noir qui avait glissé sur le côté. Celia s'approcha d'elle et lui écarta les mains pour s'en charger à sa place.

— Mon cousin Bertram m'y a contrainte. Il a voulu me forcer mais, voyant que je regimbais, il a fini par me tendre un piège. C'est seulement après la cérémonie que j'ai su qu'il m'avait trompée, que la promesse qu'il m'avait faite pour obtenir mon consentement était un tissu de mensonges.

— Quelle promesse a bien pu te pousser à te marier ? C'est un choix irrévocable, fit remarquer Daphné.

Après deux années de discrétion, Verity hésitait maintenant à s'épancher. Elle ne souhaitait pas causer davantage d'ennuis à Daphné. Toutefois, elle ne voulait pas que ses amies la prennent pour une fille légère.

— Près de chez moi vit une femme que je considère comme ma mère. Bertram m'a menacée de faire déporter son fils, voire pire, en raison de ses penchants politiques. Dans notre comté, mon cousin a le bras long, et des amis avec le bras plus long encore. Causer du tort à cette femme et son fils était pour lui un jeu d'enfant. Juste après la cérémonie, on m'a rapporté que Bertram avait malgré tout mis sa menace à exécution. Qu'il avait fait du mal au fils et, à travers lui, avait atteint la mère.

Au souvenir du choc éprouvé ce jour-là, une vague de frissons parcourut ses veines. Mêlée d'un sentiment de colère.

Celia s'écarta de quelques pas. Le miroir renvoyait maintenant l'image d'une chevelure brune structurée, et celui d'une jeune femme aux yeux bleus apeurés luttant pour conserver son aplomb.

Verity se tourna vers ses amies.

— Aurais-je dû rester ? Accepter bêtement mon lot ? On m'avait trompée. Obtenu mon accord par le plus vil des mensonges. Et je crois que lord Hawkeswell était lui aussi dans le coup. J'étais si furieuse que je n'arrivais plus à penser. J'ai préféré me rebiffer. Jamais on ne me traiterait comme un objet monnayable ! Alors, je me suis enfuie.

Audrianna pressa ses mains contre ses joues. Ses yeux verts s'embrumèrent.

— Sébastien n'aurait pas dû arriver avant demain. Tu t'es arrangée pour toujours l'esquiver avec subtilité.

Et lui n'y a vu que du feu, jusqu'à aujourd'hui. De même que moi, ajouta-t-elle en la contemplant d'un air stupéfait. Je suis navrée que ce soit à cause de nous que tu te retrouves au pied du mur...

— Je te serai éternellement reconnaissante de ta visite, l'interrompit Verity en la serrant dans ses bras. Cette dernière semaine fut l'une des plus belles de ma vie, car nous étions toutes réunies.

— Qu'as-tu l'intention de faire ? demanda Celia.

Verity ôta le long tablier qui couvrait sa simple robe de mousseline bleue.

— Je vais descendre, et prier pour que l'inconnu que j'ai épousé accepte de m'entendre.

3

Audrianna se présenta à la porte du salon et invita d'un geste Summerhays à la rejoindre. Le couple tint conciliabule pendant quelques instants, au bout desquels la jeune femme disparut. Summerhays retourna dans la pièce.

— Verity va descendre. Écoutez ce qu'elle a à vous dire, je vous en conjure. Il se peut qu'elle ait de très bons arguments.

Hawkeswell en passa plusieurs en revue, dont aucun ne lui parut valable.

— Soit, je vous le promets.

Si Summerhays doutait que l'orage soit passé, les ladies durent estimer la situation suffisamment sûre, car de légers pas leur parvinrent depuis l'escalier. Verity entra. Son tablier avait disparu. Sa robe de mousseline bleue aurait dû lui donner un air très ordinaire. Cependant, avec son élégance naturelle, elle aurait fait de l'ombre à une duchesse.

Summerhays s'excusa.

— Fermez la porte derrière vous, s'il vous plaît, fit Hawkeswell.

Son ami interrogea Verity du regard. Elle hocha la tête.

C'était la première fois que Hawkeswell avait l'occasion d'examiner sa femme de près. Il n'avait que très peu de souvenirs de son visage, songea-t-il une fois encore. Il n'avait gardé d'elle que de vagues impressions.

Charmante, s'était-il dit en la voyant pour la première fois, et docile. Jeune et innocente aussi. Si les deux premiers traits lui convenaient, les derniers n'étaient pas des qualités qu'il recherchait chez une femme. Seulement il allait *épouser* celle-ci, et les critères d'éligibilité de sa future épouse se fondaient davantage sur son héritage que sur sa personnalité.

Aujourd'hui, elle paraissait moins docile. Toujours aussi charmante. Davantage, même. La maturité jouait à son avantage. Sa chevelure était pareillement noire, sa peau blanche et ses yeux bleus. Toutefois, la douceur de son visage s'était précisée. Il fut surpris de découvrir dans son expression autant d'audace et d'assurance. Et pourtant on venait de la prendre la main dans le sac ! Piqué au vif, il tenta de se contrôler.

— N'en veuillez ni à Daphné ni aux autres. Elles ignoraient qui j'étais quand elles m'ont recueillie. J'aimerais que vous me juriez de ne pas leur causer d'ennuis.

— C'est votre comportement qui m'importe, pas celui de vos amies. De toute façon, nous aborderons ce sujet plus tard, une fois de retour chez nous.

— Si je vous suis, sachez que c'est contre mon gré.

Elle lui jeta cette pique en pleine figure, quoique sur un ton posé. Il allait devoir la caresser dans le sens du poil, bien qu'il n'ait rien à se reprocher. Mais quel autre choix avait-il ? Employer la force ? Devenir cette brute que Mme Joyes l'avait accusé d'être à demi-mot ?

La colère ne justifiait pas la violence. Sans oublier que Summerhays refuserait de l'aider à emmener la jeune femme contre son gré. Verity avait compris qu'il avait une marge de manœuvre limitée, et elle comptait bien tirer parti de la situation.

Il lui indiqua un fauteuil.

— Vous ne préférez pas vous asseoir ? Puisque nous sommes partis pour une longue conversation, autant vous mettre à l'aise.

Elle accepta son offre mais, au lieu de s'installer sur le fauteuil, elle opta pour une chaise en bois sans accoudoirs.

— À vous entendre, Verity, vous avez été la victime dans cette histoire. N'avez-vous jamais songé aux conséquences de vos actes, au chagrin qu'ils ont pu causer ?

— Mon cousin et sa femme ne m'ont certainement pas pleurée. Quant à vous, lord Hawkeswell... Notre relation fut brève et formelle, un mariage de convenance dépourvu d'amour.

Il sentit ses joues s'enflammer. Non, il ne l'avait pas pleurée. La froideur avec laquelle elle le présentait à son désavantage aviva sa colère.

— Peut-être ne vous ai-je pas pleurée, Verity, mais je me suis fait un sang d'encre.

— J'en suis navrée. Je pensais que l'on conclurait à ma noyade au bout de quelques mois et que mon décès serait prononcé. Comment aurais-je pu imaginer qu'au bout de deux ans, on me considérerait toujours, d'un point de vue légal, comme disparue ?

— Vous avez vous-même mis en scène votre noyade dans la Tamise, j'imagine ?

— Oui. Il ne fallait pas qu'on parte à ma recherche. Il valait mieux passer pour morte. Il se peut pourtant que certaines personnes m'aient pleurée, ajouta-t-elle en affichant enfin quelque remords. Je regrette de leur avoir causé de la peine.

— Votre plan n'était donc pas parfait.

— Non. Mais nos retrouvailles prématurées auront au moins un bienfait. Je vais pouvoir avertir ces proches au plus vite.

Il arpenta la pièce en songeant à la manière d'aborder les nombreuses questions qui se bousculaient dans son esprit. Elle posa son regard sur lui ; il y perçut un mélange de méfiance et de dépit. Ce dernier sentiment ne calma pas son humeur.

— Vous vous interrogez sur l'état de ma vertu, lord Hawkeswell ? C'est votre préoccupation majeure, n'est-ce pas ?

Sa franchise l'étonna.

— C'est en effet l'une des questions qui m'agitent, Verity.

— Permettez-moi de vous rassurer sur ce point. Je n'ai pas eu de liaison sérieuse, pas même une petite aventure sans lendemain. Je suis toujours vierge.

Certes, il était soulagé, mais il doutait qu'elle lui ait tout dit. Car il pouvait y avoir un autre homme. C'était l'explication la plus rationnelle. Cependant, ils y reviendraient plus tard.

— Et vous, lord Hawkeswell ? Puisque nous sommes lancés sur le sujet : qu'en a-t-il été de votre vertu durant mon absence ?

Elle n'en finissait pas de le surprendre. Lorsqu'elle vit son étonnement, une étincelle moqueuse apparut dans son regard.

— J'ai parcouru les journaux à sensation, expliqua-t-elle. La proximité de Londres m'a permis de prendre des nouvelles régulières du pays tout en suivant les faits et gestes du beau monde. Je n'ai pas de leçons à recevoir de vous. Vous ne vous êtes pas vraiment comporté en enfant de chœur, vous me l'accorderez.

Comment s'était-il débrouillé pour se retrouver dans la position de l'accusé ?

— Je vous croyais *morte*.

Elle baissa les paupières.

— D'un point de vue légal, j'avais simplement disparu. Je cherche juste à souligner le fait que je suis au courant de vos aventures. Ça ne me fait ni chaud ni froid, mais j'ose espérer que vous n'êtes pas hypocrite au point de remettre en question ma parole sur ce point, ni même de poursuivre sur le sujet.

L'exaspération l'emporta. Il croisa les bras et la fusilla du regard.

— Allez-vous finir par m'avouer pourquoi vous vous êtes volatilisée ? J'ai le droit de savoir.

Sa calme façade sembla craqueler. Sous la frange de longs cils épais, ses yeux bleus brillèrent d'une nouvelle étincelle. Rien dans son expression n'indiquait qu'elle était désolée ; elle semblait à peine impressionnée. Elle se leva pour être à sa hauteur.

— Je suis partie car vous n'aviez plus besoin de moi pour réaliser vos projets grandioses, mon cousin et vous. Une fois le contrat marital réglé, tout le monde a eu ce qu'il voulait. Vous avez obtenu l'argent, Bertram l'entreprise de mon père, et Nancy l'ascension sociale si longtemps désirée. Seuls ces petits arrangements vous préoccupaient. Je ne rentrais pas du tout en ligne de compte.

Son outrecuidance faillit le déstabiliser.

— Croyez-moi, les choses ne se sont pas du tout passées comme vous le pensez. La loi, dans un tel cas de figure, n'est pas si simple.

La contre-attaque de Hawkeswell la fit vaciller.

— Que voulez-vous dire ?

— Les dispositions figurant sur le contrat de mariage n'ont jamais pris effet. Tout a été bloqué.

— Vous insinuez que vous n'avez *rien* touché du tout ? Que vous n'avez pas eu accès aux fonds en fidéicommis ? Que vous n'avez pas perçu de revenus durant ces deux dernières années ?

— Je n'ai pas reçu le moindre fichu penny.

L'inquiétude empreignit ses traits.

— C'est fâcheux. Je crains à présent que vous ne refusiez d'être raisonnable.

— Je me trouve au contraire fort raisonnable. Et extrêmement patient. Un autre mari aurait réagi très différemment.

Elle se raidit, comme si elle se tenait prête à recevoir un coup. Grayson en fut d'autant plus irrité qu'il n'aurait jamais touché à un seul de ses cheveux.

— Je voulais dire que vous serez peu enclin à écouter mon plan pour la suite, répliqua-t-elle, prudente.

— La seule suite envisageable est notre retour à Londres, où nous vous exhiberons pour prouver que vous êtes vivante, et tenterons de tourner la page sur ce caprice passager.

— Ce n'était pas un caprice. En outre, vous avez tort. Ce n'est pas la seule suite envisageable.

— Je ne vois pas d'autre option.

À son tour, elle se mit à arpenter la pièce, tel un animal en cage. Allant et venant devant lui, le visage rongé par l'inquiétude.

— Vous pouvez demander l'annulation du mariage. C'est possible. Nous n'avons même pas eu de nuit de noces, or j'ai entendu dire que…

— Pourquoi chercherais-je à l'annuler ?

Elle se campa face à lui, les traits tendus par l'émotion. Fini le personnage de l'épouse calme et réfléchie. Elle était devenue son ennemie.

— Pour la simple et bonne raison que je n'y ai jamais consenti. Et de toute façon, cette union vous importe peu.

— Pas du tout. J'ai signé les papiers. J'ai prononcé les vœux. Tout comme vous.

— C'est seulement l'argent qui vous intéresse. Je trouverai un moyen de vous dédommager. Je n'étais pas destinée à cette vie que vous me préparez.

— Je n'arrive pas à croire que vous suggériez une idée si grotesque, Verity. L'Église n'octroiera pas une annulation pour satisfaire le caprice d'une femme.

— Ce n'est pas sur un simple caprice que je me suis enfuie !

— Dans ce cas, dites-moi pourquoi ? Nous en revenons à la question initiale.

Elle redressa les épaules et le regarda droit dans les yeux.

— On m'a arraché mon consentement.

Il fut déconcerté. C'était en effet une raison pour laquelle l'Église accordait une annulation.

— Une salle entière vous a entendue dire oui. Mon témoin se trouve ici même, sous ce toit.

— J'ai été victime d'un chantage ignoble.

— Je n'ai rien à voir avec cette histoire.

— Si vous le dites.

Non seulement elle était en colère et inquiète, mais elle se méfiait de lui. Ce mélange n'augurait rien de bon pour l'avenir.

— Puisque je vous le dis, répéta-t-il en cherchant à l'apaiser. Quand avez-vous su qu'on vous avait trompée ?

— Juste après le repas de noces.

— Racontez-moi.

— Au départ, j'étais contre notre mariage. Si j'ai fini par céder, c'est pour épargner une famille qui m'est chère. Bertram m'avait menacée de leur causer de gros ennuis si je m'opposais à cette union.

Ce fut sans conviction qu'elle rapporta l'histoire, sans doute persuadée de l'indifférence de son mari. Ou peut-être se fichait-elle de ce qu'il pouvait penser. Il ne comprenait pas le mécanisme de son esprit.

— Autrement dit, c'est pour empêcher Bertram de faire du mal à cette famille que vous avez capitulé ?

Elle hocha la tête.

— Seulement, juste après le banquet, Nancy est venue me trouver. En privé. Pour me dire que Bertram avait déjà violé notre accord. Qu'il avait mis ses menaces à exécution.

— Navré d'apprendre cela. Toutefois, le mariage a bel et bien eu lieu, Verity. Il est peu probable que vous obteniez à présent gain de cause. Vous n'avez aucune preuve de ce que vous avancez. Si l'on cédait à de telles récriminations, il serait trop aisé d'annuler un mariage. Les gens mentiraient pour arriver à leurs fins.

— Peut-être mes récriminations trouveront-elles une oreille attentive. Qu'en savez-vous ? Vous préférez l'ignorer. Car vous risqueriez de perdre mon héritage.

Voilà qu'elle se remettait à parler argent ! Mais comment lui en vouloir ? Après tout, c'était le fondement même de leur union.

— Votre colère est compréhensible. Cependant, avec le temps, vous vous y ferez, à condition de vous en donner les moyens. Maintenant, nous devons régler les détails de notre retour à Londres.

Elle crispa les poings le long de son corps. Ses yeux lancèrent des éclairs.

— Vous n'avez pas écouté un traître mot de ce que je viens de vous dire.

— Au contraire, mais cela ne change rien. D'un point de vue légal, vous êtes ma femme.

— Seulement parce que vous refusez de m'aider à obtenir l'annulation.

— En effet.

— Et si je refuse de vous accompagner à Londres ?

— Je vous en prie, ne m'obligez pas à vous emmener de force. Je suis votre mari et, en tant que tel, j'ai des droits sur vous. Point final.

— L'homme qui m'a élevée avait une tout autre approche de la vie. Moi aussi, d'ailleurs. Ce qui prouve bien que nous ne sommes pas faits l'un pour l'autre.

— On ne change pas d'avis comme de chemise. Personnellement, je n'ai qu'une parole. Je l'ai donnée il y a deux ans.

— Ceci est notre première véritable conversation ! Si vous aviez fait l'effort d'apprendre à me connaître, à l'époque, vous auriez vu que nous sommes très mal assortis, vous auriez compris mon objection à cette union.

Au comble de l'exaspération, il luttait pour garder son calme face à l'entêtement insupportable de la jeune femme.

— Vous avez clairement exposé votre opinion sur ce mariage, Verity : ce sera pour vous un enfer. En réponse, je ne peux que vous exhorter à vous habituer à vivre dans les flammes, car ce qui est fait est fait. On vous a retrouvée, et il est hors de question d'annuler cette union. Je vous ai entendue et ne comprends que trop bien votre position. Néanmoins, je vais envoyer quérir un véhicule à Cumberworth. Nous retournerons à Londres dès l'arrivée du carrosse.

Elle leva le menton et le foudroya du regard.

— Je partirai contre mon gré. Ce mariage n'aurait jamais dû avoir lieu. Vous n'auriez jamais dû entrer dans ma vie.

— Voilà qui me fait une belle jambe, rétorqua-t-il avec hargne. Vous feriez mieux de faire vos valises, autrement vous partirez avec ce que vous avez sur le dos.

Elle le jaugea sans fléchir.

— Je suppose que vous êtes assez costaud pour me faire monter de force dans ce carrosse. Ainsi soit-il. En attendant que vous me contraigniez à vous suivre, je vais aller goûter mes derniers instants de paix dans cette maison.

4

Le jeune pélargonium hybride n'avait pas l'air en forme. Deux de ses feuilles viraient au jaune.

— Il a eu trop de soleil. Promets-moi de le mettre à l'ombre tous les après-midi jusqu'à la fin du mois de septembre, fit Verity. Les jeunes hybrides ne sont pas habitués à tant de lumière.

— Sois tranquille, je ferai passer le message à Daphné, répondit Celia.

Elles enfilèrent l'allée flanquée de part et d'autre de tables où trônait une ribambelle de plantes en pot, de plants et de boutures que Verity cultivait.

Que Daphné se fût trouvée sur son chemin, le fameux jour de sa fuite, et l'eût ensuite recueillie dans cette maison dotée d'une serre, était à imputer au destin ou à la chance. Quoiqu'elle eût toujours aimé les fleurs, Verity n'avait jamais pratiqué l'horticulture avant d'arriver au domaine. C'était devenu sa passion, et elle était comme un poisson dans l'eau dans le jardin, dans cette serre, où elle observait le miracle de la nature jour après jour.

— En passant devant le salon, j'ai surpris lord Sébastien tentant de persuader lord Hawkeswell de ne pas agir de manière précipitée.

— Je doute qu'il parvienne à lui faire entendre raison. Du reste, je ne l'imagine pas prendre mon parti contre lord Hawkeswell. Je suis sur le point de perdre la liberté dont je rêvais. Il se peut que je ne mette plus jamais les pieds dans cette maison.

— Tu convaincras Hawkeswell de te permettre de nous rendre visite, tout comme Audrianna a su persuader Sébastien.

— Hawkeswell est comte, et il est très fier de ses origines. S'il s'est abaissé à épouser une roturière comme moi, il voudra toutefois que je rompe avec mon passé, car je vais désormais véhiculer une certaine image de sa famille. C'est toi qui m'as appris tout ce que je sais des aristocrates, Celia, alors n'essaie pas maintenant de me les présenter sous un jour favorable. Toi et moi savons pertinemment que cet homme m'empêchera de vous rendre visite, comme à tous ceux que j'ai connus avant de l'épouser.

Pire encore, il reprochait à Daphné de l'avoir recueillie. Que penserait-il s'il venait à découvrir les circonstances de sa rencontre avec Daphné au bord de la Tamise ?

Ce jour-là, dans le Surrey, elle avait imploré un cocher de la prendre dans son fiacre. Elle était descendue plusieurs heures plus tard, près d'un pont enjambant le fleuve ; le fond de l'air s'était rafraîchi. Le long trajet avait atténué son choc, diminué sa colère. Elle avait eu le temps d'élaborer un plan. Elle allait se débarrasser de son voile de mariée. La police conclurait à une mort par noyade ; on ne chercherait pas à la retrouver.

Elle contemplait l'eau lorsqu'un cabriolet était passé par là. Une charmante jeune femme d'environ vingt-cinq ans, pâle comme le clair de lune, tenait les rênes. Le véhicule s'était arrêté.

Verity regardait son voile disparaître dans le fleuve, songeant qu'il aurait été facile d'échapper à son triste sort en sombrant à son tour dans l'eau. Peut-être Daphné avait-elle alors senti le désespoir de la jeune femme.

Depuis la mort de son père, elle avait connu de rares moments de bonheur, et si peu d'affection. En la faisant chanter, Bertram lui avait assené le coup fatal, le dernier d'une longue liste s'étalant sur des années.

Il n'avait pas toujours été cruel. Autrement, son père ne l'aurait jamais désigné comme tuteur. Sans doute Nancy l'avait-elle changé, ou avait-elle stimulé chez lui des vices qu'une autre épouse l'aurait aidé à combattre.

Rongée par l'ambition sociale, Nancy avait transmis son obsession à Bertram. Or, Verity représentait à leurs yeux l'appât idéal. Agitez une riche héritière à la surface de la société londonienne, et attendez qu'un lord ruiné morde à l'hameçon !

Qu'ils aient capturé Hawkeswell était censé la réjouir elle aussi. Ils s'étaient attendus à ce qu'elle trépigne de joie, au point d'oublier que ce mariage contrecarrait sa destinée.

Combien de fois Nancy l'avait-elle tancée ?

— Tu aurais pu tomber sur un vieillard gras et libidineux ! criait-elle. Seule une sotte repousserait un homme aussi charmant. Des yeux comme les siens enivrent toutes les femmes. Tu ne te rends pas compte de ta chance ! Nous t'avons dégoté un superbe parti. Tu n'es qu'une petite ingrate.

De dix ans son aîné, le comte était loin d'être vieux. Certes, il avait de beaux yeux, mais ils ne lui étaient pas réservés. N'importe quelle femme aurait fait l'affaire. Elle en avait rapidement pris conscience. Il la considérait comme une riche roturière tout juste passable, dont la fortune, amassée par le commerce du fer, allait l'aider à redresser sa situation financière...

— En guise de consolation, dis-toi qu'il est beau, fit Celia comme si elle lisait dans ses pensées. Les dames en sont friandes, ce qui signifie sans doute qu'il est doué au lit. Tu aurais pu plus mal tomber.

— Je ne pense pas qu'il soit encore disposé à me gratifier de ses talents. Il n'est pas assez furieux non plus pour vouloir se débarrasser de moi.

Elle se pencha pour humer un freesia. Jamais elle ne se lasserait de leur parfum.

— Malheureusement, soupira-t-elle.

Celia parut étonnée.

— Tu t'attendais à ce qu'il demande le divorce ? Aurait-il des raisons de le faire ?

— Je n'ai pas eu le cran de lui en donner. À présent, je le regrette. Non, j'avais espéré qu'en lui faisant part de mon désir d'annuler ce mariage, il se montrerait assez ouvert d'esprit et me soutiendrait. J'ai atteint la majorité, vois-tu. Aussi, si je me libère de cette union, je ne serai plus sous l'emprise de mon cousin.

— L'annulation serait vécue comme une humiliation publique. C'est pire qu'un divorce à ses yeux.

— Il s'inquiète surtout pour l'argent. J'ai mal calculé mon affaire. Je pensais que Hawkeswell avait touché les fonds de mon fidéicommis accumulés jusqu'à ma majorité. Il s'agit d'une immense fortune, censée être débloquée soit à mon mariage soit le jour de mes vingt et un ans. Je me disais qu'une fois qu'il aurait l'argent en poche, notre union ne lui serait plus d'aucune utilité. Malheureusement, il dit qu'il n'a rien touché jusque-là.

— De toute façon, il devrait te rembourser si vous vous sépariez maintenant. Peu d'hommes, à sa place, accepteraient une demande d'annulation.

— Je lui ai promis de veiller à ce qu'il touche l'argent dans tous les cas de figure. J'allais lui expliquer mon plan, mais la discussion n'a pas atteint ce point.

Peut-être verrait-il les choses différemment si elle était plus directe avec lui. Tout n'était pas perdu ; elle reprit quelque peu espoir, mais la nausée continua de lui tordre l'estomac.

Elles passèrent devant un assemblage de pots de myrtes taillés, posés à même le sol.

— Je déplore ton départ, mais mon petit doigt me dit que tu nous aurais quittées de toute façon, reprit Celia. Tu te cachais ici en attendant d'atteindre ta majorité, n'est-ce pas ?

Verity saisit les mains de Celia et les pressa.

— Nous sommes toutes de passage ici, n'ai-je pas raison ? Oui, j'avais prévu de partir très bientôt. J'espérais que vous me comprendriez.

— Bien sûr. Mais où avais-tu l'intention d'aller ?

— Dans le Nord. Je projetais de retourner chez moi, loin de Londres et de Hawkeswell. Une fois là-bas, j'aurais demandé l'annulation. Je veux vivre auprès de mes proches, Celia, et tenter de sauver le patrimoine de mon père. J'aimerais dépenser mon argent à bon escient, au lieu de renflouer un aristocrate sur la paille. Du reste, il faut que je sache ce que Bertram a fait à cette famille qui m'est si chère, et que je trouve comment réparer le mal qu'il leur a causé.

Elle refoula ses larmes en battant des cils.

— Ce n'est peut-être qu'un rêve enfantin, mais c'est ce qui m'a permis de tenir le coup.

Celia se pencha vers elle pour lui déposer un baiser sur la joue.

— Je comprends, ma chère Lizzie. Nous avons toutes ici nos secrets et aspirations. Seulement, nous étions loin d'imaginer l'ampleur des tiens. Tu as sans doute fait de grands projets pendant ces deux années, mais à présent tu vas devoir les réviser.

— Tu as raison, j'en ai peur. Cependant, j'ai toujours l'espoir de le convaincre que sa meilleure option est de se débarrasser de moi.

— Il s'est marié pour l'argent. Fais un marché avec lui et tu obtiendras peut-être gain de cause.

— Tu devrais dire à Daphné que la bouture de citronnier n'a pas pris, Celia. Il n'est pas assez résistant pour tenir le coup. Passe-moi ton tablier, ajouta-t-elle en s'approchant ensuite d'un oranger. Je vais en cueillir quelques-unes. Nous les apporterons à Mme Hill qui les utilisera pour la sauce du dîner.

Elle cueillit trois oranges.

— La voiture de louage ne devrait plus tarder, dit Celia d'une voix douce. Tu vas vraiment l'obliger à t'emmener de force ?

L'appréhension de l'arrivée du carrosse avait assombri le peu de temps qu'il leur restait ensemble. Leur tournée de la serre s'apparentait à une veillée funèbre.

— Et risquer de causer une scène inutile ? Non. J'ai été assez claire, il sait ce que je pense.

— Et Daphné n'hésiterait pas à brandir son pistolet pour prendre ta défense, je le crains. Elle est bouleversée. Elle pense que tu as peur de lui, qu'il t'en a donné des raisons. C'est une situation à laquelle elle n'est pas étrangère, vois-tu.

Les craintes de Daphné renforcèrent les siennes. Son estomac, déjà noué, se serra davantage. Avait-elle des raisons de redouter Hawkeswell et son fameux caractère irascible, bien qu'il se soit contenu durant leur entretien privé ?

— Je le suivrai sans broncher. Je ne veux pas causer d'ennuis à Daphné. Il faut que je la prévienne.

Celia se tourna vers la maison dont les fenêtres donnaient sur la serre.

— Tu vas pouvoir le lui dire maintenant. Elle nous rejoint avec Audrianna.

Quelques instants plus tard, Daphné et Audrianna pénétrèrent dans la serre. Elles se dirigèrent vers Verity d'un pas résolu.

— Lizzie, nous avons une idée, annonça Audrianna. Sébastien pense que Hawkeswell se montrera conciliant, si de ton côté tu fais un petit effort...

Verity enfonça sa petite tarière autour du tronc des citrus pour aérer la terre.

À l'autre bout du couloir qui reliait la serre au salon, la porte s'ouvrit, puis des pas se rapprochèrent. Hawkeswell venait lui présenter le plan élaboré par ses amies.

Un plan qui ne lui accordait pas son salut, mais une courte période au purgatoire pour lui donner le temps de se résoudre à son triste sort. Dans l'état actuel des choses, c'était le seul compromis envisageable. Aussi avait-elle accepté sans rechigner. Elle allait toutefois tenter d'en modifier légèrement les termes.

Les pas s'arrêtèrent à quelques mètres ; elle ne pouvait plus faire comme s'il n'était pas là. Il avait des yeux magnifiques. Eussent-ils été vides, dénués d'expression, leur couleur n'aurait pas fasciné autant. Mais ils étaient le miroir de tant de choses, au contraire. Ils reflétaient intelligence et assurance et, en de meilleurs jours, humour et peut-être un certain talent auquel Celia avait fait allusion. Sans oublier la touche d'arrogance propre à un homme de son rang.

Comment rester de marbre ? Deux ans auparavant, elle frémissait déjà en sa présence.

Une femme comme elle n'épousait pas un homme comme lui. Et non parce qu'elle était indigne de lui, ni même parce qu'elle avait des projets avec un autre. Seulement, ils venaient de deux mondes différents, de deux Angleterre sans rapports ; ils n'avaient aucune chance de connaître un jour le bonheur ensemble. Sans oublier qu'ils n'avaient pas la moindre affinité.

La seule chose qu'il avait en commun avec son père, c'était la maîtrise de soi. Cependant, du comte émanait une impression de puissance physique que son père n'avait jamais dégagée, n'étant pas un homme grand. Une puissance qu'elle pressentait comme une menace, aussi en sa présence n'avait-elle eu qu'une envie : celle de rétrécir... s'estomper... puis disparaître.

En revanche, son visage l'avait étrangement rassurée. Un beau visage, certes, mais pas un minois. On n'y trouvait pas cette régularité, cette élégante féminité des traits qu'on observait chez certains lords. C'était une beauté très masculine, que l'on attribuerait plus volontiers à un palefrenier ou à un forgeron. Les os saillants de son visage formaient un ensemble harmonieux où l'on ne lisait pas le dédain présent dans des visages plus délicats.

— Summerhays et Audrianna proposent que nous les accompagnions dans l'Essex, dit-il. Ils croient qu'en passant un peu de temps là-bas, vous aurez l'occasion de vous faire à l'idée de votre nouvelle vie, de m'adopter.

— C'est très gentil à eux de le proposer. Et à vous d'accepter.

— Si quelques jours dans l'Essex peuvent vous réconforter, notre retour à Londres attendra un peu.

Il faisait preuve de beaucoup de sollicitude. Était-ce une bonne chose ? Elle n'en était pas sûre. En se montrant trop gentil, il rendrait la situation plus compliquée.

— Un bref répit avant ma résurrection ne sera pas de refus, lord Hawkeswell. Je ne suis pas pressée d'affronter les commérages. Toutefois, j'aurais une petite requête à vous soumettre concernant ce séjour dans l'Essex. Puisqu'il sera de courte durée, vous ne verrez pas d'inconvénient à m'accorder cette dernière faveur, j'espère.

Le doute voila son regard. Il parut froissé. Sans doute trouvait-il qu'elle tirait sur la corde.

— C'est-à-dire ?

— Tout s'est passé si vite, je préférerais attendre la fin du séjour pour la nuit de noces. Nous pourrions peut-être profiter de cet interlude pour apprendre à nous connaître un peu…

Il hocha lentement la tête.

— Pour quelqu'un qui n'a pas les cartes en main, vous jouez de manière astucieuse. Je ne vois pas d'inconvénient à patienter encore quelques jours avant de faire valoir mes droits, puisque vous le souhaitez. Après deux ans d'attente, c'est une bagatelle. En revanche, si vous croyez réussir à me convaincre de demander l'annulation, vous faites fausse route.

C'était une réaction typiquement masculine ! Il croyait pouvoir prédire l'avenir ? Présager de ce qu'il penserait d'un sujet si sérieux dans quatre jours ? Une fois qu'il la connaîtrait mieux et qu'elle lui aurait présenté son offre de dédommagement, il changerait sans doute d'avis.

— Je vous demanderai aussi de garder le secret de ma découverte jusqu'à notre départ pour Londres, reprit-elle. Plus nous retarderons les bavardages, plus j'aurai de temps pour me préparer à les affronter.

— J'accéderai à vos deux requêtes à condition que vous m'accordiez quelque chose en échange, répondit-il. Tout d'abord, vous devez me promettre de ne pas vous enfuir cette nuit.

C'était une demande facile à honorer. Il serait vain de s'échapper alors qu'il serait aussitôt sur ses traces. En outre, elle ne voulait plus vivre cachée, car elle avait des projets.

— J'exige une autre promesse de votre part, Verity, enchaîna-t-il en s'approchant d'elle. Je renoncerai à faire valoir mes droits maritaux si vous m'octroyez trois baisers par jour.

— Quel genre de baisers ?

— À vous de choisir.

— Très brefs, dans ce cas.

— À l'exception de ces baisers, je n'attendrai rien de plus.

— Ce sera en privé. Je ne veux pas vous embrasser devant Audrianna.

Inutile que des témoins se posent des questions sur le sens de ces baisers. Ce serait déjà assez compliqué d'obtenir une annulation alors qu'ils allaient passer du temps sous le même toit, quoique en tout bien tout honneur.

— Nous nous embrasserons en privé, vous avez ma parole.

Il esquissa un sourire, à croire qu'il devinait ses craintes. C'était plutôt bon signe, songea-t-elle. Du reste, c'était son premier sourire de la journée. Force était d'admettre qu'il avait un sourire charmant, un sourire qui éclairait son visage.

— Va pour trois baisers, s'ils sont brefs et privés. Bien que je ne voie pas vraiment ce que vous cherchez à prouver.

— Que vous êtes très jolie et que vous êtes ma femme ?

Le regard pensif, il esquissa de nouveau un vague sourire.

Voilà comment il comptait mener la partie ? Alors qu'elle tenterait de le convaincre d'annuler leur mariage, il chercherait de son côté à lui prouver qu'elle finirait dans son lit, bon gré mal gré ?

— Marché conclu, dit-elle. Quand lord Sébastien a-t-il prévu de partir pour l'Essex ? Aujourd'hui ? Il faut que je fasse mes bagages. Ce ne sera pas long.

— Demain. Lui et moi allons dormir dans une auberge à Cumberworth. Nous reviendrons vous chercher demain matin avec son carrosse.

Une dernière nuit en compagnie de ses chères amies, songea-t-elle. Ce serait plein de nostalgie.

Elle hocha la tête, avant de se remettre à enfoncer la tarière dans le pot du citronnier. Étrangement, il ne prit pas congé tout de suite, mais resta là, à quelques mètres d'elle, à l'observer.

— Verity, j'attends mon baiser.

Elle se raidit.

— Nous ne sommes pas encore dans l'Essex.

— Qui a dit qu'il faudrait attendre d'y être ? Vous pouvez tout de même m'en octroyer un aujourd'hui. Ces retrouvailles ne m'ont pas forcément mis de bonne humeur, et vous êtes assez intelligente pour savoir que je n'étais pas obligé d'accepter la proposition de Summerhays. J'aurais pu obtenir bien plus qu'un baiser si je l'avais voulu.

Et rebelote ! Il brandissait ses droits, lui rappelant par la même occasion qu'elle était à sa merci. Un frisson parcourut ses veines, une peur ancienne ressurgit, impossible à réprimer.

Elle ravala sa peur ainsi que son sentiment de révolte. Après tout, elle n'avait pas de raisons de se plaindre. Il s'était montré d'une relative diplomatie.

— Vous avez raison. Vous avez accepté de faire des concessions. Aussi, vous avez bien mérité un baiser. C'est la moindre des choses.

Il parut trouver cela amusant. Il s'approcha et, d'une main ferme, leva son menton. Ce contact lui parut étrange. Elle n'était pas habituée à ce qu'un homme la touche.

Il la contempla avec une telle intensité qu'elle en éprouva un certain malaise. Fermant les yeux, elle se prépara, prête à reculer une fois que leurs lèvres se seraient brièvement effleurées.

— On vous a déjà embrassée ?

— Il y a des années, quand j'étais toute jeune.

Un vague souvenir lui revint à l'esprit. Elle revit le sourire espiègle de Michael Bowman juste avant ce fameux premier baiser. Un profond chagrin lui tordit le cœur.

— Il y a combien d'années ?

— Six, je crois. Pourquoi me posez-vous cette question ?

— Peut-être que vous ne vouliez pas me fuir, mais plutôt en retrouver un autre. C'est une hypothèse à envisager.

L'allusion l'inquiéta.

— Comme vous pouvez le constater, il n'y a pas d'homme ici.

— Cela n'exclut pas que vous pouvez avoir fui pour un autre.

Sans lui donner l'occasion de rétorquer, il inclina la tête et posa les lèvres contre les siennes.

La première fois qu'on l'avait embrassée, elle avait été prise d'un rire nerveux. C'était quasiment le seul souvenir qu'elle gardait de l'expérience. En tout cas, rien ne l'avait préparée à l'étrangeté de cet abandon. Il s'était fait maître de ses sens. Et malgré la douceur de ses lèvres, son baiser était ferme et la main qui maintenait son menton, solide.

Elle eut bientôt conscience de la proximité de leurs corps, de son parfum qui l'enveloppait. Son baiser l'enivrait.

Au bout de quelques secondes, elle mit fin à leur étreinte en reculant d'un mouvement brusque. Un frisson la parcourut.

Pendant un instant, il la considéra avec intensité. Puis il tourna les talons.

— À demain, ma chère et tendre épouse.

5

— Il pleut ! Voilà qui est approprié, marmonna Hawkeswell.

— Tu es vexé ? C'est parce que Audrianna a voulu partager sa chambre avec Verity, la nuit dernière ? demanda Summerhays. Tu n'avais quand même pas l'intention de...

— Non, je n'en avais pas l'intention. Je passe déjà pour un bouffon. Je ne tiens pas en plus à me donner en spectacle dans une auberge.

Sa monture avançait en cadence avec celle de Summerhays. Dans le carrosse de ce dernier, Verity et Audrianna, pimpantes et sèches, étaient sans doute occupées à manigancer un plan contre lui.

Les deux jeunes femmes s'étaient arrangées pour se retrouver en tête à tête quasiment tout le long du trajet, tandis que leurs époux suivraient le carrosse à cheval. Un jour et demi s'était écoulé depuis leur départ pour l'Essex, et Verity s'était débrouillée pour ne pas avoir à lui parler et pour ne passer que quelques minutes en sa compagnie.

À l'exception du dîner de la veille, où Audrianna et Summerhays avaient fait la conversation. Pendant ce temps-là, Verity examinait son assiette, les murs, le plancher. Hawkeswell, quant à lui, l'observait, relevant combien la lueur de la chandelle mettait en valeur sa peau diaphane et son visage délicat.

44

— Tu es en rogne. Je te comprends, fit Summerhays du ton apaisant, irritant au possible, qu'il avait adopté depuis la découverte de Verity. J'espère toutefois que tu sauras ravaler ta colère et profiter au maximum de ce séjour. En t'y prenant bien, tu pourrais faire changer la situation.

Hawkeswell étrécit les yeux pour percer le rideau de pluie qui dégoulinait du bord de son chapeau.

— Si je suis de mauvaise humeur, c'est parce que je suis trempé.

— Bien sûr !

— Et qu'est-ce que c'est que cette histoire de « profiter au maximum de ce séjour » et de « faire changer la situation » ?

— Je me disais qu'en employant tes charmes et en mettant de côté ton air renfrogné, lorsque tu auras l'intention de... passer à l'acte, ce sera peut-être moins désagréable.

— Serais-tu en train de m'expliquer comment m'y prendre avec une femme ? Ma femme, qui plus est ? Va au diable !

Summerhays poussa un soupir.

— Écoute, tu es comme un étranger pour elle. D'après Audrianna, tu n'as même pas pris la peine de lui faire la cour. Certes, elle s'est mal comportée, mais à moins que tu veuilles vivre dans la discorde, tu ferais mieux de laisser tomber cet air menaçant et tenter de la séduire.

La pluie s'était calmée. Hawkeswell ôta son chapeau pour le secouer, avant de le replacer sur sa tête.

— J'ai l'air menaçant ?

— C'est du moins l'avis des femmes. Audrianna t'a trouvé une mine féroce hier soir au dîner.

— C'est parce que j'étais affamé.

— Hier matin, Mme Joyes était prête à brandir son pistolet pour t'empêcher d'emmener Verity. Si jamais ta femme avait regimbé, nous aurions eu droit à une

scène terrible. Tu n'as pas fait bonne impression.
Mme Joyes ne te porte pas dans son cœur.

— Comme cela m'attriste ! L'opinion de Mme Joyes
m'est si chère.

— Épargne-moi tes sarcasmes. Et ne sois pas si
bougon.

— Que ce soit bien clair, Summerhays : je me sou-
cie peu de l'opinion d'une femme qui a caché mon
épouse pendant deux ans, pour ensuite menacer de
m'abattre. Je me méfie de Mme Joyes. Toutefois, je
vais essayer de ne pas avoir l'air féroce. Je me conten-
terai de sourire comme un benêt, pendant que ta
femme et la mienne manigranceront un stratagème
pour faire de moi leur marionnette.

— C'est injuste. Audrianna n'a rien à voir là-dedans.

— Tu es vraiment amoureux, n'est-ce pas ? Tant
pis, tu ne me seras d'aucune aide. L'ennemi te tient à
sa merci et n'hésitera pas à t'utiliser. Je ne peux
compter que sur moi.

Summerhays s'insurgea.

— Je te parle en ami ! Écoute, tu as séduit ton
content de femmes tout au long de ta carrière de don
juan, Hawkeswell. Tu pourrais peut-être en séduire
une de plus.

Summerhays avait raison, même s'il ne l'avouerait
pour rien au monde. La nuit dernière, un plan lui
était venu à l'esprit en voyant Verity rougir sous son
regard. Elle était si charmante à la lueur des bougies.

La séduction restait sa meilleure arme. C'était la
plus facile, la plus rapide et la plus efficace des solu-
tions pour remédier à cette fâcheuse situation.

— C'est une propriété magnifique ! fit remarquer
Verity en passant la tête par la vitre de la cabine. Et
on sent la mer !

Sur une colline, se dressait le manoir d'Airymont.

— Nous ne sommes pas loin de la côte. Nous pourrons aller y faire un tour.

Verity noua son bonnet et rajusta sa tenue. Elle distinguait le claquement des fers de l'attelage ainsi que du couple de chevaux qui suivaient le carrosse, dont le hongre de son mari.

Ce dernier ne s'était pas montré très coopératif depuis leur départ du Middlesex. La veille, pendant le dîner, c'est à peine s'il avait ouvert la bouche, se bornant à l'observer d'un air pensif. Son regard lui avait donné la chair de poule.

— Ce domaine appartient au frère de mon mari, précisa Audrianna.

À mesure qu'ils approchaient, le manoir prenait des proportions monumentales.

— Peut-être pourra-t-il profiter de la campagne quand il reviendra de Bohême. Si toutefois son médecin parvient un jour à guérir sa paralysie. Tant qu'il est invalide, toutefois, il vaut mieux qu'il vive en ville. Au moins, là-bas, il est entouré.

Verity doutait que le marquis de Wittonbury revienne un jour en Angleterre, encore plus qu'il vive de nouveau dans cette demeure. Toutefois, Audrianna était de nature optimiste ; elle espérait toujours le retour de son beau-frère, avec qui elle avait noué des liens étroits.

Le carrosse s'arrêta dans une large cour d'honneur encadrée de deux ailes. Audrianna descendit, aidée d'un domestique, suivie de Verity. Leurs époux mirent pied à terre.

La pluie avait cessé mais l'air était lourd. Ce fut donc avec soulagement qu'ils pénétrèrent dans la salle de réception du manoir. Le sol en marbre incrusté et le mobilier spartiate avaient un effet rafraîchissant. Des boissons leur furent portées tandis qu'on montait leurs bagages.

— Il y a un voilier à Southend-on-Sea, annonça lord Sébastien. Que diriez-vous d'une petite virée en mer demain, si le temps nous le permet ?

Cette proposition ranima Hawkeswell. Les deux hommes se mirent à parler bateau et loisirs. Pendant ce temps, Verity sirotait son punch tout en se faisant oublier.

Une habitude qu'elle avait adoptée lorsque Bertram, devenu son tuteur, s'était installé dans la maison où elle avait grandi avec son père. Elle avait vite compris comment s'effacer et faire abstraction de son entourage.

Un rituel qu'elle avait ensuite pratiqué chez Daphné pendant deux ans, s'éclipsant dès que nécessaire. Quand lord Sébastien leur rendait visite, par exemple.

Mais, en l'évitant, elle avait également dû sacrifier son amitié pour Audrianna. Elle n'avait pas assisté à son mariage et n'avait jamais vu sa demeure de Londres. Il lui avait fallu se retrouver ici, assise dans un fauteuil matelassé, dans une salle de réception plus grande que la plupart des cottages, pour prendre pleinement conscience de la chance de son amie. Son regard s'aventura vers le plafond, qui s'élevait à dix mètres au-dessus d'un carrelage constitué de quatre sortes de marbres.

Audrianna ne semblait pas intimidée par le décor. Quant à lord Sébastien et lord Hawkeswell, ils paressaient dans un canapé, habitués qu'ils étaient à vivre dans l'opulence. Verity, en revanche, n'avait jamais rien vu de tel, malgré son statut de riche héritière.

Un signal invisible retint l'attention d'Audrianna, qui se leva.

— La gouvernante va vous montrer vos appartements. Il y a un petit lac à l'arrière de la maison, au bout du jardin. Que diriez-vous de tous nous y retrouver à six heures pour y dîner ?

Lord Sébastien applaudit l'idée. Puis Verity et Hawkeswell emboîtèrent le pas à la gouvernante.

Au deuxième étage, la femme remit Hawkeswell aux bons soins d'un domestique qui patientait devant une haute porte à double battant. Elle conduisit Verity vers une porte similaire située quelques mètres plus loin. Leurs chambres étaient proches. Elle constata qu'il se faisait la même remarque. Puis sa porte s'ouvrit et il disparut à l'intérieur de la pièce.

— J'espère que ces appartements vous conviendront, lady Hawkeswell, dit la gouvernante en poussant les battants derrière lesquels apparut une vaste chambre verte à la dernière mode. L'été, elle est ombragée dans l'après-midi. N'hésitez pas à me dire si vous n'êtes pas satisfaite.

Les trois fenêtres étaient grandes ouvertes de manière que l'air frais s'engouffre dans la pièce.

C'était la première fois qu'on l'appelait « lady Hawkeswell ». Elle faillit tourner la tête pour chercher la dame à qui s'adressait la gouvernante. Se ravisant, elle s'approcha de la fenêtre pour découvrir la vue. Située dans l'aile arrière de la demeure, la chambre était orientée à l'est.

Elle prit une grande bouffée d'air marin. Un vieil arbre au tronc massif était planté juste devant sa fenêtre ; en penchant la tête sur la gauche, elle apercevait les jardins d'agrément. Au-delà d'un massif d'arbustes, au fond, elle devina les eaux bleues du lac.

La gouvernante attendait visiblement son approbation.

— C'est parfait, dit-elle.

À cet instant, Audrianna pénétra dans la chambre suivie d'une jeune femme, une dénommée Susan, qui lui tiendrait lieu de femme de chambre. Sans perdre un instant, Susan se mit à défaire les bagages de Verity, sous le regard scrutateur de la gouvernante. Verity n'avait emporté avec elle que très peu d'effets ;

la plupart de ses robes étaient simples et modestes. Les domestiques firent mine de ne rien remarquer.

Elle fut installée en un rien de temps. Les servantes se retirèrent après lui avoir apporté de l'eau pour sa toilette.

Audrianna posa les doigts sur deux piles placées sur le lit, l'une de lettres, l'autre de journaux.

— Ce sont sans doute les lettres dont tu m'as parlé dans le carrosse. Envoyées à Lizzie Smith par les hommes de l'archevêque et les magistrats en réponse à ses questions sur les procédures d'annulation de mariage. Mais que sont ces coupures de journaux ?

— J'ai collecté les articles relatifs à ma région, répondit-elle en ouvrant un tiroir pour y glisser les papiers. Je ferais mieux de les cacher. La chambre de Hawkeswell est si près de la mienne qu'il risque de venir me rendre visite.

— J'aurais difficilement pu le mettre dans l'aile opposée, Verity. Il se doute sûrement que tu m'as parlé de votre marché, mais il vaudrait mieux que ce ne soit pas flagrant.

— De toute façon, il m'a donné sa parole. C'est un homme d'honneur.

— Eh bien, au cas où son honneur flancherait, tu peux toujours invoquer l'une de tes fameuses migraines, répliqua son amie avec un sourire complice.

— J'en souffre vraiment au printemps, Audrianna. Voilà un point sur lequel je n'ai pas menti.

Son visage se détendit.

— À vrai dire, je n'en souffre pas autant que cela, mais je devais à tout prix trouver un moyen d'esquiver lord Sébastien à cette époque. Tu m'en veux de t'avoir menti ?

Audrianna lui prit la main et l'incita à s'asseoir sur le lit auprès d'elle.

— C'était un petit mensonge, rien de bien méchant. Mais merci pour ta franchise. Du reste, je suis contente que tu m'aies parlé du marché conclu avec le comte. Je ferai mon possible pour te soutenir dans ton projet, car je pense qu'on ne devrait pas forcer les femmes à se marier contre leur gré.

Audrianna s'exprimait avec optimisme, mais ses yeux trahissaient le doute.

— Tu penses que mon projet est voué à l'échec, n'est-ce pas ?

— Nous parlons d'un comte. Finalement, la décision lui reviendra à lui et à personne d'autre. Celia et Daphné t'ont dit la même chose, et elles connaissent les règles du jeu mieux que moi.

Celia et Daphné avaient en effet dit cela, ce qui l'avait découragée. Pendant deux ans, elle s'était préparée à demander l'annulation une fois l'heure venue. Elle n'ignorait pas que l'épreuve serait rude, mais au moins, elle voulait lutter.

À présent, Hawkeswell était en position de force. Ses chances d'être entendue étaient réduites, à moins qu'elle ne le rallie à sa cause.

Elle avait ces quelques jours dans l'Essex pour y parvenir. Une semaine tout au plus, sans risquer d'avoir à consommer son mariage. Dans les lettres rangées dans son tiroir, on lui indiquait que l'annulation pouvait être accordée à condition de fournir une preuve irréfutable que le mariage n'avait été consommé qu'une seule fois. Toutefois, si le mariage n'était pas consommé du tout, elle aurait un atout supplémentaire. En outre, il était essentiel qu'ils n'aient pas eu d'enfant.

D'après Celia, Hawkeswell était principalement motivé par l'argent. Verity avait tourné et retourné cela dans sa tête.

— Peu importe l'issue de mon mariage, rien ne m'empêche de mener mon enquête sur mon cousin afin de découvrir s'il a mis ses menaces à exécution.

Maintenant que je suis majeure, Bertram n'a plus de pouvoir sur moi, que je sois mariée ou célibataire.

— Et si tu découvres la vérité, que feras-tu ?

— Je dédommagerai cette famille autant que faire se peut.

En réalité, si jamais le pire était arrivé à Michael Bowman, ses projets tomberaient à l'eau.

Hawkeswell se montrerait-il plus conciliant si elle lui révélait tout ? Non la partie concernant Michael, évidemment, mais le reste ? Il comprendrait sans doute qu'elle ne pouvait pas rester dans le Sud et prétendre mener la vie de lady Hawkeswell.

Si elle lui avouait ses aspirations, il prendrait conscience qu'ils n'étaient pas faits l'un pour l'autre. Peut-être lui rendrait-il sa liberté.

Audrianna se leva d'un bond.

— Je te laisse te reposer. Nous nous voyons pour le dîner. Les domestiques te conduiront jusqu'au lac.

— Je le vois de ma fenêtre. Je trouverai mon chemin toute seule.

Dès qu'Audrianna eut refermé la porte, Verity se précipita vers le bonheur-du-jour, dans un coin de la pièce mitoyenne. Dans ce décor vert pomme, elle s'assit pour écrire une lettre aux gens de son enfance. La première depuis deux ans.

Pendant que son valet défaisait les bagages, Hawkeswell inspecta ses appartements. Un ensemble de pièces confortables, songea-t-il. En même temps, il n'en attendait pas moins de l'une des propriétés de Wittonbury. Le tapis provenait sans doute de Bruxelles, et la soie dont on avait confectionné les rideaux, d'Inde. À en juger par leur agréable patine, les meubles étaient relativement anciens, mais pas trop, ce qui laissait penser que la décoration de la demeure était récente.

Il ne put s'empêcher de la comparer à sa propriété, tout du moins à ce qu'il en restait. Dans la résidence de campagne familiale, rien n'avait bougé depuis plusieurs générations, à l'exception du Titien qui avait mystérieusement disparu suite à l'une des nombreuses défaites de son père au jeu.

Heureusement, son grand-père avait su décorer la maison avec goût et prodigalité. Hormis quelques tapisseries et draperies, la demeure n'avait pas trop subi les affres du temps. Toutefois, elle nécessitait un entretien trop souvent différé, ainsi que certaines rénovations pour la remettre au goût du siècle.

Son valet fredonnait un air en s'affairant dans le dressing. Hawkeswell tendit l'oreille pour discerner les sons provenant des appartements voisins. Il s'était attendu à ce qu'Audrianna les installe dans deux ailes opposées. Finalement, peut-être n'avaient-elles rien manigancé du tout.

Laissant le valet vaquer à ses occupations, il se dirigea dans le couloir qu'il enfila jusqu'à la porte de Verity. Il toqua et attendit un long moment avant qu'on ne tire le verrou. Elle parut étonnée de le trouver là.

— Vous êtes bien installée ? demanda-t-il. Vos appartements vous conviennent ?

— On ne peut mieux, merci.

Le silence retomba. Elle se cachait à moitié derrière la porte, qu'elle laissait entrouverte.

— Vous n'allez pas m'inviter à entrer ?

— J'étais sur le point d'écrire une lettre, et...

— Je n'ai pas à vous demander la permission, ni même à frapper à la porte, Verity.

Elle se mordit la lèvre inférieure, puis ouvrit la porte en grand.

— Entrez, je vous en prie.

La pièce principale semblait assez confortable. Plus petite que la sienne, elle contenait quelques fauteuils et un grand lit à baldaquin drapé de soie verte. Il se rendit à la fenêtre. De sa chambre, il avait une meilleure vue. Celle-ci donnait sur un grand arbre au sommet duquel chantait un oiseau.

— Je vous soupçonne de savoir grimper aux arbres, en dépit de votre observation stricte du code des bonnes manières.

Elle sourit.

— Autrefois je grimpais très bien, mais j'étais encore enfant.

Elle s'approcha à son tour de la fenêtre pour examiner l'arbre.

— Je dirais qu'il faut quatre minutes à quelqu'un d'expérimenté pour descendre de celui-ci. Moi, en revanche, je risquerais de me briser le cou. C'est pour inspecter cet arbre que vous êtes venu ?

— Je voulais m'assurer que vous êtes bien installée. Et vous annoncer mon intention d'aller faire un tour dans le jardin. Accompagnez-moi.

Elle jeta un coup d'œil au bonheur-du-jour, dans la pièce derrière elle.

— Comme je vous l'ai dit, j'étais sur le point d'écrire une lettre.

— Vous préférerez vous promener. Vous aimez les jardins, n'est-ce pas ?

Ses joues s'empourprèrent.

— Oui, en effet. Ma lettre, toutefois…

— Pourra attendre jusqu'à ce soir.

Il se dirigea vers la porte, s'écarta et lui indiqua le couloir, d'un geste qui était à la fois une invitation et un ordre.

Peut-être fut-elle hermétique à l'invitation mais, à en juger par son expression, elle avait parfaitement perçu l'ordre en filigrane. Elle le rejoignit.

Verity descendit l'escalier en pierre qui donnait sur le jardin derrière la véranda. Hawkeswell lui prit la main et la guida pour éviter qu'elle ne trébuche. La familiarité du geste la troubla.

L'accord qu'ils avaient passé n'était pas parfait. Elle aurait dû se montrer intraitable, exiger qu'ils se comportent comme un couple non marié pendant toute la durée du séjour.

Si elle avait été plus pointilleuse sur les termes du marché, il ne jouerait pas à présent le rôle de l'époux accrédité : il entrait et sortait de sa chambre à sa guise, lui prenait la main. Bref, il se croyait tout permis. D'ailleurs, elle le soupçonnait d'avoir toqué à sa porte et de lui avoir proposé une promenade juste pour le lui prouver.

Le domaine était remarquable. Quoique la maison ne fût guère habitée, les jardiniers entretenaient le parc avec soin. La véranda donnait sur un grand jardin flanqué de deux ailes à l'arrière. Avec celles situées à l'avant, la maison formait un gigantesque H.

Le parc était en pente douce. Cinq cents mètres plus loin, il se terminait par un bosquet derrière lequel apparaissait le lac.

— Cela vous plaît ? demanda Hawkeswell.

— C'est un peu formel à mon goût, mais c'est un modèle dans son genre.

— Dans ce cas, vous avez sans doute préféré le jardin de la demeure londonienne de Wittonbury, dit-il avant de se raviser avec un sourire. Sauf que vous n'y avez jamais mis les pieds, n'est-ce pas ? Vous n'auriez pas pris le risque de rendre visite à Audrianna là-bas ; son mari aurait pu vous démasquer.

— C'est vrai.

Elle marqua machinalement une pause devant un glaïeul tardif et, d'une chiquenaude, débarrassa l'une de ses tiges d'une fleur fanée.

— Force est d'admettre que vous avez su garder votre secret avec brio. Je m'étonne que vos amies se soient ralliées à votre cause, qu'elles ne se soient pas senties trahies.

— C'est parce que vous n'avez pas idée du Règlement que nous respectons toutes. Le passé appartient au passé – d'ailleurs, tout le monde y trouve son compte.

— Cette maison est un endroit bien étrange. Un règlement, dites-vous ? Comme dans un couvent ou une école ?

— À de nombreux égards. Par exemple, nous n'avons de comptes à rendre à personne. Nous sommes toutes autonomes. Nous ne nous mêlons pas des affaires des autres. En outre, nous participons toutes aux dépenses de la maison, à la hauteur de nos moyens. Audrianna donnait des leçons de musique, Celia touche une faible rente. Et moi, je cultivais les plantes dans la serre et j'entretenais le jardin.

— Chacune d'entre vous doit avoir un secret, je suppose ? On respecte plus facilement l'intimité de quelqu'un quand on a soi-même quelque chose à cacher.

— Ce n'est pas la part de mystère qui permet au système de fonctionner, mais la solidarité. De toute façon, j'étais sûrement la seule à avoir un secret.

— Vous êtes bien naïve, si vous voulez mon avis. Tenez, l'idée ne vous a jamais effleurée que Mme Joyes ne voulait pas connaître votre vie pour éviter d'avoir à vous raconter la sienne ?

Elle cessa de marcher et se tourna vers lui.

— Que voulez-vous dire ?

Il haussa les épaules.

— Pour la veuve d'un simple capitaine – ce qu'elle est, d'après Summerhays –, elle possède une belle propriété. Elle ne vous demande rien de personnel. En contrepartie, elle préserve son intimité.

— Vos propos sont calomnieux !

— Je pense simplement à voix haute. Ne faites pas la prude. Sans doute n'avez-vous rien osé dire, mais la question vous aura sûrement traversé l'esprit.

— Vous ne faites pas que penser, vous *insinuez* des choses. Je ne le permettrai pas. Daphné est comme une sœur ; elle est la bonté même. Vous cherchez à l'accabler pour la simple raison qu'elle m'a recueillie.

— Peut-être bien. Toutes mes excuses.

Il abandonnait trop facilement. Ses excuses n'étaient sûrement pas sincères. Il se contentait de la caresser dans le sens du poil pour gagner son estime.

Un bosquet délimitait le jardin, au-delà duquel s'étendait la nature à l'état sauvage.

— Si vous voulez bien me pardonner. Je vais regagner mes appartements pour me reposer un peu avant le dîner.

— Et pour écrire votre lettre ?

— Peut-être.

— Avec qui êtes-vous si pressée de correspondre ? Vous teniez à ne pas ébruiter la nouvelle de votre retour. Je suis surpris que vous vous empressiez d'en informer des gens.

— Je vais écrire à Katy Bowman. C'est la mère de la famille victime des menaces de Bertram. Elle fut la gouvernante de mon père pendant de longues années. Et elle fut comme ma mère.

— C'est donc elle qui aurait pleuré votre disparition ? Je comprends que vous désiriez rectifier cette triste erreur.

Il cherchait à faire naître chez elle un sentiment de culpabilité, qu'elle éprouvait déjà vivement. Puisque Katy ne savait pas lire, sa lettre lui serait lue. Le pasteur s'en chargerait. Pourvu qu'il accepte ensuite de rédiger une réponse pour elle !

Si seulement elle recevait une lettre où Katy lui expliquait que Nancy avait menti, que Bertram avait épargné son fils, Michael, que ce dernier exerçait toujours le métier de forgeron. Elle n'osait y croire.

— Je vous quitte ici, lord Hawkeswell. Nous nous verrons ce soir.

Elle se retourna, s'apprêtant à traverser le jardin en sens inverse, mais il lui attrapa le bras pour l'immobiliser.

— Attendez un instant, Verity. J'aimerais d'abord un baiser. Plusieurs, en réalité.

— Plusieurs ? Il n'était pas question de vous embrasser plusieurs fois de suite ! Nous avions parlé de trois baisers par jour – espacés !

— C'est une clause que vous avez oublié d'ajouter à notre contrat. Quelle négligence de votre part !

Il l'attira gentiment à lui. Elle tenta de planter ses talons dans le sol, mais il vint à bout de sa résistance.

— Vous n'êtes pas honnête, protesta-t-elle.

— Estimez-vous heureuse : trois baisers par jour, ce n'est rien en comparaison de ce que je suis en droit d'exiger. D'ailleurs, je ne réclame pas ceux d'aujourd'hui, mais d'hier.

— Ils ne sont pas cumulables ! Ce n'est pas ce dont nous étions convenus.

— En réalité, nous n'avons jamais spécifié cela.

— Maintenant si ! Allons, si nous suivions vos règles, vous laisseriez passer la moitié de la semaine sans rien exiger, pour ensuite réclamer une quinzaine de baisers d'une seule traite.

— L'idée n'est pas désagréable. Toutefois, si vous voulez éviter pareil cas de figure, il vous suffira de veiller à me donner mes trois baisers quotidiens, rétorqua-t-il sur un ton taquin.

Une étincelle espiègle brilla dans son regard. Comment avait-il réussi à retourner la situation à son avantage ? Qu'était-il advenu de leur accord ? Comment s'était-il débrouillé pour que ce soit à elle de l'embrasser et non l'inverse ?

— D'accord, finit-elle par concéder. Trois. Pour compenser le retard.

Elle se hissa sur la pointe des pieds et s'empressa de planter un baiser sec sur ses lèvres. Mais lorsqu'elle voulut s'acquitter du deuxième avec la même hâte, il bascula le visage en arrière pour l'éviter.

— Et d'un ! Plus que deux, déclara-t-il d'un ton amusé.

Elle se redressa pour se préparer à recevoir les deux autres.

Cependant, il la surprit en prenant doucement son visage. La sensation de ces paumes chaudes sur ses joues la fit sursauter.

— Vous êtes juste censé…

— Chut, murmura-t-il tandis que ses lèvres planaient dangereusement au-dessus des siennes. Lorsque j'embrasse une femme, je ne le fais pas à moitié.

Tout en caressant ses lèvres avec son pouce, il la dévisagea. Puis il la mordilla. Elle eut l'impression qu'une flèche l'avait pénétrée pour aller se ficher au creux de ses reins dans un tourbillon de sensations. Leur proximité l'alarma. Quand sa bouche se posa enfin sur la sienne, elle retint son souffle.

Pourtant, elle ne s'écarta pas tout de suite. Envoûtée par le baiser, elle oublia même de le repousser.

Au bout de quelques instants, ce fut lui qui s'écarta pour contempler son expression, sans lâcher son menton. Ce qu'il vit parut le satisfaire.

— Et de deux.

— Ça suffit !

Il secoua la tête et l'embrassa encore.

Ce baiser, leur intimité, la sensation vertigineuse, les frissons qui la parcouraient… tout cela lui fit perdre pied. Jamais elle n'aurait imaginé qu'un baiser puisse être si long, si complexe et… si actif. Il remua sa langue avec des mouvements délicieux et très subtils. Ce baiser était fort différent de celui qu'elle avait échangé avec Michael Bowman autrefois. Beaucoup plus dangereux. Du reste, sa réaction à elle était différente aussi.

Enivrée, elle succombait peu à peu. Jusqu'à ce qu'elle se rende compte qu'elle s'était fait avoir. Elle venait de permettre un baiser qui en eût valu dix, au moins !

Le souvenir de Michael l'aida à rompre le charme. Certes, elle ne lui devait rien. Peut-être était-il mort à cette heure. Toutefois, elle prit la main de Hawkeswell, l'écarta de son visage et recula d'un grand pas.

— Vous avez eu votre part de baisers. Largement ! Il faudra les soustraire à ceux de demain.

— Je n'en ai utilisé que trois.

— Mais c'était trop long !

— Cela dépend de vous. Si vous ne mettez pas un terme au baiser, ne vous attendez pas à ce que j'en prenne l'initiative.

Les joues en feu, elle se retourna et partit à grandes enjambées. Il l'avait prise au dépourvu. Lorsqu'ils avaient passé leur accord, elle n'avait pas tout prévu. Mais, maintenant qu'elle voyait clair dans son jeu, elle serait sur ses gardes.

6

Sur la surface paisible du lac se reflétait la lumière chatoyante du début de soirée. Les rayons du soleil couchant transperçaient les branches et le feuillage de l'arbre qui les abritait pour aller se poser sur la nappe, les assiettes et les chevelures des jeunes femmes.

Hawkeswell se surprit à contempler Verity trop souvent à son goût. Les baisers échangés dans l'après-midi avaient été très agréables, et la réaction de sa femme l'avait charmé. À sa grande satisfaction, il avait constaté qu'elle ne savait pas embrasser.

En d'autres termes, elle n'avait pas beaucoup de pratique, voire pas du tout. Ce qui n'excluait pas l'hypothèse qu'elle se serait enfuie pour retrouver un homme. Un homme dont elle était peut-être encore amoureuse. Cela expliquerait son désir de faire annuler leur mariage.

Il observa la grâce et le raffinement de ses gestes. Ils avaient quelque chose d'affecté. À croire qu'elle venait de sortir diplômée de l'école des bonnes manières. Elle marquait systématiquement un arrêt avant de s'adresser à Sébastien ou à lui-même, comme si elle révisait ses phrases dans sa tête avant de les prononcer. Pour être sûre de s'exprimer comme une lady.

— Je suis ravie que ta chambre te plaise, dit Audrianna à Verity. C'est l'une de mes pièces favorites.

Les couleurs et la luminosité de l'endroit me rappellent un jardin au printemps.

— Il y a un fort bel arbre juste devant la fenêtre, fit remarquer Hawkeswell. Je crois qu'elle serait tentée d'y descendre. En quatre minutes, selon elle. Elle m'a tout l'air d'une experte en la matière. N'a-t-elle jamais grimpé aux arbres à Cumberworth ?

— Je ne l'ai jamais vue de mes yeux. Toutefois, il y a un grand pommier au fond du jardin, et laissez-moi vous dire que les fruits au sommet n'étaient jamais perdus.

— Vous étiez sans doute une enfant très active, lady Hawkeswell, ajouta à son tour lord Sébastien.

À ce nom, les deux femmes se figèrent. Audrianna jeta un coup d'œil à son mari, qui fit mine de rien. Hawkeswell, quant à lui, fut ravi de constater que, en fin de compte, il avait peut-être un allié.

— Avec mon père, nous vivions dans une maison près de sa fonderie, et je jouais dans les champs alentour. Il ne me voyait pas grandir. Aussi, j'ai pu profiter d'une enfance plus longue que la plupart des petites filles.

— Et lorsqu'il en a enfin pris conscience ?

— Il a fait comme n'importe quel père dont la fille n'a plus de mère. Il a engagé une préceptrice.

Elle esquissa une moue de fillette pendant quelques instants.

— C'est alors que l'instruction a commencé ? intervint Hawkeswell.

— À grande vitesse, pour rattraper mon retard, avoua Verity. Cette femme prenait son rôle très au sérieux. Chaque jour, elle me donnait des leçons de bonnes manières et me sermonnait sur les retombées de mes péchés.

— J'aurais pu épargner à ton père une dépense inutile, fit Audrianna. Il y a des livres à moins d'un shilling sur le sujet. Tu vois de quels livres je veux parler, Sébastien ? Ceux que ta mère m'a offerts.

Sébastien leva les yeux au ciel, priant visiblement pour qu'on cesse de lui rabâcher les extravagances de sa mère. Audrianna partit d'un éclat de rire contagieux ; à son tour, Verity se mit à rire. C'était la première fois en trois jours qu'il la voyait se détendre.

Ses yeux pétillaient. Une petite fossette creusa sa joue. C'était un rire très féminin, doux et mélodieux.

— Enfin, dit-elle en reprenant le cours de son récit. Je n'étais pas une élève très appliquée. J'avoue lui avoir donné du fil à retordre. Quand la leçon m'ennuyait, je m'éclipsais chez Katy où je pouvais redevenir une enfant, l'espace de quelques heures.

— Tu détestais peut-être les leçons, mais tu les as bien retenues, rétorqua Audrianna. Même Celia, qui n'est pas facile à leurrer, t'a prise pour une lady de naissance.

— Je n'en suis pas certaine, répliqua Verity. Elle a dû remarquer que je ne faisais que réciter des paroles apprises par cœur.

L'allusion n'échappa pas à Hawkeswell. Elle n'avait pas glissé cette phrase au hasard. Une fois encore, elle lui rappelait qu'ils n'étaient pas faits l'un pour l'autre. Elle redoutait sans doute que la bonne société ne l'adopte jamais. Déjà, devant eux, elle répétait un rôle. Ce devait être épuisant de ne pas être soi-même.

— Avez-vous écrit votre lettre à Katy ? demanda-t-il. L'ancienne gouvernante de M. Thompson, précisa-t-il à Sébastien et Audrianna.

— J'ai presque terminé. J'aimerais pouvoir la poster demain, Audrianna.

— Bien sûr. Tu voudrais écrire à quelqu'un d'autre ?

— M. Travis, peut-être. Il y a des questions qui me taraudent, auxquelles il me répondra en toute franchise. Mais je ferais mieux d'attendre de voir comment mon statut évolue.

Votre statut ? songea Hawkeswell. Eh bien, vous êtes mariée.

Visiblement, Verity avait toujours dans l'espoir de changer le cours des choses. Il allait devoir lui mettre les points sur les *i*, en expliquant une fois pour toutes qu'elle perdait son temps.

— Qui est ce M. Travis ? s'enquit Audrianna.

— Le véritable gérant de la fonderie. C'est le seul homme auquel mon père a confié le secret de sa méthode. Bertram ne peut pas se débarrasser de lui. Il est irremplaçable.

— Et si quelque chose arrivait à M. Travis ? questionna Sébastien. C'est un pari très hasardeux. Vous risqueriez alors d'être obligés de mettre la clé sous la porte.

Verity se fit servir une tasse de thé par un domestique.

— J'ai dit que c'était le seul *homme* auquel mon père s'est confié. Pendant que la préceptrice m'enseignait les bonnes manières, mon père m'inculquait une autre forme de savoir. Moi aussi, je connais son secret.

Hawkeswell cacheta la lettre adressée à sa tante, dans laquelle il se bornait à expliquer qu'il avait été retardé, et qu'il ne serait pas dans le Surrey avant une bonne semaine. Dans celle destinée à sa cousine Colleen, posée à côté sur le bureau, il n'en avait pas dit davantage.

Devoir cacher à sa tante la récente découverte de Verity ne lui posait pas de problème. En revanche, dissimuler la nouvelle à Colleen ne l'enchantait guère. Elle avait contribué à leur mariage ; la disparition soudaine de la jeune femme avait beaucoup affecté sa cousine, qui avait voulu la considérer comme sa nouvelle sœur.

Il sortit une feuille vierge et réfléchit à la manière dont il allait formuler cette lettre-là. Quoiqu'il eût

64

promis à Verity de ne pas ébruiter la nouvelle de sa découverte avant la fin de leur séjour dans l'Essex, il devait quand même écrire à son mandataire testamentaire, M. Thornapple.

Thornapple et lui étaient partis du mauvais pied. Au printemps précédent, lorsqu'il avait su qu'on avait engagé un détective pour enquêter sur la disparition de sa femme, Hawkeswell avait cru que Bertram en était à l'origine. Pour ensuite découvrir que derrière cette démarche se cachait en fait le mandataire testamentaire. Le détective s'était alors intéressé de près à Hawkeswell, lui démontrant par là même que Thornapple imaginait le pire.

Il pesa ses mots, tâchant de présenter sa lettre comme un simple regain d'intérêt pour l'héritage de Verity, à présent qu'on allait peut-être rouvrir une investigation.

La révélation de Verity au sujet de M. Travis l'avait surpris. Sans doute avait-il eu tort de prendre la parole de Bertram pour argent comptant. Ce dernier lui avait assuré diriger seul l'entreprise. Aussi Hawkeswell avait-il accepté de lui donner les pleins pouvoirs, une fois marié à sa cousine. Une grossière erreur, visiblement. À présent, il apprenait non seulement que Bertram n'était pas le véritable gérant, mais qu'il ignorait en plus le secret sur lequel reposait la prospérité de la fonderie.

Hawkeswell acheva sa lettre, la cacheta, et la mit de côté. Il s'allongea sur le lit. La brise fraîche de la nuit l'enveloppa, emplie du parfum de la mer. Quel dommage de gâcher une si belle nuit à dormir !

Encore qu'il ne s'attendait pas à trouver le sommeil de sitôt. Après tout, une charmante jeune femme, sur qui il avait tous les droits, reposait dans un lit à quelques mètres du sien.

Certes, Verity jouait la carte de l'indifférence. Mais il connaissait trop bien les femmes pour être dupe. Ses regards et ses soupirs ne trompaient pas.

En outre, elle lui cachait encore quelque chose. La véritable raison de sa fuite, celle pour laquelle elle avait rechigné à l'épouser.

M. Thornapple éclaircirait certains points d'ombre concernant l'usine de son père. À l'époque de son mariage, l'entreprise ne l'intéressait guère ; des détails lui avaient sans doute échappé. En d'autres mots, il s'était montré négligent.

Et tout cela par fierté ! Heureux de toucher les revenus de la fonderie, ravi de percevoir l'immense fortune de Verity, il ne s'était pas du tout senti concerné par l'entreprise. L'heure était venue de réparer son erreur.

Un bruit lui parvint du jardin. On eût dit un animal grattant la façade. Piqué par la curiosité, il se leva et s'approcha de la fenêtre.

Ses yeux s'accommodèrent à la nuit. Le grattement se répéta ; il provenait de l'arbre situé devant la fenêtre de Verity. Scrutant la pénombre, il distingua une forme déployée entre les branches tendues vers le bâtiment, et le rebord de la fenêtre.

La silhouette oscilla du mur à l'arbre. Puis, un imperceptible cri de triomphe s'éleva.

Cela ne le surprenait guère. Il l'avait mise au défi de descendre cet arbre. Un arbre de quatre minutes, avait-elle dit.

En réalité, elle n'avait jamais escaladé le gros pommier au fond du jardin de Daphné. Ses jupes, trop étroites, l'en avaient empêchée. Toutefois, avec l'aide d'une échelle, elle parvenait à se hisser sur les branches inférieures ; de là, munie d'un râteau, elle atteignait les dernières branches pour en faire tomber les fruits mûrs.

Bien qu'elle n'ait pas réalisé cette prouesse depuis des années, son agilité lui était revenue en un clin d'œil. Elle avait passé le drapé de son déshabillé dans son entrejambe, en avait entouré ses cuisses pour le nouer ensuite à sa taille. Ainsi accoutrée, elle était libre de ses mouvements. Ce soir, l'habit ferait l'affaire. Toutefois, lorsqu'elle s'évaderait pour de bon, il faudrait trouver une tenue moins ridicule.

En un balancement, elle se retrouva sur l'arbre. Une excitation de fillette l'envahit. Perchée à cette hauteur, elle avait l'impression d'être un oiseau. Là, elle était cachée à l'abri du feuillage.

Elle s'installa sur une large branche et leva le regard vers le ciel. La lune n'était pas vraiment visible, mais les étoiles étincelaient. Elle apprécia la manière dont les feuilles s'agitaient contre le ciel, créant un charmant motif.

Le vent transportait l'air marin, un parfum de liberté. Elle prit une profonde inspiration. La perspective de vivre au grand jour était grisante. La carapace dont elle s'était munie à la mort de son père se fendillait comme une enveloppe charnelle devenue trop petite. Perchée dans cet arbre, elle goûtait à la joie retrouvée de son enfance.

Sans savoir pourquoi, elle fut prise d'une irrépressible envie de rire. Verity Thompson ressuscitait, quoique différente, changée. Pendant ces deux années, elle avait mûri.

Le visage de Michael lui revint en mémoire, plus nettement que d'habitude. Elle le revit enfant, puis adolescent, lui volant ce premier baiser. Elle revit son sourire canaille, son air absent lors de leur dernière rencontre, lorsqu'elle s'était éclipsée chez Katy et l'avait trouvé remonté contre le monde entier.

Il était très différent de Hawkeswell. Alors que Michael n'avait pas de secrets pour elle, Hawkeswell dégageait une part de mystère. C'était peut-être ce côté obscur qui l'avait attirée quand il l'avait embrassée. Jamais les baisers de Michael ne lui feraient cet effet. D'ailleurs, ce n'était pas ce qu'elle attendait de lui.

Elle ferma les yeux, invoqua de nouveau son image, et tenta néanmoins d'éprouver la même excitation. Rien qu'un peu ; elle s'en contenterait, si jamais il voulait bien l'épouser. Mais, avant cela, il fallait découvrir s'il était toujours en vie.

En admettant qu'ils vivent ensemble dans la maison sur la colline, leur relation serait-elle charnelle ou seulement platonique, basée sur l'amitié ?

Elle rouvrit les yeux, embrassa le jardin du regard, et eut la réponse à sa question. Dans un couple, la flamme était certes captivante, mais aussi destructrice. Elle consumait les amants jusqu'à ce qu'ils meurent, épuisés.

Après avoir vérifié les nœuds de son drôle de pantalon, elle amorça sa descente. Il lui fallut plus de quatre minutes. C'était un grand arbre. Sans oublier qu'elle n'avait plus l'agilité d'une fillette. À sa seconde tentative, elle serait plus preste. Elle jetterait sa valise, dévalerait l'arbre, et détalerait comme un lapin.

Le pied sur une large branche, elle s'apprêtait à basculer lentement vers le sol quand, soudain, quelque chose s'empara de son pied. Elle baissa le regard. Dans la nuit noire, elle distingua deux yeux braqués sur elle, ainsi qu'une chemise blanche et des mains agrippant son pied.

— Vous avez mal calculé votre coup, fit Hawkeswell. Vous étiez sur le point de tomber.

— J'étais sur le point de sauter, mentit-elle.

Mais la chute n'aurait pas été bien méchante.

Il plaça son pied sur son épaule, tendit les bras, la saisit par la taille et la déposa sur la terre ferme.

— Vous avez de la chance que je sois passé par là, ajouta-t-il en penchant la tête pour apprécier son accoutrement. Vous avez de très jolies jambes. Que portez-vous au juste ? Un pantalon ou une culotte ?

Elle se baissa pour dénouer son déshabillé de manière à cacher ses mollets scandaleusement exposés.

— Ni l'un ni l'autre. Merci pour votre aide. Vous pouvez continuer votre promenade nocturne.

— Je ne suis pas pressé.

L'un des nœuds résistait. Elle perdit patience.

— Vous feriez mieux de partir. Je ne m'attendais pas à avoir de la compagnie, et je ne suis pas présentable.

— Nous sommes mariés, Verity. Quand bien même je vous verrais en tenue d'Ève, ce ne serait pas choquant.

Ces mots la firent frémir. Elle se pencha sur le nœud. Comme lorsqu'ils s'étaient embrassés, une sensation des plus étranges l'envahit.

Quand elle se redressa, sa chemise de nuit pendait toujours d'un seul côté. L'ombre du feuillage ne dissimulerait pas le grotesque de sa tenue.

— Je dois regagner ma chambre pour démêler ce nœud...

— Vous vous êtes donné tant de mal pour vous en échapper. Ce serait dommage d'y retourner si vite. Allons, accompagnez-moi.

Ce disant, il la saisit par le bras et la conduisit à découvert, où brillait le clair de lune.

Un genou à terre, il posa le pied de Verity sur son autre genou. Sa jambe dénudée brillait de cet éclat qu'ont les fleurs, la nuit venue. Il approcha le visage de son mollet pour tenter d'y voir clair.

— Je vous en prie, ne vous donnez pas cette peine. Je le ferai moi-même dans ma chambre.

Ses mains frôlèrent dangereusement son corps.

— J'insiste. Sachez qu'un mari peut parfois s'avérer utile.

Elle prit son mal en patience. Cela lui parut durer une éternité, le nœud étant sacrément emmêlé.

Comptant les secondes qui s'écoulaient avec lenteur, elle baissa le regard sur sa tête sombre.

Le tissu finit par dégringoler, couvrant sa cuisse et son genou. Pourtant Hawkeswell, immobile, ne la laissa pas reposer le pied au sol. Son mollet était toujours nu.

Il leva les yeux vers son visage, et caressa lentement sa jambe en remontant vers le genou. De son autre main, il maintenait son pied par terre.

Le parfum de sa virilité flottait dans l'air, s'insinuant en elle. Comment résister à cette énergie ? Bien qu'alertée par son instinct de femme, elle n'était pas insensible à sa force d'attraction. D'un côté, elle craignait qu'il ne passe à l'acte ; de l'autre, elle mourait d'envie qu'il le fasse.

Mais, au lieu de cela, il libéra son pied et se releva.

— La prochaine fois que vous grimperez dans un arbre, pensez à enfiler des vêtements adéquats. Ceci dit, cette nuisette est charmante.

Il fit quelques pas autour d'elle pour étudier son déshabillé de plus près. À son tour, elle remarqua qu'il était débraillé. Ni cravate ni veste. Il ne portait que des bottes, un pantalon et une chemise déboutonnée à l'encolure. Quand il passa derrière elle, elle songea à se retourner, prête à se défendre ; c'est alors qu'elle sentit ses doigts parcourir sa queue-de-cheval.

Puis il enfila son bras sous le sien.

— Venez avec moi.

Ce n'était guère prudent. Mais il ne lui laissa pas le choix.

— Vous descendiez de l'arbre pour voir si vous pouviez vous échapper par là ?

Bien qu'il fût quasiment sûr de la réponse, Hawkeswell préféra poser la question. C'était aussi une manière de détourner son esprit du désir qui l'assaillait.

La concupiscence lui embrouillait l'esprit. C'était à cause d'elle souvent que les hommes s'attiraient des ennuis.

— Je pense qu'au lieu de remettre ma parole en question, vous feriez mieux de tenir la vôtre.

Son décolleté était d'une blancheur éclatante. De même que sa jambe, au galbe très féminin.

— Ne vous en faites pas, vous n'avez rien à craindre, je suis un homme de parole. J'aurais pu toucher plus que votre jambe sous l'arbre, mais je me suis retenu, n'est-ce pas ?

Elle se raidit mais continua à marcher, fixant le regard loin devant. Il mourait d'envie de l'arrêter, de l'étreindre et de la forcer à le regarder.

— Lorsque nous avons parlé, à Cumberworth, vous m'avez dit que si j'avais cherché à vous connaître mieux, j'aurais compris vos objections à notre mariage. Puisque nous sommes censés employer ces quelques jours à nous familiariser l'un à l'autre, peut-être pourriez-vous m'expliquer cela ?

Sa nuisette était longue et informe, garnie de plusieurs épaisseurs et ornée de dentelle. À chaque pas, le tissu frôlait la jambe de Hawkeswell.

— Vous et moi savons que je ne ferai jamais partie de votre monde. Du moins, jamais complètement. Inutile de le nier. Votre titre fut tout d'abord alléchant, mais j'ai dû ouvrir les yeux : la réalité ne sera jamais à la hauteur de mes aspirations.

Il n'avait pas l'habitude qu'on crache ainsi sur son titre. Mais il comprit qu'elle avait voulu le satisfaire en lui fournissant une réponse trop simple.

— Vous ne vous laisseriez pas intimider si facilement. Une autre femme que vous aurait sans doute voulu qu'on l'accepte complètement, mais pas vous. Vous ne me dites pas tout.

— Il y a effectivement une autre raison. Et pas des moindres. Le fait que Bertram ait transgressé les dernières volontés de mon père en me forçant à vous épouser.

Voilà, on y venait, songea-t-il.

— Mon père n'a jamais souhaité que j'épouse un noble. Il me destinait à un mari qui aurait repris le flambeau de son entreprise, fait perdurer son rêve en développant son affaire.

— J'ai du mal à le croire. Jamais aucun père ne s'opposerait à ce que son enfant s'élève dans la pyramide sociale. Il aurait sans doute été ravi de vous voir devenir comtesse.

— Si vous l'aviez connu, vous trouveriez vos propos risibles. Au sujet de la guillotine, il me disait que les aristocrates français avaient eu ce qu'ils méritaient, et que nous aurions fort besoin de pareilles machines dans notre pays. En outre, il ne m'aurait jamais légué la majorité des parts de son entreprise, s'il s'était douté un seul instant que j'épouserais un homme qui méprise l'industrie et ne songe qu'à s'adonner au plaisir.

Hawkeswell fronça les sourcils. Joshua Thompson n'était pas perçu comme un radical, et encore moins comme un révolutionnaire, un partisan de l'abolition des privilèges. Soit il réservait ses opinions pour ses proches, soit Verity exagérait ses propos pour servir ses propres fins.

— Un homme de mon rang ne peut pas se permettre de se prélasser dans le plaisir. J'ai un rôle au Parlement – que l'on peut considérer comme une entreprise en soi – et en tant que gérant d'un patrimoine qui m'a été légué, je me dois d'améliorer les conditions de vie des exploitants de mes terres. Cependant, vous n'avez pas complètement tort. Nous autres aristocrates avons joui d'une vie de volupté pendant des générations et, ce faisant, nous sommes devenus experts en la matière.

— Je ne vois pas pourquoi vous m'avez posé la question, si vous comptez vous servir de mes arguments comme prétexte pour me sermonner et me servir vos traits d'esprit.

— J'ai tenté de vous fournir une réponse polie, sans plus. En réalité, je fais mon possible pour oublier vos paroles, du moins ce qu'elles sous-entendent, à savoir que vous préféreriez qu'on me coupe la tête plutôt que d'être ma femme. J'ignore pourquoi, mais cette insinuation ne me fait pas forcément plaisir.

— Je vous parle avec franchise, répliqua-t-elle. Vous m'avez demandé pourquoi cette union me révulsait. Je vous ai répondu. Vous n'auriez jamais dû entrer dans ma vie. Telle n'était pas ma destinée.

Elle marqua un arrêt et parvint à dégager son bras du sien.

— J'ai une offre à vous faire. Maintenant que vous connaissez le fond de ma pensée, vous conviendrez qu'il est dans votre intérêt de l'accepter.

— Je vous écoute.

— Je suis dorénavant majeure. À partir du moment où je suis indépendante, la direction de l'entreprise me revient. Bertram voulait me marier à un homme désintéressé par la fonderie pour pouvoir la contrôler. Mais si je suis émancipée...

— Vous n'avez tout de même pas l'intention de la diriger vous-même !

— Je souhaite reprendre à mon compte les droits d'actionnaire qui m'ont été légués. Dont celui qui consiste à disposer des bénéfices à ma guise. Voici ce que je vous propose : si vous m'aidez à obtenir l'annulation, je vous transférerai la moitié de ces revenus, quels qu'ils soient. À vie. Notre accord sera scellé par un contrat de telle sorte que, même si je me remarie, mon époux ne puisse pas revenir dessus.

À en juger par son ton solennel, elle ne plaisantait pas. Il fut pris d'un accès de rire. Non seulement son plan trahissait une profonde naïveté, mais il était sidéré de constater ce qu'elle était prête à faire pour se débarrasser de lui.

— Verity, en admettant que je refuse de vous rendre votre liberté, je conserverai la totalité de vos revenus.

— Cessez de me parler comme à une enfant, lord Hawkeswell. C'est vous qui êtes naïf de croire que Bertram ne cherchera pas à vous escroquer. Croyez-moi, mieux vaut vous fier à mon plan.

Elle fit quelques pas vers lui et sonda son visage dans l'obscurité de la nuit.

— Et si je venais à mourir, Dieu m'en garde, vos parts seraient inscrites dans mon testament pour que vous puissiez continuer à en bénéficier, et, après vous, vos héritiers. Comme je l'ai dit, ce sera à vous *pour toujours*.

Il se rendit compte qu'elle avait tout prévu. Elle avait passé deux ans à mettre au point un plan pour le jour où elle sortirait enfin de l'ombre.

— Votre offre ne m'intéresse pas, Verity.

À vrai dire, il n'y était pas totalement indifférent. Le bref instant d'hésitation qui avait précédé sa réponse l'avait trahi. Tout compte fait, ils n'avaient pas grand-chose en commun, à l'exception de la sensualité qui les animait, mais qui, une fois explorée, serait des plus banales. En outre, elle n'avait pas tort : Bertram chercherait sans doute à le flouer.

Après tout, il s'était marié pour l'argent, et sa proposition lui offrait une meilleure garantie à long terme. Il avait besoin d'y réfléchir.

Sachant qu'elle avait éveillé son intérêt, elle esquissa un sourire. Une myriade d'étoiles brilla dans son regard.

En un clin d'œil, elle se retrouva juste devant lui. Prenant appui sur ses épaules, elle se hissa sur la pointe des pieds. Et lui planta sur la bouche trois baisers successifs. Lorsqu'il recouvra ses esprits, elle avait déjà détalé vers la maison.

— Pensez à ma proposition ! cria-t-elle par-dessus son épaule tout en s'enfuyant. À présent, nous sommes quittes pour les baisers, milord. À partir de demain, nous repartons de zéro !

Elle souleva les jupes bouffantes de sa nuisette et se fondit dans la nuit, sa longue queue-de-cheval flottant à sa suite et ses jambes blanches se détachant dans l'obscurité.

7

— Tu as bien dormi, Verity ?

L'accueil d'Audrianna le lendemain matin à son entrée dans la salle à manger lui parut un brin étrange. Ce n'était pas tant les mots, mais le ton de sa remarque.

— Très bien, merci.

Elle s'installa en face de son amie et accepta une tasse de café qu'un valet lui servit.

Audrianna se contenta de sourire. Elle croisa les mains sur la table et sourit de nouveau.

— Quelque chose te contrarie ? finit par demander Verity.

— Non, pas du tout… En fait, si. Après toutes tes explications dans le carrosse… je ne m'attendais pas à ce que tu cèdes si facilement aux avances de Hawkeswell. Attention, ne te méprends pas, je ne cherche pas à te juger. Le comte est un bel homme – c'est indéniable. Mais si tu étais aussi désespérée que tu le dis, tu le laisserais mijoter un peu avant de battre en retraite.

— Je n'ai pas battu en retraite. Qu'est-ce qui te fait penser cela ?

— Vraiment ? Dans ce cas, toutes mes excuses. Seulement, on vous a aperçus la nuit dernière dans le jardin. En petite tenue. En tête à tête. Alors, on s'est imaginé que…

Elle haussa les épaules.

— Qui nous a aperçus ? Qui s'est imaginé cela ?

— Sébastien. Ma femme de chambre. Et, qui sait ? d'autres sans doute. Toutes les chambres ou presque donnent sur le jardin. Permets-moi de te dire qu'une chemise blanche et une nuisette pâle ne passent pas inaperçues dans la nuit.

Elle haussa encore les épaules.

— Nous ne faisions que discuter, répliqua Verity. Tu dois absolument dire à ton mari et tes bonnes qu'ils ont mal interprété la scène. Il faut que tu sois très ferme, Audrianna. Pas question que tes employées – et surtout ton mari – se fassent des idées.

— J'y veillerai. J'avoue que leur histoire m'a étonnée, moi qui connais tes projets.

— Je suis plus résolue que jamais à mener ce plan jusqu'au bout. En fait, je crois même avoir réussi à le persuader. Nous sommes peut-être à deux doigts de parvenir à un accord.

Audrianna leva les sourcils.

— Vraiment ? C'est surprenant. Même si je partage ton avis depuis que tu m'as raconté le chantage de Bertram, je ne pensais pas que tu arriverais à persuader Hawkeswell. Surtout après le dîner à l'auberge, où j'ai pris conscience qu'il tenterait de te convaincre lui aussi, à sa manière.

— Je crois qu'il a enfin compris. Et puisque l'union n'a pas été consommée, nous pourrons sans doute obtenir gain de cause devant les tribunaux ecclésiastiques s'il soutient ma demande.

Audrianna demeurait dubitative. Seulement, il était inutile de décourager Verity, aussi changea-t-elle de sujet.

— Southend-on-Sea est un coin adorable, bien que les Londoniens aient tendance à l'envahir en août. Nous pourrions peut-être y faire un tour après la virée en bateau d'aujourd'hui ? suggéra Audrianna, faisant référence au village côtier le plus proche.

— Je préférerais ne pas monter sur le bateau. Serait-ce impoli de décliner l'offre ?

— Tu as peur qu'on te reconnaisse ? Si tu portes ton chapeau, il y a peu de chances qu'on te remarque.

— Non, ce n'est pas cela. Je suis impatiente d'aller sur la côte. Mais j'aimerais mieux ne pas passer toute la journée en compagnie de lord Hawkeswell. Du reste, j'ai une vraie phobie de la mer. L'idée de me trouver sur un petit bateau à la merci de cette immensité me donne la chair de poule. Ne puis-je pas simplement vous accompagner sur la côte et me promener dans le village pendant que vous serez en mer ?

Audrianna tendit le bras à travers la table pour lui caresser la main.

— Bien sûr.

— Dans ce cas, je vais de ce pas me préparer, et en profiter pour griffonner une lettre à Daphné et Celia avant notre départ, dit-elle en se levant. Tu seras ferme avec ton mari et tes bonnes à propos de ce qu'ils ont cru voir la nuit dernière ? C'est très important, Audrianna.

— Tu peux compter sur moi. Mais, à l'avenir, évite de te retrouver en tête à tête avec Hawkeswell à moitié nue. Peu importe la promesse qu'il t'a faite. C'est un homme avant tout.

— Vous êtes certaine de ne pas vouloir nous accompagner, lady Hawkeswell ? insista lord Sébastien tandis que ses hommes chargeaient à bord les réserves nécessaires à une virée de quelques heures.

Long de près de quinze mètres, le voilier était gréé de solides mâts et de plusieurs voiles. Lord Hawkeswell et lord Sébastien s'étaient empressés d'ôter leur redingote pour jouer aux marins, alors qu'en réalité, c'étaient leurs hommes de main qui grimperaient aux mâts, si besoin était.

— Je préfère rester sur la terre ferme, assura Verity.

Audrianna s'installa sous une marquise pour se protéger du soleil, munie d'une ombrelle et d'un grand chapeau.

Pendant ce temps, Hawkeswell s'occupait des lignes de pêche.

— Il n'y a vraiment rien à craindre, dit-il. Je suis un excellent nageur, et la mer est très calme. Au moindre souci, je vous ramènerai sans encombre sur le rivage.

— Je ne mets nullement en doute vos aptitudes, lord Hawkeswell. Mais mon père s'est noyé dans un canal en crue. Alors vous comprendrez ma peur de la mer. Je me baladerai dans le village en attendant votre retour. Audrianna m'a fourni une liste d'adresses. Je ne risque pas de m'ennuyer.

Hawkeswell posa les lignes de pêche et s'approcha d'elle.

— Tenez, fit-il en fourrant quelques billets dans sa main. Si vous êtes seule, mieux vaut avoir de l'argent sur vous. C'est plus prudent.

Elle jeta un coup d'œil aux billets. Il y avait près de quinze livres.

— Je ne peux décemment pas…

— Considérez cela comme votre argent de poche. Achetez-vous un nouveau chapeau si vous en avez l'occasion. Toutefois, je veux que vous me juriez de ne pas utiliser cet argent pour payer une voiture de louage et vous enfuir. Ce serait inutile, j'aurais tôt fait de vous retrouver.

Elle ne s'était pas attendue à tant de méfiance de sa part. Elle examina de nouveau les billets.

— Votre hésitation m'inquiète, Verity. Je me demande s'il ne vaudrait pas mieux que je vous accompagne, pour être sûr que vous ne disparaîtrez pas encore.

— Ce n'est pas dans mon intention.

Puis, vrillant son regard au sien :

— Vous avez ma parole. Je ne me servirai pas de cet argent pour louer un carrosse et m'enfuir.

Visiblement satisfait d'avoir étouffé dans l'œuf son projet de fuite, il retourna donner un coup de main à lord Sébastien.

Les préparatifs terminés, ils levèrent l'ancre. Verity se dirigea vers le village. Une fois certaine que le bateau était suffisamment loin de la côte, elle s'arrêta et ouvrit son réticule pour y fourrer les billets.

La bourse contenait déjà de l'argent, ainsi qu'un tissu roulé dissimulant sa chaîne en or et autres objets de valeur, en maigre quantité. Contemplant la bourse, elle lâcha un juron.

Elle avait effectivement prévu de détaler bien avant le retour du voilier. Car s'il était possible qu'elle ait rallié lord Hawkeswell à sa cause, la nuit précédente, mieux valait ne pas compter dessus. L'occasion de fuir s'offrait à elle. La raison lui dictait de saisir cette opportunité.

Dans sa chambre à Airymont, elle avait même laissé une note à l'attention d'Audrianna pour tout lui expliquer. Hawkeswell était diabolique de lui remettre l'argent qui faciliterait sa fuite tout en lui faisant promettre de ne pas s'échapper.

Force était d'admettre qu'elle n'avait pas assez creusé son plan d'évasion. Pour se consoler, elle songea que Hawkeswell pouvait toujours accepter son offre. Elle se résigna donc à occuper les quelques heures sur la côte comme elle le lui avait promis.

Southend-on-Sea était à l'origine un village de pêcheurs, qui s'était agrandi pour pouvoir accueillir les Londoniens auxquels Audrianna avait fait allusion plus tôt. Un large belvédère faisait face à la mer, perché sur une petite falaise au-dessus de la plage. Le long de la promenade, les chapeaux coûteux et les bottes de luxe des touristes se mêlaient aux vêtements ordinaires des gens du coin. Hôtels et maisons d'hôtes se rassemblaient sur le belvédère, tournés vers la mer.

Après avoir visité la petite église, son joli jardin et son cimetière aux tombes ancestrales, ainsi que le Royal

Hotel, Verity flâna dans la ruelle des boutiques les plus raffinées. Puis elle se dirigea vers l'est, du côté du vieux village et des bateaux de pêcheurs.

Les Londoniens ne s'aventuraient pas dans ce coin-là. Les villageois s'affairaient comme si rien n'avait changé depuis des générations. Ce qui était sans doute le cas.

Quelques bateaux étaient de retour et les femmes vendaient leur pêche à tue-tête sur les étals d'un marché qui encombrait la voie. L'odeur entêtante du poisson – saumâtre, salée – emplissait l'air. On jetait des coups d'œil dans sa direction, non pas à cause de ses vêtements, assez ordinaires pour qu'elle passe inaperçue. Mais c'était comme à Oldbury, le village de son enfance. Tout le monde se connaissant, les étrangers attiraient forcément l'attention.

Elle s'arrêta devant l'étal d'une femme de pêcheur, une rousse au visage boucané, qui la dévisagea.

— Vous cherchez la fille ? Elle était assise à la sortie du village, près de la falaise. Elle n'a pas dû en bouger.

— Je ne cherche personne. Je fais seulement un tour.

— Nous n'avons pas beaucoup de visiteurs de ce côté-ci du village. Elle n'est pas du coin et elle avait l'air perdue. Je pensais qu'on serait à sa recherche.

Verity voyait mal comment on pouvait se perdre dans ce village. Il y avait une rue principale le long de la jetée et une autre à l'intérieur du bourg. Il s'agissait peut-être d'une toute jeune fille.

Elle jeta un coup d'œil vers la falaise. Le chemin s'élevait à l'extrémité du village. Elle crut apercevoir une silhouette et décida d'aller vérifier par elle-même. Si jamais une enfant s'était égarée, ce ne serait pas prudent de la laisser seule.

Tout en s'approchant, elle prit conscience de son erreur. Ce n'était pas une fillette. Bien qu'elle fût assise sur le rebord du chemin, les jambes ballantes à la manière d'une enfant, elle avait le physique d'une adulte. Elle portait un chapeau semblable à celui de Verity, large et sans fioritures.

Piquée par la curiosité, Verity fit semblant d'être en quête d'une jolie perspective de la côte et du village. Elle s'arrêta près de la fille qui, immobile, fit mine de ne pas la voir.

Quoiqu'elle fût vêtue d'une robe en mousseline raffinée, elle était assez sale. Non, décidément, cette fille n'était ni du village, ni des environs.

— Pardonnez mon audace, mais les villageois pensent que vous vous êtes perdue. Je peux peut-être vous aider ?

La tête resta immobile. Au bout d'un moment, la fille répondit :

— Je ne suis pas perdue.

Eh bien, elle qui pensait faire une bonne action ! Voilà comment on la récompensait ! Verity s'éloigna d'abord de quelques pas, pour se retourner ensuite. L'immobilité et le ton de la jeune femme l'avaient alarmée.

Daphné avait-elle eu la même intuition quand elle avait arrêté son cabriolet le long de la Tamise ? Avait-elle vu en elle une jeune femme perdue dans ses pensées, une femme qui n'était pas censée être là ?

Elle revint sur ses pas.

— La mer est impressionnante, n'est-ce pas ? Elle m'effraie.

— Au contraire. Elle me semble douce. Purifiante.

— Vous êtes plus courageuse que moi. Il n'y a pas vraiment de plage en contrebas, et la falaise est haute. Ce n'est pas très rassurant. Il suffit d'un faux pas… Savez-vous nager ? Pour ma part, je n'ai jamais appris.

Cette fois, pas de réponse.

— Vous venez de Londres ? tenta-t-elle encore.

— Je viens du Nord.

— Vous rendez visite à des parents ?

— Non. J'ai supplié un bateau de pêche de me prendre à bord. Les hommes étaient d'ici. Je me retrouve donc dans ce village.

— J'ignorais qu'ils prenaient des passagers.

— Certains le font en échange de quelques billets.

Verity observa les bateaux en contrebas. Elle avait promis de ne pas louer de carrosse. Mais elle n'avait pas parlé de bateaux.

Encore eût-il fallu qu'elle surmonte sa phobie de l'eau. Elle contempla la mer puis, sous ses pieds, les rochers où les vagues se brisaient dans un inlassable va-et-vient. De toute façon, si elle devait vraiment s'enfuir, l'occasion se représenterait, un autre jour.

Elle regarda la femme de dos. Ce n'étaient pas ses affaires. Pourtant, à l'idée de l'abandonner là, seule, elle avait mauvaise conscience. Son instinct lui hurlait que cette jeune femme avait besoin d'aide.

Comment Daphné s'y était-elle prise, ce jour-là, pour lui proposer son aide et son amitié ? Une chose était sûre, elle ne lui avait pas demandé pourquoi elle attendait au bord du fleuve dans une si belle robe. Elle ne l'avait pas sermonnée, pas plus qu'elle ne l'avait mise en garde. Au lieu de cela, elle avait su trouver le seul sujet capable d'accaparer l'attention d'une femme visiblement perdue. La nourriture. Daphné avait tout simplement invité une inconnue à souper sous son toit.

— Je vais aller manger un morceau dans le vieux village – et non pas du côté des maisons d'hôtes et des voiliers. Vous m'accompagnez ? J'ai assez d'argent pour deux.

La tête de la femme se tourna. Elle posa enfin sur elle ses yeux sombres. Malgré sa réticence, la faim l'avait emporté.

— C'est très gentil à vous. Je n'ai rien mangé depuis hier.

Elle se leva et épousseta sa jupe. Son escarpin déplaça une pierre qui dégringola pour aller s'écraser en contrebas, au pied de la falaise. Les vagues l'engloutirent aussitôt.

— Verity, dit celle-ci tandis qu'elles retournaient au village. Comment puis-je vous appeler ?

La jeune femme ne répondit pas tout de suite, prise d'une hésitation qui en disait plus long que tous les discours.

— Vous pouvez m'appeler Katherine.

Les poissons se pressaient au bout de la ligne de Summerhays. Sans qu'il ait à lever le petit doigt. Le grand tonneau prévu pour la pêche était quasiment plein. Bientôt, ils en auraient assez pour nourrir tout Airymont.

Hawkeswell, pour sa part, était bredouille. Il fallait sans doute y voir un signe. Le symbole du vide de son existence et de ses mauvaises ondes. Son désœuvrement lui permit toutefois de songer à la proposition alléchante de Verity.

Elle avait joué finement. En l'espace d'une journée, elle avait réussi à lui exposer toutes les raisons pour lesquelles leur union serait un fiasco, tout en lui ouvrant les yeux sur sa propre fatuité.

Voyant ses efforts vains, elle tentait à présent de lui graisser la patte. Moyennant une somme très tentante.

Au début, il avait trouvé son offre ignoble. Insultante. Comme si elle croyait pouvoir l'acheter. Mais, dans le fond, elle n'avait pas complètement tort. Ne l'avait-il pas épousée pour son argent ? Il était bel et bien à vendre. Dans un sens, c'était même déjà fait. Elle ne lui proposait qu'une compensation pécuniaire, au cas où ils obtiendraient l'annulation.

Et si Verity avait effectivement été la victime d'un chantage, elle avait le droit de demander son émancipation.

Il lorgna Audrianna, assise sous la marquise de l'autre côté du bateau. Elle était plongée dans un livre. Posant sa canne à pêche contre le rebord du voilier, il s'approcha d'elle.

— Ne laisse pas ta canne comme cela, le gronda Summerhays, aux prises avec un nouveau poisson. L'équipement risque de passer par-dessus bord si jamais tu attrapes quelque chose.

— Si tu vois la ligne se tendre, tu n'auras qu'à prendre le manche. J'en ai assez de me tourner les pouces en t'entendant te congratuler sur tes prises. Une vraie conversation me fera du bien.

Lorsqu'il s'assit à côté d'elle, Audrianna posa son livre.

— Les poissons n'ont pas mordu à l'hameçon, lord Hawkeswell ?

— Mes leurres ont sans doute un goût amer.

— Il est difficile de savoir comment séduire un poisson. Ils ne sont pas tous attirés par le même appât. Certains devinent sans doute le sort qui les attend s'ils tentent de mordre à l'hameçon.

— C'est bien ma veine ! Apparemment, tous les poissons se méfient de mes leurres.

— Avec le temps, je suis sûre qu'un poisson finira par trouver votre appât à son goût.

Il jeta un regard à Summerhays qui, derrière lui, remontait un énorme poisson que l'un de ses hommes s'apprêtait à réceptionner avec un filet.

— Parlons sans détour, lady Sébastien. Une seule prise éveille mon intérêt. Or, il se trouve que je l'ai déjà capturée. Mais comme vous le savez sûrement, elle n'a qu'un désir : s'extirper du tonneau pour retrouver l'océan.

Une lueur amusée éclaira le regard d'Audrianna, qui afficha pourtant un air indulgent.

— Vous devez trouver cela surprenant. Tout comme moi.

— Alors, vous n'êtes pas de son côté ?

— Oh, si ! Elle n'a pas à souffrir des manigances de son vaurien de cousin sans rien dire. Toutefois, je suis étonnée d'observer tant de détermination chez notre Lizzie. Elle qui était toujours la plus docile d'entre nous. La plus calme. Daphné est une cascade écumante et Celia un torrent déchaîné. Lizzie, pour sa part, était un lac tranquille.

— Mais peut-être profond.

— Apparemment plus profond que nous ne l'imaginions.

— Vous la croyez quand elle prétend avoir été forcée ?

Les yeux plissés, perdus au loin, elle considéra la question.

— Chaque fois qu'elle en parle, elle a l'air d'enrager. Alors, oui, je la crois. Je crois qu'elle culpabilise beaucoup aussi. Elle oublie qu'elle était très jeune quand son cousin est devenu son tuteur. À présent qu'elle est plus mûre, elle ressasse les événements en boucle et se reproche de ne pas avoir été plus forte. Elle se fait également du souci pour cette pauvre famille.

— Elle n'a rien à se reprocher.

— Les femmes ont tendance à culpabiliser, lord Hawkeswell. La société les encourage dans ce sens. D'après Daphné, certaines épouses battues par leur mari se sentent ensuite coupables. C'est difficile à croire, n'est-ce pas ?

La remarque d'Audrianna lui mit la puce à l'oreille. Il envisagea des choses qu'il n'avait jamais examinées auparavant.

— Elle prétend que son cousin Bertram ne lui a pas laissé le choix. Savez-vous comment il s'y est pris, lady Sébastien ?

— J'ai voulu aborder la question – nous avions le temps, dans le carrosse. Mais elle a aussitôt changé de sujet.

Le silence de Verity en disait plus que n'importe quel discours. La fureur s'empara de lui. Si ce vaurien avait osé la toucher, il le mettrait en pièces.

— Je ne devrais peut-être pas dire cela maintenant, lord Hawkeswell. Je suis au courant de ses intentions, et je la soutiens. Cependant… il me semble qu'elle se méprend sur un point essentiel. Vous seul êtes en mesure de le savoir, bien sûr.

— De quoi parlez-vous ?

— J'ignore ce qui s'est passé, mais elle croit que vous étiez au courant et que vous avez fermé les yeux. Elle pense que vous êtes de mèche avec son cousin.

Il se leva et se dirigea vers le bastingage pour dissimuler son atterrement. Il ignorait comment Bertram avait fait pression sur Verity. Ils n'étaient pas « de mèche ». Bertram n'avait même pas cru bon de lui dire que la jeune femme avait décliné sa demande en mariage :

— C'est une jeune fille craintive. C'est normal, à son âge. Nous allons rentrer chez nous et lui laisser le temps de réfléchir à votre proposition, lord Hawkeswell. Peut-être que lorsque vous lui redemanderez, dans un mois ou deux, elle aura pris une décision.

La vanité l'avait-elle rendu aveugle ? Il s'efforça de se remémorer les détails de cette époque. Elle avait d'abord rechigné, pour finir par accepter. Jamais l'idée ne lui avait effleuré l'esprit qu'on avait pu lui forcer la main. Mais comment le croirait-elle ?

Il retourna auprès d'Audrianna.

— Merci pour votre franchise, milady. À présent, bien que votre mari n'ait pas fini de vider la mer de ses poissons, j'en ai assez de le regarder à l'œuvre. Je vous prierai de me déposer sur le rivage. Vous pourrez ensuite passer le reste de la journée sur le voilier en amoureux.

8

— Merci, fit Katherine en se tamponnant le coin des lèvres. C'était délicieux.

À vrai dire, le repas n'avait rien d'extraordinaire. La blanquette de poulet était claire, et la cuisinière avait lésiné sur l'assaisonnement. Mais il avait le mérite d'être consistant, et un affamé ne fait pas la fine bouche.

Verity et Katherine s'étaient installées à la table d'une chaumière, dans une ruelle transversale, chez une veuve dont la marmite frémissait tous les jours.

L'air marin avait peu à peu corrodé la peinture des murs. Le mobilier était réduit et rustique, mais depuis la fenêtre de la cuisine aux volets bleus il y avait une vue imprenable sur la mer, et le soleil au zénith éclairait la pièce d'une lumière agréable.

Katherine n'avait pratiquement pas ouvert la bouche. Verity l'observait. Haute bourgeoisie, conclut-elle. De naissance au moins égale à celle de Daphné et Celia. Cette jeune femme avait baigné dans les bonnes manières toute sa vie, comme en témoignait sa façon de manger. Contrairement à Verity, qui les avait apprises sur le tard.

— Je ne vous remercierai jamais assez, reprit Katherine. À présent, je dois vous quitter.

Elle se leva.

— Où comptez-vous aller ?

Katherine baissa les yeux. Si elle ne répondait pas, c'est parce qu'elle n'avait pas de réponse, songea Verity.

Malheureusement, elle n'était pas comme Daphné, qui lui avait offert le gîte pour la nuit quelques années auparavant. Quinze jours s'étaient écoulés avant qu'elle ne lui propose d'élire domicile sous son toit de façon permanente. Quoique Verity l'eût pressenti dès sa première nuit aux Fleurs Rares.

— Avez-vous de l'argent sur vous ? demanda-t-elle.

— Non. Mais j'ai des objets de valeur.

Des bijoux, probablement.

Katherine devait avoir vingt ans passés. Sans doute une femme mariée.

— Je vous en prie, asseyez-vous, dit-elle à voix basse pour que la veuve qui tricotait dans la pièce voisine ne les entende pas. J'ai une amie. Malheureusement, elle ne vit pas dans les environs. Elle vous hébergerait sans doute pour quelque temps. Jusqu'à ce que vous sachiez où aller.

Katherine parut tiraillée entre la méfiance et l'espoir.

— Elle voudra... Je ne peux pas prendre le risque de...

— Elle ne vous posera pas de questions. Je dois juste savoir une chose, et je vous supplie de me dire la vérité. Elle est comme ma sœur, je ne voudrais pas lui attirer d'ennuis.

Sa voix se transforma en murmure :

— Avez-vous fait quelque chose de mal ? Commis un crime ?

Katherine secoua énergiquement la tête. Ses yeux s'emplirent de larmes.

— Je ne suis pas une criminelle. Je ne suis ni mauvaise, ni stupide, ni inutile, ni même désobéissante.

Cette réponse lui en apprit plus qu'elle ne l'aurait espéré. Son cœur se brisa.

Elle tendit le bras et saisit Katherine par la main pour l'apaiser.

— Vous n'êtes rien de cela, même si quelqu'un vous l'a rabâché. Sauf méprise de ma part, vous avez bien fait de vous échapper.

Sa tentative de réconfort eut l'effet inverse. Sous le coup de l'émotion, le visage de Katherine se décomposa. Et, dans une plainte déchirante, elle fondit en larmes tout en enfouissant la tête dans ses mains.

Tandis qu'elle donnait libre cours à sa douleur, Verity la serra dans ses bras, tout en chassant d'un geste la veuve qui coulait un regard curieux vers elles. Non seulement elle ne tenta pas de calmer les larmes de Katherine, mais elle se mit à pleurer à son tour, gagnée par le chagrin de sa compagne.

Les souvenirs l'assaillirent. Ce n'était pas tant des images, sinon des impressions, des craintes enfouies aux confins de son être, de terribles appréhensions. Soudain, elle était de nouveau cette fillette étrangère sous son propre toit, s'efforçant d'échapper à l'attention d'un couple qui ne supportait pas sa présence et le lui faisait savoir par des insultes et des gestes cruels.

Dans les larmes de Katherine, elle reconnut aussi un cri de révolte. C'était bon signe. C'était nécessaire. Car lorsqu'il n'y avait plus de colère, il n'y avait plus d'espoir.

Une fois passée la crise, Katherine, épuisée, s'attarda dans les bras de Verity, le corps secoué de sanglots. Puis elle finit par se dégager, tout en essuyant sa figure ravagée par les larmes.

Elles se regardèrent droit dans les yeux. Un courant passa entre elles, une complicité d'une force peu commune.

Verity se tritura les méninges. Il fallait à tout prix qu'elle aide Katherine. Combien coûtait un trajet en fiacre jusqu'à Cumberworth ? Elle n'en avait pas la moindre idée. Elle ne savait même pas s'il y avait une auberge de relais à Southend-on-Sea. Puis il fallait ajouter le coût de la nourriture et du gîte sur la route.

— Venez, Katherine. Nous avons beaucoup de détails à régler.

Où diable était-elle passée ?

Hawkeswell avait cherché dans toutes les boutiques. Il avait fait le tour des quelques hôtels, visité la petite église ainsi que tous les endroits dignes d'intérêt du village. Il suivit du regard la longue promenade, au bout de laquelle apparaissaient des bâtisses plus rustiques. Se serait-elle aventurée là-bas ?

Il se dirigea vers l'est du village d'un pas pressé, agacé d'avoir à courir après Verity, à moitié convaincu qu'elle lui avait menti et qu'elle avait en fait loué une voiture pour s'enfuir. Il avait enfin pris une décision et voulait lui en faire part, avant que son accès de générosité ne s'évanouisse et qu'il ne change d'avis.

Pendant quelques jours, il avait cru ses problèmes pécuniaires enfin résolus. Eh bien, non ! Le mandataire testamentaire de Verity ferait main basse sur l'héritage en attendant que la demande d'annulation suive son cours. Ce qui pouvait prendre des années.

Sa soudaine apparition le surprit. Car elle n'était pas seule. Une jeune femme aux yeux sombres et à la chevelure noire, à peu près du même âge, marchait à son côté. Elles étaient tellement concentrées sur leur conversation que Verity ne vit pas qu'il lui bloquait le passage.

Lorsqu'elle s'en aperçut, elle sursauta comme une enfant prise la main dans un sac de bonbons.

— Lord Hawkeswell ! Vous êtes déjà revenu de votre virée en mer ?

— Ils m'ont déposé à terre. Je vous ai cherchée partout.

— Oh, je me promenais, dit-elle en montrant le paysage derrière elle d'un geste vague.

Il dévisagea sa compagne, qui gardait les yeux rivés au sol. Verity les regarda tour à tour.

— Lord Hawkeswell, je vous présente mon amie Katherine… Johnson. Katherine, voici le comte de Hawkeswell.

Cette dernière demeura bouche bée. Ses yeux s'écarquillèrent, reflétant un respect mêlé de crainte et d'admiration.

— C'est un honneur, milord. Je dois vous quitter, à présent…

— C'est hors de question ! Miss Johnson s'est égarée, expliqua-t-elle à son mari. Il semblerait que son groupe d'amis soit parti sans elle. J'allais l'aider à trouver un moyen de transport pour rentrer chez elle. Peut-être pourriez-vous nous donner un coup de main ?

— Bien sûr. Il doit être possible de trouver une voiture de louage, ou du moins un cabriolet.

— Elle n'habite pas la porte à côté. Un cabriolet pourrait toutefois vous conduire à un relais, miss Johnson, où vous pourriez trouver un véhicule qui vous ramènerait chez vous, fit Verity avec un grand sourire. C'est envisageable, n'est-ce pas, lord Hawkeswell ?

— Tout à fait. Je m'en occupe.

— C'est très aimable à vous, sir, répondit miss Johnson.

— Il y a une quincaillerie dans la rue principale, un peu plus loin sur la gauche, expliqua Verity. Nous vous y attendrons pendant que vous vous procurerez le cabriolet, lord Hawkeswell.

Il s'inclina et se mit en devoir de remplir sa mission. Elle s'était débarrassée de lui en un tournemain, songea-t-il. En fait, elle était loin d'imaginer qu'en le chassant, elle avait également repoussé la nouvelle de sa victoire.

Katherine fourra les quelques produits indispensables qu'elles venaient d'acheter dans son petit sac avec quelques billets, tandis que Verity glissait le reste dans son propre réticule.

— Je ne pourrai jamais assez vous remercier. Vous avez un grand cœur.

— Je suis ravie de pouvoir vous aider. Malheureusement, il n'y a rien que nous puissions faire pour vos habits. Vous devrez voyager ainsi, sans vêtements de rechange. Au moins, avec le savon, vous pourrez laver l'essentiel le soir venu.

Verity attira Katherine à l'abri des oreilles indiscrètes, à l'autre bout du comptoir.

— À présent, je dois me hâter d'écrire, car lord Hawkeswell ne va pas tarder à revenir. J'imagine que l'on trouve facilement un cabriolet lorsque l'on est comte.

Elle plongea la plume dans l'encrier. Elle les avait obtenus, avec du papier, auprès du vendeur en échange de quelques pièces.

Elle griffonna quelques lignes à l'attention de Daphné, lui demandant d'héberger Katherine pour quelques nuits. Ce serait ensuite à elle de voir si elle désirait prolonger son hospitalité. Elle plia le message et le tendit à la jeune femme.

— Vous vous souvenez de mes indications pour trouver les Fleurs Rares, une fois à Cumberworth ?

Katherine hocha la tête. Verity prit une profonde inspiration pour rassembler son courage.

— C'est ici que nos chemins se séparent, Katherine. Attendez le retour de lord Hawkeswell dans cette boutique. Il vous escortera au cabriolet, et vous vous en irez. En revanche, je ne peux pas attendre avec vous, car j'ai une chose urgente à faire.

Katherine fronça les sourcils.

— Je ne comprends pas.

— Dites-lui que je serai de retour dans peu de temps. Il réagira en bon gentleman qu'il est, ne craignez rien.

Katherine parut sceptique, craintive. Verity lui attrapa le poignet.

— Vous vous en tirerez très bien. Vous êtes venue ici sans l'aide de personne. Vous trouverez le chemin de Cumberworth sans encombre. Bon voyage, Katherine. Nous nous reverrons un jour, j'en suis convaincue.

Après avoir fait monter Katherine dans le cabriolet, Hawkeswell patienta une dizaine de minutes. Verity ne revint pas. Il comprit alors qu'elle n'en avait pas l'intention.

Il se mit à arpenter la rue, jetant des coups d'œil dans les boutiques, tout en sachant qu'elle n'y serait pas. Elle avait pris la poudre d'escampette. Elle lui avait menti sans vergogne : pendant qu'il veillait à trouver un véhicule pour miss Johnson, sa femme cherchait le sien. Il l'avait prévenue qu'il suivrait sa trace et la retrouverait, mais en vérité, il ignorait dans quelle direction se tourner.

Il finit par se retrouver à la lisière du vieux village et décida de descendre sur la plage pour tenter de repérer le voilier de Summerhays, et de le héler, s'il n'était pas trop loin de la côte.

Tandis qu'il scrutait l'eau scintillante, un bateau pénétra dans la crique. Il tiqua. Mais bien sûr ! La terre n'était pas la seule voie de communication entre le village et le reste du monde !

Qu'il avait été sot ! Il lui avait fait promettre de ne pas louer une voiture, mais elle n'en avait pas besoin. Elle avait beau craindre les flots, elle était têtue comme une mule. Sa détermination viendrait à bout de sa peur.

Il tourna vivement la tête sur la gauche, où était amarré un groupe de bateaux de pêche. Puis il se dirigea vers eux à grandes enjambées.

— Vous ne pourriez pas vous hâter un peu ? demanda Verity, affolée.

— Il arrive avec les réserves d'eau, madame. Vous ne voudriez pas partir sans eau, quand même ? On prévoit un long voyage. Six heures, voire plus, avant de toucher à nouveau la terre ferme.

À l'idée de se trouver à la merci de la mer pendant de si longues heures, elle éprouva un haut-le-cœur. Ce qui ne l'empêcha pas de trépigner d'impatience tandis que le fils du pêcheur roulait un baril le long de l'embarcadère et le halait à bord. Jamais elle n'aurait imaginé qu'il fallait autant de temps pour appareiller un bateau.

— Ça y est ! Nous sommes prêts, annonça l'homme en lui tendant la main. Grimpez à bord et on lève l'ancre.

Elle se hissa maladroitement sur l'embarcation. Le pêcheur et son fils commencèrent à larguer les amarres. La peur qu'on l'attrape fit place à la joie de s'échapper. Elle prit soin de tourner le dos à la mer, pour que sa phobie de l'eau ne gâche pas l'allégresse du moment.

On jeta la dernière amarre. Les bâtiments diminuèrent à mesure que le bateau s'éloignait du rivage, pour rejoindre l'étendue de la mer. Elle était en train d'imaginer qu'une vague immense l'engloutissait quand, soudain, sur la plage, elle vit un homme s'approcher à grands pas.

Hawkeswell.

— Plus vite ! les pressa-t-elle. Une livre de plus si vous sortez ce navire d'ici sur-le-champ.

Le fils entreprit de déployer une voile. Ils étaient à environ cent mètres du rivage.

Hawkeswell les repéra. Il se précipita sur l'apponte-ment où il se campa, fulminant. Il hurla aux pêcheurs de rebrousser chemin.

— Qui c'est ? demanda le fils.

Son père haussa les épaules.

— Un gentleman, on dirait. Vous le connaissez, m'dame ?

— Non. Si j'étais vous, je ne ferais pas attention à lui, mon brave.

Hawkeswell gesticulait comme un fou. Il ne tarde-rait pas à s'en lasser, songea-t-elle.

— Qu'est-ce qu'il raconte maintenant ? lança le fils.

Le père tendit l'oreille.

— Difficile à dire… *Enlèvement ?* fit-il en sursau-tant. Je crois qu'il nous accuse d'enlèvement.

— C'est absurde ! s'écria Verity. C'est moi qui vous ai demandé de me prendre à bord. Cet inconnu tente d'interférer dans une affaire qui ne le concerne en rien. C'est révoltant !

Malheureusement pour elle, Hawkeswell avait réussi à capter l'attention du capitaine. Ce dernier se plaça à l'arrière du navire et tendit de nouveau l'oreille. Pour Verity, ses cris s'apparentaient davan-tage aux piailleries d'une bande de mouettes.

— On dirait qu'il répète un nom.

Il se pencha au vent. Soudain, laissant retomber sa main, il se tourna vers son fils, les yeux écarquillés.

— Je crois qu'il dit qu'il est le comte de Hawkeswell.

— Il veut peut-être aller dans le Nord, lui aussi ? suggéra le fils. On pourrait le prendre à bord.

Pendant que le père ruminait l'idée, le fils cessa de manœuvrer la voile. Verity était épouvantée.

— S'il était vraiment le comte qu'il prétend être, il aurait son propre vaisseau, argumenta-t-elle.

— C'est pas faux, admit le père en se grattant le menton.

Il regarda vers le rivage, où Hawkeswell prenait une pose noble, les bras croisés et les jambes légèrement écartées.

— Pourtant, il a l'air d'un gentleman. C'est peut-être un comte. J'en ai jamais vu en vrai.

— Moi si, rétorqua Verity. En général, ils présentent beaucoup mieux que ce type-là.

— Y se remet à crier, fit remarquer le fils. Je vais rapprocher un peu le bateau pour mieux l'entendre.

— Non ! s'exclama Verity.

— Ça nous prendra pas plus d'une minute ou deux. S'il est vraiment comte, on peut pas partir comme ça. Surtout s'il est prêt à nous payer le transport. Ma femme m'écorchera vif si je tourne le dos à une occasion pareille.

Le fils manœuvra la voile et le bateau amorça un demi-tour. Le cœur de Verity se souleva. La silhouette de Hawkeswell se précisait à mesure qu'ils rebroussaient chemin. Il devint dangereusement proche. Ses yeux bleus la pétrifièrent.

— Vous avez bien fait de revenir ! cria-t-il. Autrement, vous auriez eu affaire à un magistrat.

Le capitaine ouvrit des yeux grands comme des soucoupes.

— Pour quel motif ?

— C'est mon épouse que vous enlevez.

— Sapristi ! s'exclama le capitaine en se tournant vers elle.

— Ne l'écoutez pas, intervint Verity. Vous n'êtes pas coupable d'enlèvement. Si jamais un magistrat était mêlé à cette affaire – ce dont je doute, car il cherche juste à vous faire peur –, je jurerais avoir payé pour voyager à bord de ce bateau et…

— Si je vous dis qu'il s'agit d'un enlèvement, c'est que c'en est un, l'interrompit Hawkeswell. Rendez-la-moi, ou bien vous aurez à me répondre de vos actes.

— Si vous accostez, c'est à moi que vous devrez répondre, protesta Verity.

Le capitaine se frotta de nouveau le menton. Puis il ôta son chapeau et se gratta la tête. Il posa les yeux sur Hawkeswell, et se tourna ensuite vers elle d'un air contrit.

— J'ai pas envie de me retrouver au milieu d'une bagarre, si vous voyez ce que je veux dire, m'dame. Mieux vaut qu'on accoste.

Sur ces mots, il fit un signe à son fils et le bateau se dirigea vers la digue.

Verity fulminait. Elle avait été à deux doigts de réussir tout en surmontant sa phobie. Et tout était tombé à l'eau, c'était le cas de le dire !

Lorsqu'ils atteignirent les eaux moins profondes, Hawkeswell eut l'air plus serein. Il affichait un sourire gracieux, à croire qu'il venait accueillir un ami de retour d'un périple. Mais elle ne fut pas dupe pour un sou.

Le bateau glissa contre l'appontement. Hawkeswell s'approcha d'un pas leste.

— Vous vous mettiez à l'épreuve, ma chère ? Elle a peur de la mer, ajouta-t-il à l'adresse du capitaine. Cinq minutes de plus à bord de ce bateau, et vous auriez eu sur le dos une folle hystérique.

— On l'a échappé belle, dans ce cas, milord.

— Oh que oui ! Inutile d'amarrer, messieurs. Allons, ma chère, venez.

N'ayant d'autre choix, elle obtempéra. Il l'attrapa par la taille et la souleva comme une plume par-dessus le bastingage, pour la déposer à côté de lui. Le bateau repartit vers le large.

Hawkeswell la jaugea d'un air mécontent. Elle lui renvoya son regard, fâchée elle aussi.

— Vous serez soulagée d'apprendre que miss Johnson est bien partie.

— Merci. Je savais que vous vous en chargeriez mieux que moi.

— La prochaine fois que je vous ferai promettre de ne pas détaler, je devrai formuler ma demande à la manière d'un homme de loi, et inclure tous les modes de transport.

Il était moins furieux qu'elle ne l'aurait pensé. À peine contrarié, à vrai dire.

— Vous avez si peu confiance en votre pouvoir de persuasion, Verity ? enchaîna-t-il. Vous ne m'avez même pas laissé le temps de répondre à votre proposition de la nuit dernière.

— Une occasion s'est présentée, je l'ai saisie. Vous n'avez pas l'air trop fâché. Dois-je en conclure que vous avez décidé d'accepter mon offre ?

— J'y ai longuement réfléchi.

— Vous avez pris une décision ?

— Pas encore, mentit-il. Marchons. Je vais considérer la question en m'efforçant d'oublier cette mésaventure.

Elle l'accompagna de bonne grâce jusqu'à la rue principale. Sans ouvrir la bouche, pour le laisser réfléchir calmement. Il n'allait pas la forcer à rester mariée à lui simplement pour la punir.

Ressassant les souvenirs de son pays natal, elle eut peine à contenir sa joie. À présent, elle était sûre qu'il allait accepter sa proposition.

Ils longèrent la promenade jusqu'à l'extrémité du village. Puis ils se rendirent sur la plage. Par cette belle journée ensoleillée, de nombreux voiliers sillonnaient la mer.

Hawkeswell repéra Summerhays au large. Il faudrait compter une bonne heure avant que le bateau ne rentre au port.

S'il était resté sur ce navire, Verity aurait pris la poudre d'escampette. Elle avait au moins réussi à prouver un point : elle était pour un homme une source intarissable d'ennuis.

Ils marchèrent le long du rivage. La brise jouait avec la fine robe de mousseline de la jeune femme, la plaquant contre ses cuisses et ses hanches, soulignant le galbe de sa silhouette.

Southend-on-Sea était niché au fond d'une petite crique. Il aida Verity à grimper la colline qui s'élevait à l'ouest du village ; ils s'arrêtèrent à l'endroit où la roche se transformait en un tapis d'herbe. De ce point culminant, le tableau était impressionnant : on embrassait du regard l'ensemble de la crique, et la côte dans les deux directions. À l'horizon, on apercevait de grands navires se dirigeant vers l'estuaire de la Tamise.

— J'aimerais que nous parlions de votre proposition, dit-il en ôtant sa redingote, qu'il étendit par terre pour lui permettre de s'asseoir.

Certaine qu'il allait céder, elle s'installa sur le vêtement, une étincelle triomphante dans les yeux et un large sourire aux lèvres.

À son tour, il s'assit. Elle avait les jambes tendues devant elle, comme une fillette ; l'ourlet de sa jupe remontait, laissant apparaître ses chevilles. Une nouvelle paire de chaussures ne serait pas du luxe, songea-t-il.

— Il faut que je sache une chose, demanda-t-il. Si j'accepte votre offre, vous avez l'intention de vous remarier ? Faites-vous tout cela par amour pour un autre homme ?

— Je n'ai pas de soupirant. Il est toutefois possible que je me remarie, si je trouve le bon.

— Un homme que votre père aurait approuvé. Qui saura gérer le patrimoine qu'il vous a légué.

— En effet.

— Un homme tel que M. Travis ?

Elle partit d'un éclat de rire en frappant dans ses mains.

— M. Travis ? Seigneur, non ! Allons, M. Travis est encore plus vieux que vous.

La bouche de Verity n'eût-elle captivé son attention, il se serait sans doute hérissé à ces mots.

— Je n'ai que trente et un ans, Verity. Même si je suis de dix ans votre aîné, je ne suis pas encore candidat aux fausses dents et à la canne.

— Je voulais juste dire que M. Travis est beaucoup trop âgé pour moi. Je n'ai pas l'intention de l'épouser. Et si d'aventure j'épousais quelqu'un, vous continueriez à toucher les revenus promis. Mon père disait souvent qu'en Angleterre, tout est possible à condition d'établir le bon contrat.

— Il fallait que je sache.

— C'est tout naturel, répliqua-t-elle d'une voix douce. Nous sommes d'accord, lord Hawkeswell ? Vous allez m'aider à réparer le mal qui a été fait ?

— Je n'ai pas encore pris de décision, s'entendit-il répondre.

Il avait prévu de régler l'affaire en un tournemain, de fournir une réponse totalement différente. Cependant, son attention s'était fixée sur une mèche folle qui s'était échappée de son chapeau pour lui chatouiller le front. Cette mèche, la manière dont elle caressait sa peau de porcelaine, était d'une incroyable sensualité. Elle le rendait fou.

— Pourquoi ne pas essayer de me convaincre ? reprit-il.

— C'est-à-dire ?

— Avec un baiser. Si j'accepte votre offre, notre accord prendra fin, et vous refuserez de m'embrasser. J'aimerais que vous me donniez un véritable baiser. Tant que nous sommes encore mariés.

— Vous choisissez bien votre moment ! Nous ferions mieux de ne plus nous embrasser.

— Quel mal y a-t-il ? Personne ne peut nous surprendre ici.

Elle le lorgna d'un air méfiant.

— Seulement un.

— Promis, acquiesça-t-il. Cette chose a été inventée pour entraver les baisers, dit-il en tirant sur les rubans de son chapeau.

Il le lui ôta et le posa sur l'herbe.

Le soleil sur le déclin éclairait ses joues pâles et donnait à sa chevelure un reflet irisé. Elle tourna le visage vers lui et s'agenouilla. On eût dit une étudiante résolvant un problème d'arithmétique. Elle prenait cela très au sérieux.

La tête baissée, elle lui caressa la bouche du bout des lèvres.

Les mains plaquées sur sa nuque, il l'empêcha de s'écarter, l'incitant à prolonger un peu le baiser.

Il se concentra sur son souffle délicat, envahi par une onde de chaleur qui détruisit sa volonté et ses bonnes intentions.

Elle frémit, écartant son visage du sien d'un mouvement presque imperceptible.

Hors de question qu'elle lui échappe ! Il l'enserra et l'embrassa avant qu'elle ne puisse articuler la moindre parole. Il captura ses lèvres avec avidité, libérant le désir qu'il réprimait depuis trois jours.

Elle toucha son épaule, puis son bras, mais ce n'était pas un geste de résistance.

Exalté, il immisça la langue entre ses lèvres entrouvertes pour goûter sa bouche, dont il s'empara avec précaution, lui extirpant de petites plaintes. Il la coucha sur le sol et sonda ses yeux écarquillés. Accompagné par le chant mélodieux de ses gémissements, il baisa son cou, sa gorge palpitante, puis il glissa la main sur sa robe.

Sa silhouette était très fine. Presque frêle. Il se montra plus entreprenant, empoignant ses cuisses et ses hanches, caressant sa jambe, explorant son corps.

Les genoux pliés et relevés, les cuisses écartées, elle était prête à l'accueillir. D'ailleurs, elle ne chercha pas à l'arrêter.

Envoûté, il traça un sillon de baisers le long de sa gorge, jusqu'au bord de son décolleté, puis sur le tissu couvrant ses seins. Elle posa la main sur sa tête – pour l'encourager ou pour le retenir, il l'ignorait. Il embrassa la pointe qui tendait le tissu fin, lui arrachant un cri de surprise. Se redressant, il passa ensuite la paume sur sa poitrine et la regarda s'abandonner à lui jusqu'à ce que ses yeux se voilent.

Glissant une main sous elle, il chercha à tâtons les agrafes de sa robe. Elle frissonna. Il tira sur le tissu pour libérer sa poitrine pleine et joliment formée. Plongeant alors la tête dans son décolleté, il se servit de sa bouche pour l'affoler.

Confuse et fascinée, prise d'un désir terrifiant, Verity contemplait cette chevelure sombre glisser le long de sa gorge et chatouiller sa poitrine. Les dents de Hawkeswell se refermèrent délicatement sur la pointe érigée d'un sein, et une onde de plaisir la transperça comme une aiguille. Il lui assena un coup de langue. Elle ferma les paupières. C'était mal. Indécent. Et si quelqu'un les surprenait ? Elle aurait dû le repousser, mais sa bouche et sa main provoquaient en elle une déferlante de sensations trop exquises.

Il se releva sur un coude pour observer l'impact de ses caresses.

— Vous aimez, dit-il.

Ce n'était pas une question.

— Et cela, ajouta-t-il.

Plongeant de nouveau dans son décolleté, il captura son autre sein dans sa bouche, qu'il flatta avec la langue, tout en la caressant. Ivre d'impatience, elle était submergée par la volupté.

Il dessina une traînée de baisers sur son épaule, son cou et son oreille.

— Et cela.

Il glissa la main le long de sa jambe et la passa sous sa jupe en remontant.

L'inquiétude la saisit, car elle savait qu'elle risquait de se compromettre.

Pourtant, sous la douceur de ces caresses, ses objections et ses craintes fondirent comme neige au soleil. La brise sur ses jambes et le frôlement de ses mains sur ses cuisses suscitèrent un désir éperdu. Il aspira son sein, déclenchant une vague de plaisir qui alla se ficher dans son entrecuisse.

Envoûtée par ce geste, elle en redemanda. Mais, au lieu d'obéir, il prit brièvement son sexe en coupe dans un geste à la fois protecteur et possessif. Et il cessa de la toucher.

Le désir lancinant diminua. Dans son ventre, la tension se désagrégea. Elle rouvrit les paupières. Il la dévisageait. Dans son regard brillaient des émotions sombres et dangereuses.

Tout à coup, elle prit conscience de sa nudité. Cachant sa poitrine sous ses bras, elle se redressa pour rajuster sa chemise et sa robe. Les joues en feu, elle chercha les agrafes de sa robe, qu'il finit par rattacher lui-même.

Confuse et fâchée, elle se mit à genoux, fit volte-face et le frappa à l'épaule de toutes ses forces.

— Vous aviez promis !

Il lui saisit la main.

— Et j'ai tenu parole. Vous êtes toujours vierge.

— J'ai failli ne plus l'être !

— Vous êtes trop innocente, vous ne savez pas de quoi vous parlez. Croyez-moi, vous êtes immaculée.

Elle se leva d'un bond et porta les yeux sur la mer. Le voilier de Summerhays avait disparu. Elle constata alors qu'il était amarré à l'appontement.

— Dépêchons-nous. Ils sont rentrés.

Soudain, elle balaya les lieux du regard, terrifiée à l'idée qu'en partant à leur recherche, Audrianna et Sébastien auraient pu les surprendre.

De son côté, Hawkeswell se releva et enfila sa redingote après l'avoir épousetée. Lorsqu'il ramassa le chapeau, elle le lui arracha des mains.

— Vous m'avez attirée ici pour soi-disant discuter de ma proposition, gronda-t-elle. C'était une de vos manigances ?

Il la dévisagea, l'air grave. Puis il l'enlaça brusquement et l'embrassa.

— Je ne manigance rien. J'ai simplement saisi l'occasion qui s'est présentée. Quant à votre proposition…

Il lui prit le menton et vrilla son regard au sien.

Le souffle suspendu, elle attendit son verdict.

— C'est non, dit-il de façon réfléchie.

— *Non* ?

— Non.

Elle n'en croyait pas ses oreilles ! Elle qui avait cru dur comme fer qu'il se rallierait à sa cause.

— Pourquoi cela ?

— Parce que c'est ainsi.

— Comment ? C'est la seule explication que je mérite ?

Elle aurait voulu hurler. Il s'était joué d'elle. Tout cela pour la faire monter sur cette falaise et…

Après lui avoir assené un nouveau coup, elle s'éloigna à grandes enjambées. Et même si elle glissa à plusieurs reprises en redescendant la colline, elle refusa son bras. Plutôt trébucher que d'accepter son aide !

9

Hawkeswell estimait s'être comporté de manière plutôt convenable. Du moins cherchait-il à s'en convaincre. Pourtant, Verity n'avait pas su apprécier son sacrifice.

Des heures durant, il avait été au supplice. Chaque fois qu'il posait les yeux sur elle, il revoyait cette femme hypnotisée par sa première expérience charnelle.

Elle ne lui avait pas adressé la parole du reste de la journée, faisant comme s'il n'existait pas. Leur désir non assouvi planait entre eux. En eût-elle été réellement consciente, elle aurait dévalé l'arbre le soir même et disparu pour toujours.

Son excuse avait été minable. Mais qu'aurait-il pu lui répondre ? Comment lui dire que, mû par le désir, il avait soudain changé d'avis et décidé de la garder ?

La tension n'échappa pas à leur couple d'amis, qui tentèrent d'alléger l'atmosphère. En vain.

Verity prit congé de ses hôtes de bonne heure. Peu après, Hawkeswell s'excusa à son tour et sortit sur la terrasse pour fumer. Il était plongé dans ses pensées lorsque l'extrémité rougeoyante d'un second cigare apparut à son côté, et une main déposa un verre de cognac sur le muret devant lui. C'était Summerhays qui l'avait rejoint.

Silencieux, ils tirèrent sur leur cigare, contemplant le parterre de fleurs bercées par le vent du soir.

— Tu peux me dire merci, fit Summerhays. Audrianna a repéré deux silhouettes sur la corniche surplombant la crique. Elle a insisté pour que nous rentrions sur-le-champ, de crainte que votre tête-à-tête ne tourne mal. Malheureusement, le voilier n'avait pas le vent en poupe. Autrement, nous serions vite rentrés au port.

— Merci.

— Ton épouse n'avait pas l'air ravie.

— Et moi, alors ? Voilà ce qui se passe quand on se retient. Si je n'avais pas eu autant de scrupules, nous serions tous deux moins frustrés à l'heure qu'il est.

En vérité, c'était la promesse faite à Verity à Cumberworth qui l'avait freiné.

Summerhays ricana.

— Tu auras toute une vie pour te rattraper.

— Et moi qui pensais avoir finalement trouvé en toi un allié ! D'abord tu me conseilles de la séduire, à présent tu me recommandes la patience. Je vois dans ce changement l'influence de ta femme. Ne prends pas cet air indigné. Ce n'est pas elle qui t'a envoyé sur la terrasse, peut-être ? Pendant qu'elle est en train de réconforter cette pauvre Verity ?

— Elle a pensé que vous vous étiez disputés.

— En effet. Brièvement. Quelques mots, sans plus. On peut sans doute appeler cela une dispute.

— L'orage sera passé demain matin.

— Peut-être.

Probablement pas, songea-t-il.

— Quoi qu'il en soit, nous partirons pour Londres dans trois jours, ajouta-t-il.

Ils continuèrent de fumer leur cigare, dont les volutes s'élevaient dans la nuit. Summerhays eut la délicatesse de changer de sujet. Ainsi distrait, Hawkeswell put cesser de penser à Verity, à la charmante passion qu'il avait avivée en elle, et à sa frustration.

Le jour suivant, Verity ne quitta pas Audrianna d'une semelle. Choquée par son propre comportement, elle craignait d'avoir perdu la bataille dans un moment de faiblesse.

Persuadée que son mari avait été sur le point de lui dire autre chose, elle espérait qu'une bonne nuit de sommeil le ramènerait à la raison.

Elle attendit un signe, en vain. Il ne remit pas le sujet sur le tapis. Pas plus qu'il ne s'excusa pour la scène de la corniche.

Tout au contraire, il la regardait avec une familiarité nouvelle, comme si leur scandaleux interlude de la veille les avait rapprochés. Sa présence exerçait sur elle une force invisible. Et tandis qu'elle peinait à suivre les babillages d'Audrianna, des réminiscences de leur échange charnel ne cessaient de la hanter.

Le soir venu, lorsqu'elle se retira, il fit de même. Et quand elle prit l'escalier et l'entendit derrière elle, son cœur chavira dans sa poitrine. Au premier palier, elle pivota vers lui.

— N'essayez pas de m'embrasser ce soir. N'y songez même pas ! Je ne vous dois rien aujourd'hui, vous avez eu assez de baisers hier.

— Et vous, Verity ? En avez-vous eu assez ?

— Plus qu'assez. Trop.

Il la dévisagea, et ses jambes se dérobèrent sous elle.

— D'ailleurs, je n'ai pas du tout aimé, enchaîna-t-elle. L'étincelle ne prend pas. Vous devriez vraiment reconsidérer mon offre.

Il grimpa les deux dernières marches pour la dominer.

— Au contraire, Verity. Nous nous entendons à merveille. Avec le temps, vous n'aurez plus aussi peur.

— Je n'ai pas peur. Du reste, vous avez tort : j'ai détesté. Je...

Il posa le doigt sur ses lèvres pour la faire taire.

— Vous me défiez de vous prouver que j'ai raison.

Sous son doigt, ses lèvres frémirent. Tout comme le reste de son corps. Elle serra les dents pour ne pas perdre contenance.

— N'oubliez pas votre promesse, dit-elle en tournant la tête pour échapper à son regard ensorcelant.

— Inutile de me le rappeler. En revanche, il se peut que je monte la garde dans votre chambre, pour veiller à ce que vous ne profitiez pas de la nuit pour vous sauver.

Cette idée l'affola. Il n'avait sans doute pas l'intention de prendre un fauteuil dans son boudoir. Non, le vaurien prévoyait d'expérimenter de nouveau sur elle ses talents, qui la veille avaient bien failli lui coûter sa virginité.

Ce souvenir éveilla des sensations délicieuses. Qu'elle était faible ! Cela la consternait.

Ce n'est pas en le laissant la toucher qu'elle le persuaderait de changer d'avis.

— Non, dit-elle. Vous n'en ferez rien. Vous savez pertinemment qu'en partageant ma chambre, vous tenteriez le diable. Songez à votre honneur.

Il éclata de rire.

— Comme c'est aimable à vous de vous soucier de mon honneur !

— Il me tient tant à cœur que je vous promets de ne pas m'enfuir. Je vous jure d'être encore là demain matin. Ainsi formulée, ma promesse couvre toutes les possibilités de fuite imaginables.

Il considéra la question. Le saphir de ses yeux s'assombrit et il esquissa un sourire, résigné. Puis il acquiesça.

— Comme vous voudrez. Mais dépêchez-vous de disparaître avant que je ne change d'avis.

Cette nuit-là, Verity dormit d'un sommeil agité. Hawkeswell n'avait pas clairement dit qu'il ne viendrait pas dans sa chambre, aussi était-elle à l'affût du moindre bruit. Les joues en feu, elle se tourna et se retourna dans son lit pendant une bonne partie de la nuit, se demandant comment elle arriverait à s'échapper, à présent.

Contrariée, elle était à fleur de peau. Elle avait besoin de se retrouver seule avec elle-même. Aussi se leva-t-elle à l'aube et revêtit-elle sa modeste robe de mousseline bleu pâle, par-dessus laquelle elle enfila son tablier. Puis elle couvrit ses épaules d'un châle pour se protéger de la rosée matinale avant de sortir dans la cour.

Les jardiniers s'affairaient dans le jardin, avec binettes et râteaux, cisailles et brouettes. Elle observa leur travail.

Ce faisant, elle en oublia presque Hawkeswell et leurs baisers, l'embarras de s'être retrouvée à demi nue devant lui.

Bientôt, les jardiniers levèrent le nez vers la terrasse et leur chef inclina la tête. Elle suivit son regard, et eut la désagréable surprise d'y découvrir Hawkeswell.

Le visage sombre et grave, il l'examinait.

Il lui fit signe de le rejoindre. Prenant congé des jardiniers, elle remonta l'allée et grimpa l'escalier jusqu'à la terrasse.

— Accompagnez-moi dans la salle à manger. Audrianna et Sébastien nous y attendent. J'ai une nouvelle à vous annoncer et j'aimerais qu'ils soient présents.

Il rentra dans la maison, et elle lui emboîta le pas. Ils tournèrent dans la salle à manger donnant sur la cour, au rez-de-chaussée d'une des ailes. Audrianna prenait son petit déjeuner tandis que lord Sébastien se servait au buffet.

— J'espère que votre tante n'est pas tombée malade, Hawkeswell ? s'enquit lord Sébastien lorsque tout le monde fut assis.

— Qu'est-ce qui vous fait penser cela ? s'étonna Verity.

— Un messager est venu ce matin délivrer une lettre pour lord Hawkeswell, expliqua Audrianna.

— Aux dernières nouvelles, ma tante se porte comme un charme. Cette lettre n'a rien à voir avec elle.

Sur ces mots, il extirpa un papier de son manteau et le posa sur la table. Il le fixa avant de porter le regard sur Verity.

— C'est un notaire de Londres, M. Thornapple, qui me l'a envoyée.

— Mon mandataire testamentaire ?

— Il avait d'abord écrit dans le Surrey, puis il a appris que je me trouvais ici, reprit-il en dépliant la missive. Il m'écrit qu'il a obtenu l'ouverture d'une nouvelle expertise concernant le décès probable de lady Hawkeswell, née Verity Thompson. Elle aura lieu demain dans le Surrey, chez le coroner lui-même. Au moment d'envoyer cette lettre, il se mettait en route pour le Surrey.

Puis, posant la missive de côté :

— Nous devons partir sur-le-champ.

— Il va vous falloir le carrosse et deux couples de chevaux. Je vais vous donner les adresses des relais de poste où se trouvent nos attelages, fit lord Sébastien. Si le temps reste au beau fixe, vous devriez y être demain midi au plus tard.

Déconcertée, Verity les observait planifier le voyage. La panique la saisit.

— Et si nous ne nous y rendons pas immédiatement ? laissa-t-elle échapper. Que se passera-t-il ?

Elle avait interrompu lord Sébastien, qui prodiguait un conseil à Hawkeswell. Tout le monde la dévisagea.

— Et si le messager n'avait pas trouvé cette demeure ? insista-t-elle.

— Autrement dit : et si l'on prononçait officiellement votre décès ? reformula Hawkeswell. Il nous faudrait ensuite rectifier cela à notre arrivée dans le Surrey. Mieux vaut éviter une telle erreur. Ce sera moins compliqué.

Elle soupira et se leva.

— Je vais rassembler mes affaires.

L'accord conclu avec Hawkeswell dans la serre de Daphné prendrait fin à la seconde où le carrosse quitterait le domaine. Dorénavant, elle allait devoir élaborer un nouveau stratagème pour repousser Hawkeswell.

En dix minutes, Susan avait empaqueté tous ses vêtements. Verity la remercia pour ses services, lui remit quelques sous pris sur ce qui lui restait des quinze livres d'argent de poche, et lui donna son congé. Puis elle emballa dans la valise ses objets personnels, ses brosses à cheveux, son eau de violette et deux peignes.

La porte s'ouvrit. Hawkeswell pénétra dans la pièce.

— Je suis prête.

Son regard alla de la valise à sa femme :

— Vous n'êtes pas contente ?

— Je pensais que nous resterions ici plus longtemps. Je pensais…

Sans achever sa phrase, elle ramassa son chapeau et pivota vers le miroir.

— Vous pensiez avoir plus de temps pour me convaincre, dit-il à sa place.

— Vous devriez m'accorder quelques jours supplémentaires.

— Je ne veux plus vous laisser partir, Verity.

Son cœur vacilla. Pour quelques baisers échangés sur une corniche, il avait changé d'avis. Il allait la forcer à rester mariée à lui à cause d'un bref instant de plaisir.

Elle se remit à étudier son reflet dans le miroir pour nouer son chapeau. Elle était à deux doigts de fondre en larmes.

— Pardonnez mon émotion, dit-elle en se tamponnant les yeux. Je m'imagine entourée d'étrangers, de gens qui n'auront aucune raison d'être gentils avec moi.

— Vous redoutez trop l'avenir. Vous vous faites des idées.

— Vous me permettrez de rentrer chez moi rendre visite à mes proches ?

— Je ne vois pas de mal à cela.

— Souvent ?

— Du moment que je peux vous accompagner.

— Mon petit doigt me dit que vous en aurez rarement l'occasion.

Au lieu de se vexer, il afficha une certaine compassion.

— Vous préférez me diaboliser. Pour éviter de regarder la vérité en face.

Cette remarque la surprit. Elle se tourna vers lui.

— Je regarde la vérité en face !

— Au contraire, cela fait deux jours que vous refusez de l'admettre. Vous vous êtes mis en tête que vous pouviez encore me faire changer d'avis. Vous vous êtes persuadée que c'était votre cousin qui gagnait si vous acceptiez ce mariage. Tout pourrait se passer différemment, vous savez.

— J'en veux peut-être à mon cousin, mais il ne peut plus rien contre moi, quoi qu'il arrive.

— Dans ce cas, j'imagine que c'est contre moi que vous êtes fâchée. Vous m'en voulez d'avoir joué un rôle dans les manigances de Bertram.

— Je refuse qu'il sorte victorieux de cette histoire, un point c'est tout. Vous disiez me comprendre. Mais ce n'était qu'une ruse de plus pour me mettre en confiance.

Il esquissa un sourire.

— Vous êtes en plein déni. Non seulement vous prétendez ne pas avoir éprouvé de plaisir – ce qui est un vilain mensonge – mais vous êtes également sûre d'être victime d'une machination de ma part.

Elle le foudroya du regard en guise de réponse.

— Vous avez une mémoire sélective, Verity. Avant de conclure que mon comportement était malintentionné, avez-vous repensé au plaisir que vous a procuré ma bouche sur votre sein, ma main sur votre...

— Certainement pas ! s'écria-t-elle en rougissant. Vous êtes une canaille. Mais je vois clair dans votre jeu.

Elle saisit sa valise d'un geste vif et se précipita vers la porte.

— Pensez-le si cela vous fait plaisir. Toutefois, je demeure votre mari. Et si nous jouons effectivement un jeu, dites-vous que j'ai déjà gagné.

10

— Cette décision n'est-elle pas du ressort de la haute cour de justice, monsieur Thornapple ? J'ai accepté de mener cette nouvelle expertise parce que la disparition a eu lieu dans notre comté. Toutefois, en l'absence de corps, j'ignore quelles sont mes fonctions.

— Dans un tel dossier, monsieur, il n'y a pas vraiment de règles. Nous ouvrons le dossier avec vous aujourd'hui, et je ferai ensuite part de votre décision à la cour, à qui il reviendra de prononcer ou non le décès. Comme vous l'avez fait remarquer, c'est dans ce comté que l'affaire a eu lieu. Aussi, une investigation s'impose-t-elle.

La porte de la bibliothèque s'ouvrit devant eux, permettant à Verity de surprendre l'échange. Hawkeswell s'arrêta dans l'encadrement de la porte. Il balaya du regard le public de la pièce.

— Comme vous le savez, lorsqu'une personne disparaît, l'on présume qu'elle est toujours en vie, expliqua le coroner. D'où la période d'attente de sept ans.

Elle s'était fait une fausse idée du coroner local, s'attendant à trouver un vieux propriétaire terrien. À la place, ce fut un homme élégant, d'une trentaine d'années à peine, qu'elle découvrit. Il possédait une belle demeure, dont la bibliothèque, décorée avec goût, servait de salle de réunion.

Avec ses cheveux blancs et sa toilette impeccable, M. Thornapple se présentait lui aussi sous un jour très élégant. Notaire d'origine modeste, il avait été l'un des rares à inspirer à son père une confiance inébranlable.

Celui-ci s'éclaircit la voix.

— La période invoquée ne s'applique pas au cas présent. Si un bateau sombre, on ne présume pas que l'équipage disparu est toujours en vie. On n'attend pas sept ans pour régler les histoires de succession. Car, selon toute probabilité, l'équipage se sera noyé. Depuis la disparition de l'épouse de lord Hawkeswell, les indices de son décès dans la Tamise se sont accumulés. Eût-elle été encore en vie, elle se serait manifestée depuis longtemps. Elle n'aurait pas d'autre choix, d'ailleurs, à moins de mourir de faim. Enfin...

— Maître, permettez-moi de vous interrompre, fit le coroner. Je vois que lord Hawkeswell est arrivé. Je vous en prie, joignez-vous à nous, milord, puisque c'est à votre demande et à celle de M. Thornapple qu'une nouvelle expertise a été ouverte.

Tous les visages se tournèrent vers la porte. Au grand soulagement de Verity, Bertram et Nancy n'étaient pas présents.

Une femme brune vêtue d'une robe mauve adressa un large sourire à Hawkeswell. Verity reconnut Colleen, la cousine de son mari, qui lui avait présenté Bertram dans l'idée de l'aider à résoudre ses problèmes financiers.

Hawkeswell prit sa femme par le bras et la conduisit jusqu'au bureau du coroner.

— C'était en effet à ma demande, mais je souhaite à présent la retirer. L'investigation n'a plus de raison d'être.

— Milord, il est grand temps de régler cette affaire, intervint Thornapple d'un ton à la fois exaspéré et confus. Vous-même m'avez encouragé à...

— L'investigation est désormais inutile car ma femme a été retrouvée, comme vous pouvez le constater, précisa Hawkeswell. Verity, auriez-vous l'obligeance d'ôter votre chapeau ?

Elle obtempéra. Thornapple la regarda avec des yeux ronds.

— S'agit-il de la jeune femme en question, monsieur Thornapple ? demanda le coroner. Vous l'avez déjà rencontrée ?

— Oui. C'est bien elle. Verity Thompson, héritière de Joshua Thompson.

Un murmure parcourut l'assemblée.

L'étonnement de Thornapple céda vite la place à la colère.

— J'aimerais qu'on me dise où elle s'est terrée pendant deux ans. C'est vous qui l'avez cachée, lord Hawkeswell ? Je ne vois pas ce que cela vous aurait rapporté, si ce n'est le plaisir de provoquer un coup de théâtre.

— En réalité, je l'ai trouvée tout à fait par hasard, il y a un peu moins d'une semaine. Je vous aurais prévenu sur-le-champ si j'avais imaginé que vous réussiriez à obtenir une nouvelle expertise si vite.

— Un jour de plus, et j'aurais pu pencher en faveur de sa mort et établir un constat de décès, déclara le coroner en examinant Verity sans animosité particulière.

Il semblait fasciné par la tournure des événements.

— Où étiez-vous, lady Hawkeswell ? demanda-t-il.

— Dans le Middlesex.

M. Thornapple se hérissa.

— Dans ce cas, vous étiez sûrement au courant que l'on vous croyait morte !

— Que faisiez-vous dans le Middlesex ? Comment êtes-vous arrivée là-bas ? questionna le coroner.

— C'est une affaire entre ma femme et moi, intervint Hawkeswell. Ce qui compte, c'est que vous constatiez qu'elle est vivante.

— Certes, admit le coroner sans dissimuler son amusement. La séance est close, décréta-t-il en se levant, puis il s'inclina devant Verity. Enchanté de faire votre connaissance, madame. Thornapple, je vous offre un cognac ; vous me paraissez au bord de la crise d'apoplexie. Lady Hawkeswell, permettez que je vous présente certains de nos voisins. Beaucoup d'entre eux étaient présents à votre mariage, mais j'imagine qu'après tout ce temps, leurs visages ne vous diront rien.

Thornapple se planta devant eux.

— Lord Hawkeswell, milady, j'attends des explications.

— En temps voulu, rétorqua Hawkeswell d'une voix sèche. Nous serons bientôt à Londres.

La colère de Thornapple céda la place à un sentiment plus confus. Il regarda Verity avec insistance.

— Y a-t-il une chose que vous aimeriez me dire *maintenant*, lady Hawkeswell ?

Si je me suis enfuie, c'est parce qu'on m'a forcée à me marier. Devait-elle lui répondre cela ? Ici, dans cette salle ? Cela ferait-il une différence ?

Elle balaya l'endroit du regard. Les voisins traînassaient, peu pressés de quitter une scène qui s'était avérée bien plus distrayante que prévu. Les regards, pour la plupart, étaient rivés sur eux. Les hommes s'étaient laissé tenter par le brandy du coroner.

— Merci d'avoir géré le patrimoine de mon père ces deux dernières années, fit-elle à l'adresse de Thornapple. J'avais en effet de bonnes raisons de ne pas vous contacter plus tôt. Toutefois, comme lord Hawkeswell l'a dit, ces raisons vous seront révélées en temps et en heure. Je ne souhaite pas faire de cet événement une représentation théâtrale, si tant est que cela ne soit déjà le cas. Je viendrai vous rendre visite à Londres prochainement.

Thornapple hocha la tête. Après s'être incliné, il prit congé.

Prenant son courage à deux mains, Verity se tourna vers Hawkeswell. Il affichait le même air qu'à leur départ d'Airymont.

— *Si nous jouons effectivement un jeu, dites-vous que j'ai déjà gagné*, avait-il dit.

Un jeu qui toutefois lui coûtait cher ! Si les voisins de Hawkeswell la dévisageaient avec curiosité, ils le regardaient, lui, avec une mine amusée. Sa fierté devait en prendre un coup.

— Vous n'avez pas le choix. Vous allez devoir les saluer avant de vous retirer, dit-il en indiquant les gens qui bloquaient la porte. Ne nous éternisons pas. Je n'ai pas franchement envie de continuer à faire le chien de cirque.

Il la conduisit au milieu du groupe.

Sourires de convenance. Regards curieux. Coups d'œil moqueurs adressés à Hawkeswell. Tout en arborant un air soulagé adapté à la situation. On flairait l'histoire croustillante, et on refusait de partir avant d'en avoir obtenu au moins une bouchée.

Colleen attendait en périphérie du groupe. Quand ils parvinrent enfin à sa hauteur, elle serra Verity dans ses bras.

— Quel soulagement de vous revoir, fit-elle en pleurant. Et de vous savoir à l'abri du pire ! Les Thompson sont-ils au courant ?

— Nous ne les en avons pas encore informés, répondit Hawkeswell. Peut-être pourrais-tu t'en charger pour nous ? En revanche, fais en sorte qu'ils ne viennent pas ici. Il est encore trop tôt pour que Verity reçoive de la famille.

— Je vais leur écrire, et je serai très ferme sur ce point. J'espère toutefois que vous m'autoriserez à passer vous rendre visite, enchaîna-t-elle en étreignant encore Verity. Je pourrais peut-être vous aider à gérer, au début, le domaine de Greenlay Park ?

Elle semblait sincère. Et Verity aurait bien besoin de quelques conseils pour reprendre en main la demeure de Hawkeswell. Elle ne connaissait pas bien Colleen. Tout ce qu'elle savait, c'est que la cousine de Hawkeswell avait joué l'entremetteuse en le présentant à Bertram. Seulement, Colleen était sans doute loin de s'imaginer que Bertram et Nancy l'avaient utilisée.

— Je vous en prie, n'hésitez pas à venir nous rendre visite. Je serai ravie de profiter de vos conseils.

— Mais pas ceux de ta mère, intervint Hawkeswell tout en prenant son chapeau et ses gants des mains du majordome. Nous irons lui rendre visite en temps voulu. Je préfère ne pas l'avoir dans les pattes en ce moment.

Colleen esquissa un sourire entendu, indiquant qu'elle comprenait qu'on veuille éviter sa mère.

Hawkeswell aida Verity à monter dans le carrosse. Pour la première fois depuis le début du voyage, il la suivit à l'intérieur de la cabine. Verity comprit pourquoi. Le public présent dans la salle avait quitté la demeure pour avoir un dernier aperçu de la comtesse ressuscitée et de son époux.

— Vont-ils envoyer des messagers répandre partout la nouvelle ? demanda-t-elle.

— Sans aucun doute. Leurs lettres arriveront à Londres demain en fin de journée, calcula-t-il en vérifiant sa montre de gousset. Nous patienterons ici quelques jours avant de retourner en ville affronter la tempête. Le beau monde aura quitté la capitale pour l'été, aussi serez-vous relativement à l'abri des commérages.

— Mais on posera quand même des questions. Qu'avez-vous l'intention de répondre ?

Il soupira.

— Je n'en ai pas la moindre idée.

En d'autres mots, il ne comptait pas dire la vérité. À l'évidence, ce petit mélodrame l'embarrassait.

D'un autre côté, il pourrait difficilement faire croire aux gens qu'elle avait perdu la mémoire. Peut-être ne dirait-il rien, tout simplement.

Par la vitre, elle regarda défiler le paysage du Surrey. Seule dans cette cabine durant les deux derniers jours, elle s'était murée en elle-même pour se préparer au choc que susciterait sa soudaine réapparition.

À présent, elle prenait conscience de la richesse des terres environnantes. Les fleurs poussaient à profusion : on voyait des parterres autour des cottages, y compris les plus modestes, et des gerbes de fleurs des champs sur les collines et au bord des chemins.

Ils dépassèrent une petite ferme très fleurie. Toutefois, les couleurs estivales ne suffisaient pas à dissimuler la pauvreté des lieux.

— Cette maison a besoin d'une nouvelle toiture, fit-elle remarquer.

— Et d'un nouveau plancher. Sans compter qu'un canal d'irrigation permettrait d'accroître le rendement des terres que ces gens cultivent. Malheureusement, leur propriétaire n'a pas été en mesure de les aider, conclut-il d'une voix tendue.

Le propriétaire n'était autre que lui, devina-t-elle. Ils avaient pénétré sur ses terres.

— Mangent-ils au moins à leur faim ?

— À peine. Et seulement parce que je ne leur ai pas demandé de loyer il y a deux ans, quand les récoltes ont manqué de soleil.

Un homme qui descendait la route salua le carrosse. Hawkeswell lui répondit par le même geste.

— Je connais ce fermier depuis toujours. Sa famille vit ici depuis quasiment aussi longtemps que la mienne – des générations ! Son sort dépend de moi comme ses récoltes dépendent du temps.

— Mon père avait le même rapport avec ses ouvriers, bien que cela ne remonte pas à des générations. Dans son esprit, leur bien-être dépendait de lui. Tous les patrons d'usine ne partageaient pas son point de vue, mais cela lui était égal.

Il sourit.

— Il semblerait que nous ayons finalement un point commun.

Elle aurait préféré le contredire. À l'époque de leur mariage, elle avait cru qu'il cherchait de l'argent pour son train de vie dispendieux, et non pour creuser des canaux d'irrigation et restaurer des toitures. En fin de compte, il était moins vain qu'il n'y paraissait.

— Verity, j'espère que vous ne m'en voulez pas d'avoir demandé à Colleen d'écrire à votre cousin. J'ai pensé qu'il vaudrait mieux qu'il reçoive une lettre d'elle, dans un premier temps.

— À vrai dire, je n'avais pas du tout prévu de lui écrire, de toute façon.

— Si vous préférez que j'écrive ensuite à votre place, je le ferai. Dans quelques jours, le temps qu'il se remette de son choc.

— À votre guise.

— Il voudra sans doute vous voir.

— C'est vous surtout qu'il voudra voir, rétorqua-t-elle. Pour s'assurer que votre accord, quel qu'il soit, est toujours valable. Vous lui avez sûrement fait des promesses.

Sans même lui adresser un regard, elle sut que ses insinuations lui déplaisaient. Son mécontentement emplit la cabine. Elle percevait souvent ses changements d'humeur sans qu'il ait besoin de s'exprimer.

— Si jamais il descend à Londres, vous devrez le recevoir, Verity, quelles que soient les véritables motivations de sa visite. Vous pensez qu'il ne vous a pas pleurée mais, en réalité, vous n'en savez rien. Il est votre seule famille. Vous lui devez des excuses.

Cette petite leçon de morale agaça la jeune femme au plus haut point. Elle eut grand-peine à garder son calme.

— Je ne lui présenterai pas d'excuses. Ni à lui, ni à personne. Si vous tenez vraiment à ce que je le voie, promettez-moi de ne pas me laisser seule avec lui ou avec sa femme, exigea-t-elle d'une voix chancelante. Jamais.

Son ton l'avait trahie. Elle dissimulait mal ses sentiments envers Bertram.

— Verity, vous ne…

— *Jamais.* Vous m'entendez ? Jurez-le-moi, ou bien Bertram pourra aller griller en enfer.

Il la dévisagea, surpris.

— Très bien. Vous avez ma parole.

À l'exception de l'aspect impressionnant de son architecture, caractéristique de l'ancienne noblesse, et de sa décoration vieillotte, Greenlay Park ne lui avait pas laissé beaucoup de souvenirs. Le jour de son mariage, elle n'avait guère prêté attention aux lieux, tant elle était triste et angoissée.

En haut d'une colline, la demeure dominait une immense plaine ; il n'y avait pas l'ombre d'un bois à des kilomètres à la ronde. L'allée menait à un corps de logis massif en pierre. Les hautes fenêtres alignées le long de la façade annonçaient de nombreux niveaux, de hauts plafonds, et une enfilade complexe de pièces au milieu desquelles elle se rappelait s'être sentie minuscule.

Le corps de logis était flanqué de deux ailes auxquelles étaient rattachés d'autres bâtiments. Une architecture classique mais dans un style français ancien, avait fait remarquer Nancy en découvrant la demeure. Elle parlait du style monarchique, celui de ces aristocrates dont la tête avait roulé moins de trente ans auparavant, à la grande satisfaction de son père.

Autour de la maison, le parc faisait négligé. Les paysagistes s'étaient visiblement inspirés du style de Repton pour créer des changements de niveau, un canal serpentant à travers les fleurs et les buissons. Cependant, les parterres étaient désormais à l'abandon, et les arbustes, autrefois élagués avec art, n'avaient plus de forme.

Le carrosse s'immobilisa devant l'entrée, et Hawkeswell ouvrit la portière.

Un vieillard et une matrone surgirent de l'immense porte d'entrée. L'homme se précipita vers le véhicule tout en boutonnant son pardessus.

— Milord, nous ne vous attendions pas... Le messager n'a pas précisé que...

— C'est une longue histoire, Krippin. Nous en parlerons plus tard, peut-être. Nous sommes venus avec le carrosse de lord Summerhays, qu'il faudra renvoyer dans l'Essex dès demain. Prenez les dispositions nécessaires pour loger le cocher et mettre les chevaux à l'écurie pour la nuit.

— Tout de suite, milord. Madame Bradley, pourriez-vous vous occuper de l'invitée de milord ?

Cette dernière s'avança à l'instant où Verity descendait du carrosse.

— Vous vous souvenez de M. Krippin et de Mme Bradley, ma chère ? fit Hawkeswell en l'attirant vers le couple de domestiques. La comtesse est de retour, Krippin. Veuillez en avertir le personnel.

Contrairement à Mme Bradley, qui dissimula son étonnement, Krippin eut peine à contenir sa surprise. Il resta bouche bée durant quelques secondes. Mais il se ressaisit, l'étiquette reprenant le dessus chez cet homme ayant passé sa vie à servir.

— Entendu, milord. Je leur transmettrai la bonne nouvelle. Bienvenue à la maison, milady.

Ils se dirigèrent tous ensemble vers la porte d'entrée. À l'intérieur, on ordonna à deux valets de s'occuper des bagages.

— J'aimerais me retirer dans mes appartements, madame Bradley, fit Verity, prenant les devants. Le voyage m'a épuisée.

— Très certainement, milady.

Elles empruntèrent l'escalier. Toutes deux firent mine d'ignorer le fait que Verity ne savait pas du tout comment se rendre dans ses propres appartements.

11

Les finances du comte de Hawkeswell étaient au plus mal.

Deux ans auparavant, obnubilée par ses propres soucis, Verity n'y avait pas prêté attention.

Aujourd'hui, de nombreux indices confirmaient la pauvreté qu'elle avait pu observer à l'approche du domaine.

La résidence comptait très peu de domestiques. Moins qu'à Airymont. Mme Bradley avait certes promis de lui envoyer une jeune fille, mais celle-ci n'était sans doute pas une femme de chambre à proprement parler.

Le mobilier était en fin de vie. Usées par le soleil, les tentures des fenêtres auraient eu besoin d'être changées. Les commodités, quant à elles, semblaient dater du siècle dernier. Tandis qu'Airymont était équipé de cabinets et de salles de bains, Greenlay Park en était encore apparemment au stade des pots de chambre et des baignoires portatives.

Plus elle examinait les lieux, plus elle perdait espoir. Les fonds de son héritage auquel Hawkeswell n'avait pu accéder jusque-là lui seraient également bloqués durant toute la procédure de demande d'annulation, songea-t-elle.

Il aurait dû toucher une grosse somme à leur mariage. Ce qui n'avait pas été le cas, d'après lui.

Peut-être devrait-elle attendre qu'il ait l'argent avant de lancer une demande d'annulation ?

Mme Bradley la conduisit aux appartements qu'on lui avait alloués le jour de son mariage. Contrairement aux autres pièces, cette chambre avait été refaite récemment. Les rideaux étaient neufs, de même que les draperies bleu de Prusse du lit à baldaquin. Le tissu des chaises n'était pas terne, et l'on avait récuré la pierre du manteau de cheminée.

Elle se figurait le comte, deux ans auparavant, veillant à faire refaire cette pièce pour que son épouse ne subisse pas les retombées de ses finances désastreuses. Comment avait-il payé cela ? S'était-il endetté ?

N'eût-il rien changé, elle ne l'aurait pas remarqué à l'époque. Lorsqu'on s'offrait en sacrifice, on se moquait généralement de l'état de l'autel.

— Vos effets personnels sont restés tels quels, évidemment, fit Mme Bradley.

Elle pénétra dans le dressing, où elle ouvrit trois placards et deux coffres.

Verity tâta les tissus délicats. Elle avait complètement oublié cette garde-robe, achetée à Londres avant son mariage. Nancy l'avait traînée de modéliste en modéliste, exigeant les dentelles et les brocarts les plus fins. Nancy adorait courir les boutiques.

Elle sortit plusieurs robes, les plaqua contre son corps et observa le résultat. Aux Fleurs Rares, elle s'était contentée de tenues très modestes. Non par choix, mais par commodité. On ne jardinait pas habillée de soie.

Elle choisit une robe de promenade en taffetas jaune ; elle sourit, ravie à l'idée de porter désormais de jolis vêtements. Quoiqu'elle n'eût jamais vraiment donné dans la coquetterie féminine, une armoire entière s'offrait à elle, ne demandant qu'à être explorée.

— Je vais vous faire monter de l'eau, dit Mme Bradley après avoir vidé le maigre contenu de

sa valise. Puis nous vous laisserons vous reposer,
milady. En temps normal, nous respectons les
horaires de la campagne. Cependant, le cuisinier
ignorait votre arrivée, aussi faut-il sans doute s'attendre à ce qu'il serve le dîner plus tard que d'ordinaire.
Je vous enverrai la jeune fille dans deux heures pour
vous aider à vous habiller.

Une sieste avant le dîner s'imposait. Son retour
dans le monde l'avait épuisée. Or, elle allait devoir
être en pleine forme pour braver Hawkeswell lors
d'un dîner en tête à tête.

Il frappa à la porte. Pas de réponse. Il leva le loquet.

Le petit salon était vide. Aucun bruit ne parvint du
dressing. Il pénétra dans la chambre à coucher. On
avait tiré les rideaux et la pièce baignait dans la
pénombre.

Elle était étendue en chemise et en bas. Seul un très
léger froncement perturbait le calme de son visage.
Peut-être faisait-elle un mauvais rêve ? Elle était
allongée sur le flanc, les jambes repliées. Sa chemise
remontait, découvrant sa cuisse gauche et sa hanche.

Cette position soulignait la charmante courbe de sa
hanche et le galbe de sa jambe. Un jour, cédant à la
tentation, il caresserait sa silhouette douce et gra-
cieuse. Pour l'heure, il se contrôla.

Il déposa un petit écrin sur l'oreiller à côté de son
visage et l'ouvrit. Sur leur lit de velours bleu, à la faible lumière de la chambre, les perles scintillèrent.

Quoiqu'elles fussent un bijou de famille, il avait
bien failli les vendre à plusieurs reprises au cours des
deux dernières années. La légende voulait qu'une
comtesse de Hawkeswell les ait reçues en cadeau d'un
soupirant de sang royal, deux siècles auparavant. Parfaites et d'une valeur inestimable, elles lui auraient
permis de redresser ses finances, et bien plus encore.

Ce n'était pas par sentimentalisme qu'il les avait gardées. En vérité, la décision de les vendre ne lui revenait plus. Il les avait offertes à Verity en cadeau de mariage.

Il jeta un œil à la note qu'il avait griffonnée et, se ravisant, la récupéra. Puis il quitta discrètement la pièce.

Quand elle tourna la tête sur l'oreiller, son nez heurta un objet. Émergeant d'un délicieux état d'apesanteur, elle prit soudain conscience de son environnement.

Elle ouvrit les yeux. Une chose étrange lui bloquait la vue. S'appuyant sur un coude, elle l'examina.

Une jolie boîte en bois parfaitement fignolée et tapissée de velours était posée sur le lit. Elle était ouverte, découvrant des rangées de petites gouttes, contrastant en texture et en couleur avec leur écrin.

Les perles !

Un domestique les lui avait livrées le jour de son mariage pendant qu'elle se préparait. Fascinée par leur beauté, Nancy avait insisté pour qu'elle les porte lors de la cérémonie. Sans enthousiasme, elle lui avait obéi.

C'étaient ces mêmes perles qu'elle avait ôtées en premier après les noces. Une image très vive de cette journée lui revint alors en mémoire. Nancy s'était approchée d'elle tandis qu'elle posait le collier sur la table de son petit salon.

— J'ai certaines choses à t'apprendre...

Voilà comment Nancy avait abordé la conversation à l'origine de sa fuite.

Elle souleva les perles. Un domestique n'aurait pas laissé l'écrin ouvert sur son oreiller. Hawkeswell lui avait rendu visite.

Pour lui restituer son cadeau de mariage, comme si elle n'était jamais partie. Il attendait d'elle qu'elle les porte le soir même, elle en aurait mis sa main au feu.

Les rangées de perles dégringolèrent sur sa main puis le long de son bras. Ce poids, ce luxe discret... ces perles étaient uniques au monde. Elles valaient probablement une petite fortune.

Soit, elle jouirait de leur beauté le temps d'un dîner. Tout en gardant à l'esprit qu'elles ne lui appartenaient pas.

Verity apparut dans le salon, tel un être surnaturel.

Hawkeswell fut subjugué. C'était la première fois depuis leurs retrouvailles qu'elle échangeait une de ses petites robes de mousseline fades pour une tenue plus sophistiquée.

Ce soir, elle s'était glissée dans un élégant fourreau de brocart marron. Les manches, le col et l'ourlet étaient ornementés d'une dentelle qui contrastait joliment avec la couleur de la robe, ce qui lui conférait une fraîcheur peu commune.

Elle avait drapé ses épaules d'un châle somptueux dans les mêmes nuances, quoique légèrement plus pâle. De multiples rangées de perles encadraient son décolleté, soulignant son élégance.

Quand il posa les yeux sur les perles, elle toucha instinctivement son collier. Il lut dans son regard qu'elle avait compris. Non seulement elle avait reconnu son cadeau de mariage, mais elle savait également qui l'avait déposé sur son oreiller.

— C'est une belle soirée. Nous allons dîner sur la terrasse en toute simplicité, dit-il. Rien de cérémonieux.

— C'est parfait !

Il partageait son enthousiasme. Pourquoi se forcer à passer leur première soirée dans une salle de quarante personnes ? Verity aurait amplement l'occasion de goûter au cérémonial de sa nouvelle position sociale.

Ils sortirent sur la terrasse, où l'on avait dressé une table. Les flammes des bougies vacillaient sous la brise, se reflétant dans l'argenterie et la porcelaine. Les plats s'enchaînèrent, plus élaborés et raffinés que de coutume. Mme Bradley et le cuisinier s'étaient sûrement dit qu'il fallait fêter le retour de la comtesse.

Le regard de la jeune femme se porta vers le parc qui se fondait dans la nuit tombante.

— Dans mes souvenirs, il était plus grand.

— La nature s'est réapproprié le fond du jardin. Le jardinier a opté pour cette solution lorsqu'il a dû se séparer de la moitié de ses employés. Les herbes et les jeunes arbres ont poussé à une vitesse étonnante. C'est assez disgracieux.

— L'entretien d'un tel domaine doit coûter très cher.

— J'ai appris à me contenter de l'essentiel, c'est-à-dire de peu. On peut bien sacrifier une belle vue.

— Vous avez deux possibilités : soit vous défrichez le fond du jardin, soit vous laissez la nature reprendre complètement le dessus. Au bout de quelques années, ce ne sera plus si disgracieux.

Elle avait vidé son verre de vin ; un domestique lui en servit un autre. Hawkeswell observa le cristal contre ses lèvres. Le dernier rayon de lumière s'était évanoui. À la lueur des bougies, sa bouche paraissait sombre et sensuelle.

— Nous n'avons pas d'arbres de grande taille. Le parc bénéficie donc d'une excellente lumière tout au long de l'année. Une troisième solution consisterait à installer une serre dans le fond.

— Mais une serre exige un entretien assidu. Or, vous vous êtes séparé d'une bonne partie de vos jardiniers...

— La pénurie de domestiques sera bientôt un problème résolu.

— Dans ce cas, une serre revaloriserait votre domaine. Vous auriez des fleurs fraîches à disposition tout au long de l'année.

Ils parlèrent des différents types de serres. C'était un sujet qu'elle maîtrisait et qui l'enthousiasmait. À la fin du dîner, les valets se retirèrent discrètement.

— Notre vieux jardinier n'a pas l'habitude de travailler en serre, dit-il. Si nous nous lançons dans ce projet, vous allez devoir partager avec lui vos connaissances. Ce pourrait être votre jardin secret, si vous le voulez.

À la lueur des bougies, Verity avait les yeux presque noirs et la moindre expression ressortait de façon spectaculaire sur son visage. L'hésitation et la surprise s'y peignirent tour à tour. Ce n'était plus de sa maison qu'il était question, mais de *la leur*, à tous les deux.

— Il y a aussi de la place pour une serre à Londres, continua-t-il. Rien ne vous empêchera donc de poursuivre l'horticulture en ville.

Elle vrilla ses yeux aux siens pendant un long moment. Puis elle les détourna, regardant les bougies, le jardin, le mur, comme si en jouant l'indifférence elle pourrait éviter l'inéluctable. Elle finit par poser le regard sur la table.

— Je préférerais pratiquer l'horticulture aux Fleurs Rares, jusqu'à ce que notre situation soit résolue.

— Non.

— Dans ce cas, permettez-moi d'aller vivre chez Audrianna. Le carrosse de lord Sébastien repart pour l'Essex demain. Je vous en supplie, laissez-moi le prendre.

— Non.

Il vit qu'elle comprenait. D'ailleurs, elle ne lui demanda pas d'explication. Elle était gagnée par l'intimité de la nuit, l'atmosphère tendue, excitante, lourde d'un irrésistible sentiment d'anticipation.

— Et si je pars contre votre avis ? lança-t-elle en posant enfin le regard sur lui.

— Je suis votre mari. Ce n'est pas mon avis qui compte. Il vous faut ma permission.

— Vous savez que je ne l'entends pas de cette oreille.

Il tendit le bras à travers la table pour attraper sa main.

— Vous m'obligez sans cesse à me montrer dur envers vous, dit-il en lui baisant la main. Ce mariage a bel et bien eu lieu, et il serait grand temps qu'il se concrétise.

Elle dégagea sa main délicatement, puis se leva. Il l'imita.

— Et quand avez-vous prévu de le « concrétiser » ?

— Bientôt.

— J'ose espérer que vous me donnerez un préavis ?

Il tendit la main, caressa les perles.

— C'est déjà fait.

Il toucha ensuite la peau sous le collier.

Elle ferma les yeux.

— Et si...

Elle se lécha les lèvres, inconsciente du pouvoir évocateur de ce geste.

— Et si je refuse ?

12

Sa question ne rencontra que le silence. Immobile dans l'obscurité, il se contentait de la regarder. À croire que toute son attention se concentrait sur la caresse lente dont il flattait son cou.

Un frisson la parcourut.

Son corps la trahissait de la pire manière. C'est à peine s'il la touchait, mais il provoquait en elle un désir irrépressible. Elle réussit pourtant à reculer.

Il la suivit pas à pas pour la garder sous son emprise. Elle heurta le muret de la terrasse.

Prise au piège, elle plaqua la main sur le torse de Hawkeswell. La paume sur le gilet de soie, les doigts sur la fine cravate pour le maintenir à distance. Du moins tenta-t-elle de s'en convaincre.

Malgré l'obscurité, elle décela un sourire sur ses lèvres. Il recouvrit sa main de la sienne et la pressa pour lui faire sentir les battements de son cœur, la chaleur de son corps et les muscles fermes de son torse.

Puis il porta sa main jusqu'à ses lèvres. Baisant d'abord le dos, puis la paume. Une traînée de baisers doux, enivrants, qui engourdirent son bras. Des baisers annonciateurs d'un danger imminent.

Il cueillit son visage en coupe dans ses paumes chaudes, et lui inclina la tête de manière à plonger son regard dans le sien.

À présent qu'elle discernait son visage éclairé par la lune, et qu'elle voyait l'élan de passion qui l'animait, elle comprit. Elle comprit que ces baisers n'avaient pas la même portée que les précédents, que tout espoir de liberté s'évanouissait ce soir, à jamais.

Elle voulut invoquer le souvenir de Michael, utiliser sa culpabilité comme bouclier. Mais son visage lui apparut fade, effacé, tel celui d'un fantôme ; et ses baisers ceux d'un enfant. Elle lutta pour trouver un autre rempart. Mais Hawkeswell ne lui laissa pas le temps de chercher.

Il lui ravit la bouche. Son baiser fut d'abord tendre et profond, puis intense et possessif.

— Les domestiques, protesta-t-elle dans un souffle lorsqu'il libéra enfin ses lèvres.

Sa première tentative de révolte ne fut pas un franc succès.

— Ils se sont éclipsés depuis longtemps. Ils savent se faire discrets.

Il l'embrassa encore. Avec tant de douceur, à vrai dire, qu'elle se demanda si elle ne s'était pas méprise sur ses intentions. Toutefois, au bout du deuxième baiser, elle sut que non, elle ne s'était pas trompée.

— Je ne veux pas…

Son cri de protestation mourut sur ses lèvres à l'instant où une caresse flatta sa poitrine.

Son corps frétilla de délice.

— Vous ne voulez pas que je fasse cela ? demanda-t-il.

Il esquissa alors une traînée de baisers sur son cou, aspira le lobe de son oreille et baisa son épaule.

— Vous en êtes sûre ? ajouta-t-il en plaçant sa main en coupe sous sa poitrine. Ou bien êtes-vous encore en train de vous mentir ?

Il était très habile de ses mains. Ses forces s'évaporaient. C'est à peine si elle tenait sur ses jambes. Le plaisir s'emparait d'elle par vagues incessantes, lui ôtant toute volonté. Elle aurait voulu fuir cette intimité, mais son corps n'était pas du même avis.

Elle devait éviter l'acte qui la lierait pour toujours à cet homme. Mais son esprit capitula. Son plan avait été vain : jamais elle ne romprait cette union. Aussi ferait-elle mieux de s'ouvrir au plaisir grisant qui l'appelait.

Il s'empara de sa bouche tout en l'enlaçant. Le dernier sursaut de volonté céda. Elle dériva sur un océan de sensations enivrantes.

Elle était affamée. Elle en voulait plus. La caresse prodiguée à ses seins, loin de la satisfaire, l'enfiévra. Leur proximité ne lui suffisait plus. Elle se fondit en lui ; ils mêlèrent leurs respirations et leurs parfums, leurs sens fusionnèrent.

Il la fit s'asseoir sur le muret tout en dégrafant sa robe dans le dos, et en la couvrant de baisers enflammés. Lorsqu'elle sentit le tissu se détendre, elle fut parcourue de frissons. Il tira sur son corset, révélant son corps. Elle baissa les yeux et se contempla. Sous les rangées de perles étincelantes, ses seins pointaient vers la lune.

Elle l'observa, le souffle saccadé, tandis que ses mains l'effleuraient. S'ensuivit un doux supplice. Puis un besoin atroce s'empara d'elle.

Il baissa la tête, appliqua sa bouche sur son corps. Elle lui maintint la tête contre elle pour l'inciter à poursuivre. Sa main remonta le long de sa cuisse, au-dessus des jarretelles et des bas. Elle écarta les jambes pour lui permettre de continuer son ascension. D'une main ferme et résolue, il parvint à l'endroit lancinant et provoqua en elle une salve de plaisir vertigineux.

Elle flottait. Portée par de puissants bras. La terrasse avait disparu de son champ de vision. Elle ne voyait plus que la nuit et le firmament. Autour d'elle, le parfum des fuchsias et des pensées, puis la caresse délicate des pétales sous son dos, sur ses bras.

Il lui ôta sa robe et sa chemise. Elle baissa le regard et se vit, nue parmi les fleurs, son corps, ses bas et ses jarretières éclairés par la lune. Il s'agenouilla à côté d'elle, jeta sa veste et fit couler sa cravate sans la quitter des yeux. Son corps assoiffé guettait un nouvel assaut du plaisir.

Il le lui prodigua. Il savait s'y prendre. S'allongeant auprès d'elle sur le tapis de fleurs, il lui extirpa des gémissements. Agrippée à lui, elle criait, encore et encore, en réponse aux caresses taquines et bouleversantes dont il flattait son entrecuisse.

Maître de son plaisir, il l'avait réduite à l'impuissance. Il se plaça au-dessus d'elle, lui écarta les cuisses et s'insinua en elle, lentement. Leurs deux corps n'en formèrent plus qu'un. Une pluie drue noya son âme.

Quoiqu'une douleur déchirante la tirât de son engourdissement, son corps brûlait toujours d'un désir ardent. Rouvrant les yeux, elle observa la silhouette sombre qui la dominait. Tendu, à bout de nerfs, il manœuvrait en elle, mû par un appétit insatiable, cherchant à atteindre la jouissance.

Celle-ci retentit comme une explosion. Elle lui causa une affreuse douleur tout en déclenchant une nouvelle vague de volupté. Une tension croissante l'envahit. Puis ce fut le silence, apaisant, sous les étoiles et au milieu des fleurs.

— Rentrons, dit-il.

Sa voix était calme. Trop proche. Trop réelle.

— Allez-y. J'aimerais rester encore un peu.

Elle regardait les étoiles, perdue. Après tout, ne venait-il pas de faire en sorte qu'elle ne soit plus jamais la même ?

— *Il est grand temps que ce mariage se concrétise*, avait-il dit.

Il s'en était assuré. Et elle le lui avait permis. Presque sans protester. Pas assez, en tout cas. Peut-être l'avait-on forcée à se marier, mais personne ne l'avait contrainte à se donner à lui. S'il savait qu'elle ne le souhaitait pas, il avait réussi, à force de charmes, à la faire changer d'avis.

Non seulement elle s'était trahie elle-même, mais elle avait également trahi son père, son foyer, tous ceux qui lui étaient chers. Les retombées de son acte ne tarderaient pas à la rattraper, une fois la magie effacée.

Bientôt, il lui faudrait affronter sa défaite. Adieu, la vie qu'elle avait ambitionnée !

Il se leva, ramassa sa redingote et son gilet. Sa chemise brillait dans la nuit et sa haute silhouette semblait menaçante.

— Le sol est humide. Ce n'est pas très prudent de rester allongée ainsi. Vous risquez d'attraper froid. Venez.

Il lui tendit la main.

Rassemblant ses vêtements contre son corps, elle se leva à son tour. Sa nudité lui parut incongrue. Elle peina à enfiler sa chemise et sa robe, tout en se cachant de lui.

Il la fit pivoter afin d'agrafer sa robe. Puis il la prit par la main pour regagner la terrasse. Elle jeta un œil aux fenêtres et tendit l'oreille. Les domestiques s'étaient-ils vraiment éclipsés ? De toute façon, ils n'étaient pas tombés de la dernière pluie : ce qui venait de se passer était prévisible. Après tout, cela faisait deux ans qu'elle était partie. Leur maître allait forcément demander à jouir de ses droits.

Le temps qu'ils regagnent leurs appartements, il ne desserra pas les dents. Tant mieux, car elle n'aurait pas su quoi lui dire. Une fois devant sa chambre, il se pencha pour lui baiser la joue. Elle le laissa faire, mais sa colère était revenue.

— Votre conduite a été plutôt crapuleuse ce soir, si vous voulez mon avis, fit-elle remarquer.

— C'est à cause des perles de votre décolleté, Verity. Elles vous donnent un air aguicheur. Elles m'ont fait perdre la tête.

138

Il l'embrassa une dernière fois et regagna sa propre chambre.

Elle ouvrit la porte de la sienne et se glissa à l'intérieur.

Mettre cela sur le compte des perles. Quel culot !

Le lendemain, Hawkeswell fit la grasse matinée et se leva d'excellente humeur. Il commanda un bain, flâna dans la baignoire jusqu'à ce que l'eau refroidisse, revêtit une tenue de campagne et prit enfin son petit déjeuner, durant lequel il s'enquit du comté auprès d'un valet. Tout du long, il songea à ce qu'il lui dirait en la voyant.

Certainement pas qu'il était désolé. Non ! Après tout, elle était sa femme. Même s'il n'avait pas eu l'intention de se conduire comme une brute.

D'ordinaire, lorsqu'il prenait son plaisir, il essayait d'en donner en retour. Seulement, il ignorait si elle en avait éprouvé la nuit dernière. Tout ce dont il se souvenait, c'était d'avoir ressenti un désir furieux, suivi d'un soulagement divin.

Malheureusement, il n'avait sans doute pas manifesté beaucoup de délicatesse. Il s'était emparé d'elle comme une bête sauvage.

Après le déjeuner, il alla frapper à sa porte. Ce fut la femme de chambre qui lui ouvrit. Une jeune fille blonde qui était visiblement en train de recoudre la robe de Verity.

— Milady n'est pas là, monsieur. Elle était déjà sortie quand je suis montée la voir.

Verity avait également snobé la salle à manger. Il eut un terrible pressentiment. À tous les coups, elle avait fait une nouvelle fugue ! Il avait voulu la dompter, mais il s'y était pris comme un manche pour la séduire et il avait fini par la blesser. Sa fuite était un message qu'elle lui faisait passer : jamais elle n'abandonnerait la bataille.

Tout en ravalant une bouffée de rage et d'angoisse, il dévala l'escalier et appela ses domestiques. Krippin et Mme Bradley pénétrèrent en trombe dans la bibliothèque.

— J'exige un rapport détaillé sur les allées et venues de ma femme ce matin. Interrogez les valets ; parlez aux garçons d'écurie. Faites votre possible pour découvrir où elle a pu filer.

Krippin échangea un regard avec Mme Bradley. Celle-ci se fit toute petite.

— Milord, se risqua Krippin, lady Hawkeswell s'est levée de bonne heure, est descendue, a commandé un thé, qu'elle a ensuite bu dans le petit salon. Puis elle est sortie. Elle est actuellement dans le jardin. Je viens de l'y voir. Je crois qu'elle n'en a pas bougé.

Le jardin ?

Hawkeswell se sentit idiot. Soulagé – plus qu'il ne l'aurait voulu –, il se dirigea à grands pas vers la terrasse.

Il la repéra au fond du parc, là où la nature tentait de reprendre le dessus. Elle portait la même robe de mousseline bleu pâle et le même chapeau qu'à Cumberworth, le jour où il l'avait retrouvée. Il l'observa. Elle se penchait et se redressait, se penchait et se redressait.

Il descendit l'escalier et s'avança dans sa direction. Le vieux jardinier taillait les buis près de la terrasse, juste à côté d'un parterre de fleurs piétinées. Un simple coup d'œil suffisait à deviner la scène qui s'y était déroulée.

— Vous devriez tailler ces plantes, Saunders.

Ce dernier cessa son élagage pour s'incliner devant son maître.

— J'allais m'y mettre ce matin même, milord, quand milady est sortie, m'a vu, et me l'a interdit. On peut couper une fleur sans l'abîmer, mais si l'on rase la plante entière à cette époque de l'année, on risque de la tuer, d'après elle.

— Est-ce vrai ?

140

Saunders hocha la tête.

— Elle a ajouté qu'une pauvre plante ne devrait pas souffrir de la négligence de certains imbéciles.

— A-t-elle dit autre chose ?

Saunders rougit comme une pivoine.

— Je ne m'en souviens pas. Ma mémoire n'est plus ce qu'elle était, milord.

Le sentier le conduisit jusqu'à Verity. Elle se baissa et se redressa une fois encore, tout en jetant une herbe dans un seau posé à côté d'elle.

Cette parcelle de jardin était à l'abandon. Ici et là, des fleurs mauves aux feuilles duveteuses et aux multiples pétales, semblables à des pâquerettes, rehaussaient la verdure.

— Vous avez décidé de réhabiliter ce coin ? demanda-t-il.

— Il semblerait que oui.

Elle se remit à déraciner les mauvaises herbes.

— Saunders m'a dit que vous ne vouliez pas qu'on coupe les fleurs que nous avons écrasées cette nuit.

— Je vous en prie, ne voyez rien de sentimental dans cette requête.

— Cela ne m'a même pas effleuré l'esprit.

— Il n'y a aucune raison de tuer ces plantes. Les domestiques sont tous au courant des événements de la nuit dernière, de toute façon. Mme Bradley semblait inquiète pour ma santé quand je suis descendue prendre mon thé. Elle n'a pas cessé de me demander comment je me sentais, si j'avais besoin de quoi que ce soit, expliqua-t-elle en délogeant une mauvaise herbe. Le personnel s'était éclipsé, disiez-vous. Mais bien sûr ! Il semblerait que vous ayez réussi à trouver des témoins, exactement comme vous l'aviez calculé.

— Je suis certain qu'ils n'ont rien vu, ni même rien entendu, Verity. Ils ne font que supposer. Après tout, cela faisait deux ans !

— Et moi qui vous ai contraint à vivre comme un moine tout ce temps. Pauvre de vous ! Ils compatissaient, sans aucun doute. Reclus dans le Surrey, ils ne pouvaient pas se douter que vous ne meniez pas vraiment une vie d'abstinence. Ne feuilletant pas les journaux à scandales, comment auraient-ils pu imaginer que vous aviez toutes ces maîtresses !

Il esquissa un sourire.

— Qu'avez-vous dit d'autre au jardinier ? Il a fait mine de ne pas se rappeler.

Elle ôta un gant pour appliquer un mouchoir à la base de son cou, où des perles de transpiration s'étaient formées.

— Je lui ai dit que les traces de la scène de cette nuit étaient si accablantes que nous pourrions planter une pancarte sur le lieu du crime. Une plaque commémorative, peut-être ? « Ici se fit déflorer lady Hawkeswell par son seigneur et maître. »

Impossible de dire si elle était sérieuse ou si elle le taquinait.

— Et qu'avez-vous répondu à Mme Bradley lorsqu'elle s'est montrée trop prévenante ?

— Que j'avais tout d'abord eu du mal à marcher en me levant ce matin, mais que la douleur s'était calmée.

— Vous plaisantez, n'est-ce pas ? s'exclama-t-il en se hérissant.

Elle arracha une touffe et la jeta dans le seau tout en lui coulant un regard espiègle, ravie de sa réaction.

— Mes domestiques ont beau être plus grivois que les vôtres, lord Hawkeswell, je ne me le serais pas permis.

Au moins, elle était d'humeur à plaisanter.

Elle continua à désherber le terrain. Le silence était retombé entre eux. En fin de compte, des excuses s'avéraient peut-être de mise.

— Je n'avais pas l'intention de vous faire mal, Verity. Si tel est le cas...

— J'ai une idée très précise de vos intentions, milord. Les bonnes ainsi que les mauvaises.

Et à l'évidence, moins ils en parleraient, mieux cela vaudrait, comprit-il.

— Quant aux douleurs inhérentes à l'acte, j'avais été prévenue. Je vous remercie de vous en soucier.

Elle se pencha, enroula une tige autour de son doigt et tira d'un coup sec. Après avoir secoué la motte de terre accrochée à la racine, elle jeta la mauvaise herbe dans le seau.

— Qu'avez-vous prévu de faire pousser sur ce bout de terrain ? demanda-t-il.

— Des oignons de tulipes. Je les planterai à l'automne pour le printemps prochain.

— Le jardinier peut s'en charger.

— Il est trop âgé. C'est une dure besogne.

— Nous embaucherons des jeunes avant l'automne.

— Je préfère le faire moi-même. Il est bon d'avoir des projets.

Il ôta sa veste et l'étala sur l'herbe. Elle se figea et l'observa d'un air méfiant. Il avait fait la même chose la nuit précédente, juste avant de la prendre sur la pelouse.

— Que lady Hawkeswell soit rassurée. Ce matin, son seigneur n'a pas l'intention de la toucher.

Il examina la pelouse envahie par la végétation tout en retroussant ses manches.

— Voulez-vous tout arracher ? Y compris ce petit arbuste, là-bas ?

— Oui. Tout doit disparaître. Nous devons recommencer sur de nouvelles bases.

Il hocha la tête, pensif, et entreprit de l'aider.

13

Pendant trois jours, les voisins les laissèrent en paix. Le quatrième jour, ils commencèrent à leur rendre visite. Les après-midi suivants, ce fut un défilé de voitures. Les femmes la dévisageaient tandis que les hommes lui souriaient avec complaisance. Dans leurs yeux brillait une étincelle de curiosité.

Verity prit l'habitude de jardiner tôt dans la matinée ; après quoi, elle se lavait et s'habillait pour recevoir les visites. Parfois, elle se plongeait dans l'étude de ses coupures de journaux et les réorganisait par ordre chronologique. Elle profita de ses moments de solitude pour écrire à Audrianna dans l'Essex, ainsi qu'à ses chères amies des Fleurs Rares.

Elle reçut également du courrier. Daphné lui écrivit pour lui annoncer que Katherine était arrivée à bon port, et qu'elle était encore parmi elles. Puis elle lui fit savoir que quatre maisons de Mayfair leur avaient commandé des fleurs et des plantes en pots. Audrianna lui répondit aussi. Elle rentrerait à Londres en même temps qu'elle.

Toutefois, aucune lettre en provenance du Nord. Audrianna ne lui transféra aucun courrier. Verity avait espéré que le pasteur aurait au moins la délicatesse d'accuser réception de sa lettre et de lui assurer qu'on l'avait lue à Katy. Elle écrivit à M. Travis pour avoir des nouvelles de la fonderie, mais sa missive demeura sans réponse. Tant et si bien qu'elle se demanda si son courrier était parvenu à destination.

Frustrée et inquiète, elle finit par écrire à M. Thornapple, s'enquérant de M. Travis et de la fonderie, et sollicitant son aide pour obtenir des nouvelles de certains de ses proches à Oldbury. Elle espérait au moins qu'il arriverait à savoir si Michael Bowman travaillait encore à l'atelier, ou s'il avait été arrêté et présenté devant un juge.

La réponse de M. Thornapple lui parvint au matin de sa sixième journée dans le Surrey. Celle-ci fut à la fois réconfortante et décourageante. Après lui avoir annoncé que M. Travis exerçait toujours ses fonctions à la fonderie, il lui faisait remarquer que l'entreprise et tout ce qui s'y rapportait n'étaient plus de son ressort, mais de celui de son époux. Sur ce rappel à l'ordre, il lui recommandait vivement, certes sur un ton déférent, de se consacrer désormais à ses responsabilités domestiques.

Autrement dit, si elle voulait des réponses à ses questions, elle devrait faire le déplacement dans le Nord. Il allait falloir persuader Hawkeswell de consentir à ce voyage. Elle détestait l'idée de devoir obtenir sa permission.

Elle repliait la lettre de M. Thornapple quand un très bel attelage remonta l'allée. Depuis la fenêtre du petit salon, elle vit descendre du véhicule une charmante femme tout de blanc vêtue, à l'exception de la plume rouge qui ornait son chapeau. Colleen était arrivée, et elle ne venait pas seule. Une quinquagénaire, maigre comme un clou, enveloppée d'un ensemble bleu de Prusse, descendit à sa suite.

Verity envoya chercher Hawkeswell, qui s'était enfermé dans son bureau en compagnie du régisseur du domaine. Ces derniers jours, c'est à peine si elle l'avait croisé. Il s'occupait de ses terres, partant à cheval dès l'aube, rentrant tard, les bottes maculées de boue.

Il la rejoignit juste avant que les ladies n'entrent dans le petit salon.

— Colleen ! s'exclama-t-il. Tante Julia, soyez les bienvenues. Ma chérie, je vous présente Mme Ackley, la sœur de ma mère.

— Je vous en prie, ma chère, appelez-moi tante Julia. Je vous appellerai aussi par votre prénom, d'ailleurs. Entre nous, nous ne faisons pas de manières.

Verity n'était pas certaine de vouloir appeler cette femme « tante Julia » ou quoi que ce soit d'autre, d'ailleurs. Elle avait un long visage flétri et un regard inquisiteur. C'était une version plus maigre, plus vieille et moins affable de sa fille Colleen.

— Je sais que tu voulais que nous attendions ton signal avant de venir te rendre visite, Hawkeswell, déclara cette dernière, une fois qu'ils furent tous installés. Toutefois, Mme Pounton nous a dit qu'elle était passée vous voir, et qu'elle n'était pas la seule visiteuse à avoir été reçue, et mère trépignait d'impatience.

— Ce sont toutes ces visites qui nous ont retardés – ainsi que mes devoirs, répliqua Hawkeswell. J'avais prévu de vous amener Verity demain, tante Julia, bien avant l'intrusion de tous ces gens.

Mme Ackley accepta ces explications comme un dû. Elles rapportèrent les derniers ragots concernant Mme Pounton et une poignée de voisins, suite à quoi Mme Ackley reporta son attention sur Verity.

— Eh bien, mon enfant, où étiez-vous donc passée pendant tout ce temps ?

La question, posée de but en blanc, prit tout le monde au dépourvu.

— Les autres n'ont pas osé vous questionner, et quand bien même ils l'auraient fait, vous n'aviez pas à leur répondre, mais j'espère que vous me ferez ce plaisir. Vous pouvez compter sur ma discrétion, cela va sans dire.

— Mère, je vous en prie, intervint Colleen tout en lançant à Hawkeswell un regard contrit.

— L'important, tante Julia, c'est qu'elle soit de retour parmi nous, répliqua-t-il à la place de sa femme. Je ne laisserai personne la soumettre à un interrogatoire, y compris vous.

Tante Julia battit en retraite, mais ses lèvres pincées indiquèrent qu'elle n'appréciait pas qu'on la remette à sa place. Colleen s'empressa de changer de sujet, demandant à Verity de parler des changements qu'elle souhaitait apporter à Greenlay Park.

— Je séjournais chez des amies, madame Ackley, répondit alors Verity. Hawkeswell les a rencontrées.

— Des amis, dites-vous ?

— Oui. Des femmes.

— Étrange que votre séjour ait duré si longtemps.

— Certes, concéda Verity. J'ai agi sans réfléchir, comme une enfant.

— J'ose espérer que ce genre d'impulsion ne vous reprendra pas. Surtout si cela doit durer deux ans.

— Je ne le conçois pas. À présent, peut-être aimeriez-vous me donner des conseils avisés concernant Greenlay Park ? Comment pensez-vous que je puisse améliorer cette noble demeure ?

Tante Julia avait une longue liste d'améliorations à soumettre. Il lui fallut un quart d'heure pour les énumérer toutes. Après quoi, elle orienta la conversation sur les transformations dont avait besoin la résidence londonienne de Hawkeswell, pour en venir à ses propres biens.

— Voilà un an que l'on a fermé ma maison de Londres. Vous devez me promettre de la rouvrir. J'enverrai Colleen en ville quand vous y retournerez, pour commencer à rénover les lieux.

— Nous aborderons ce sujet un autre jour, tante Julia, décréta Hawkeswell. Pour l'heure, j'ai d'autres priorités. Certaines personnes, placées sous ma responsabilité, ont des besoins plus pressants que nous tous ici présents.

Sa tante n'apprécia pas la remontrance. Se tournant vers la jeune femme, elle la transperça du regard.

— Vous êtes bien silencieuse, Verity. On en oublierait presque votre présence.

— Elle peut difficilement prendre part à une discussion portant sur une maison où elle n'a jamais mis les pieds, mère, fit remarquer Colleen.

— Une comtesse doit savoir participer à la conversation même lorsqu'elle n'a rien à dire. Autrement, vous risquez de passer pour une femme trop fière, Verity. Or, étant donné le milieu dont vous êtes issue, cela ferait très mauvais genre en société. Votre statut de comtesse vous effraie, n'est-ce pas ? dit-elle en affichant un air compatissant. C'est pourquoi vous avez fui ? N'ayez crainte, mon petit. Colleen et moi allons vous aider à vous élever au niveau de votre position autant que faire se peut, de manière que vous n'embarrassiez pas mon neveu lors des événements mondains.

— C'est trop aimable à vous.

— Oui, vraiment trop aimable, renchérit Hawkeswell. Excessif, même. Ce qui m'oblige à décliner votre offre, aussi généreuse soit-elle. Vous détourner de toutes vos obligations pour instruire Verity ? Non, c'est hors de question ! Je doute que Verity m'embarrasse un jour. En outre, si vous l'avez trouvée silencieuse durant cette visite, j'ai moi-même à peine ouvert la bouche. Tout comme Colleen. Votre éloquence a toujours laissé votre entourage muet d'admiration.

D'abord surprise par ce discours, Mme Ackley prit ensuite un air méfiant. Elle scruta Hawkeswell, cherchant à déceler dans son verbiage une éventuelle insulte.

Colleen se leva.

— Nous devons maintenant vous quitter. Venez, mère. Vous vouliez rendre visite à Mme Wheathill aujourd'hui, et l'après-midi file à toute vitesse.

Colleen profita de ce que Hawkeswell reconduisait sa tante dans le hall pour parler à Verity en privé.

— J'ai écrit à votre cousin, comme convenu. Une réponse m'est parvenue hier. Les Thompson sont sous le choc, mais ils sont également fous de joie. Ils comptent se rendre à Londres la semaine prochaine, en espérant vous y voir afin de vous faire part de leur soulagement et de leur bonheur.

— J'ai l'intention de retourner en ville très bientôt. Une rencontre avec les Thompson sera sans doute possible.

— N'oubliez pas de me prévenir de votre départ, pour que je puisse me joindre à vous. Il faut que je vous présente quelques amis qui résident dans la capitale toute l'année. C'est l'été, il y aura donc peu de membres de la bonne société en ville. En même temps, c'est peut-être préférable, pour un retour si étrange… Du reste, cela nous donnera l'occasion d'organiser les rénovations de la demeure. Nous allons beaucoup nous amuser !

Verity accueillit son enthousiasme avec réserve. Pourvu que les projets de Colleen n'accaparent pas tout son temps ! Elle avait d'autres choses à réaliser cet été.

Ce soir-là, ils dînèrent dans la grande salle où trônait l'immense table de banquet. Les deux places qu'ils occupaient à un bout semblaient minuscules, en comparaison du grand plateau astiqué. Peu avant le repas, un déluge s'était abattu sur la campagne ; à présent, la pluie crépitait doucement contre les carreaux.

Tandis qu'ils dégustaient un plat de faisan accompagné d'une sauce brune, Hawkeswell parla de sa tante et de sa cousine.

— Les gens se croient tout permis en vertu des liens du sang. Je ne comprendrai jamais cela. Toutes mes excuses, Verity. Ma tante peut se montrer très pénible quand elle est en forme. Que nous ayons tardé à lui rendre visite pour lui témoigner notre respect l'a beaucoup froissée. C'est par dépit qu'elle s'est oubliée cet après-midi.

— Je pense au contraire qu'elle savait très bien ce qu'elle faisait. Quoi qu'il en soit, je suis ravie qu'elle se soit exprimée si ouvertement. Maintenant, nous n'aurons plus à remettre le sujet sur le tapis. La franchise, même lorsqu'elle frise la grossièreté, permet d'éviter les malentendus.

— Vous avez très bien géré la situation.

— Je vous renvoie le compliment. Si vous ne l'aviez pas remise à sa place, elle aurait continué à donner des coups de bec. Merci à vous d'avoir pris ma défense.

Ses remerciements venaient du cœur. L'attitude de son mari l'avait touchée. Après tout, il aurait pu l'abandonner entre les griffes de sa tante, qui n'aurait fait d'elle qu'une bouchée.

— À mon avis, Colleen aimerait beaucoup être votre amie.

— Parce que j'ai su m'y prendre avec sa mère ?

— Peut-être bien. Peut-être soupçonne-t-elle aussi les raisons de votre absence et se sent-elle en partie responsable.

Colleen cherchait-elle à se racheter en lui offrant son amitié ? En réalité, elle ignorait probablement la véritable personnalité de Bertram, qui s'était servi d'elle. Selon toute vraisemblance, elle n'avait été qu'un pion dans cette affaire.

— Elle a écrit à mon cousin dont elle a reçu une réponse, dit-elle. Ils aimeraient me rendre visite à Londres.

— Vous préféreriez ?

150

— Si j'avais le choix, je ne les recevrais pas du tout. Toutefois, puisqu'une rencontre semble inévitable, autant que ce soit en ville. Il est hors de question que je les accueille sous ce toit.

— Dans ce cas, nous partirons pour Londres d'ici quelques jours. De toute façon, je devais y aller. J'ai certaines affaires à y régler.

— Je suppose que vous allez rendre visite à M. Thornapple.

— En effet. Il a des papiers à me faire signer.

— Dois-je vous accompagner ?

— Ce ne sera pas nécessaire.

Évidemment ! Son héritage ne lui appartenait plus. Aux yeux de la loi, elle avait cessé d'exister, ainsi que la lettre de M. Thornapple le lui avait clairement indiqué.

Une fois prises les mesures nécessaires, son mari toucherait les revenus de l'entreprise familiale, en plus de l'argent accumulé dans le fidéicommis créé à la mort de son père.

Elle avait prévu de rencontrer M. Thornapple seule à seul pour parler d'une éventuelle demande d'annulation. Autant faire une croix dessus, à présent. Comment déclarer qu'on l'avait contrainte à se marier alors que le mariage avait été librement consommé ?

On ne l'avait pas forcée à se donner à lui. En dépit de tous ses efforts pour se convaincre du contraire, elle ne pouvait nier ce qui s'était passé cette nuit-là.

Il avait certes profité de son ignorance et de son innocence. Mais il ne l'avait pas forcée.

Depuis cette fameuse nuit, leur comportement respectif n'était plus le même. Hawkeswell, pour sa part, arborait l'assurance d'un homme qui vient de résoudre une affaire importante. Quant à elle, elle se sentait en position de faiblesse vis-à-vis de lui et d'elle-même. Elle devait désormais accepter cette existence qui n'aurait pas dû être la sienne.

— Vivent-elles à vos crochets ? demanda-t-elle, réorientant la conversation sur leurs visiteuses. Apparemment, elles s'attendent à ce que vous aligniez une grosse somme d'argent, maintenant que vous êtes riche.

— Ma mère m'avait demandé de prendre soin de sa sœur, ce que je fais. Tante Julia avait épousé un officier de l'armée, qui lui a laissé très peu de biens. Les femmes peuvent coûter cher. Aussi ma promesse m'a-t-elle contraint à me serrer la ceinture.

— Je suis sûre que vous avez fait de votre mieux. Elles ont l'air de bien se porter. Vous êtes sans doute fort généreux avec elles.

— J'aurais aimé constituer une dot pour Colleen, mais je n'ai pas pu. Heureusement, elle n'a pas exprimé le désir de se marier. Elle pleure encore son fiancé, un ami d'enfance, qui est mort d'une mauvaise chute de cheval.

— À présent qu'une plus grosse dot est envisageable, peut-être de jeunes soupirants viendront-ils la tirer de son chagrin. Je vais voir ce que je peux faire dans ce sens.

— J'en serais très heureux. Elle et moi sommes comme frère et sœur.

— Dans ce cas, je ferai mon possible pour la considérer comme ma sœur aussi. Tant que je n'ai pas à envisager votre tante Julia comme ma belle-mère.

— Dieu nous en garde !

À cause de la pluie, la nuit tomba plus tôt. La salle était déjà plongée dans la pénombre quand ils finirent de dîner. Verity se leva.

— Je vais me retirer dans mes appartements pour lire.

Il saisit sa main pour la retenir quelques instants. Il leva les yeux et la contempla. Sa robe de soirée pâle, et son châle vénitien. Son corset. Son cou, qui n'exhiberait jamais plus les perles. Enfin, il croisa son regard.

— Verity, dans votre dressing se trouve une petite porte. Vous l'avez remarquée ?

— Oui. Elle donne sur un curieux couloir sans issue. En revanche, il y a une fenêtre avec une jolie vue.

— Ce couloir n'est pas sans issue, au contraire. Il relie nos deux appartements.

Elle se figura mentalement l'agencement de leurs pièces respectives. Elles lui avaient paru beaucoup plus éloignées.

— Assurez-vous que la porte de votre dressing soit déverrouillée ce soir.

— Comme vous voudrez, répondit-elle d'une voix blanche.

Elle n'était pas surprise, bien qu'elle ignorât la fréquence de ces interludes entre un homme et une femme.

Il lui baisa la main avant de la libérer. Elle monta dans sa chambre afin de se préparer à remplir son devoir conjugal.

Il espérait trouver la porte déverrouillée, mais avec Verity, il fallait s'attendre à tout. Aussi fut-il rassuré quand le loquet céda sans difficulté.

Elle s'était comportée fort étrangement ces derniers jours. Ses manières étaient devenues soudain très formelles, à croire qu'elle se remémorait toutes ses leçons de bienséance. Elle s'en était sortie à merveille lorsqu'il avait fallu recevoir les voisins, et elle avait même réussi à tenir tête à tante Julia. Malheureusement, elle le traitait avec la même distance glaciale.

Le vent du désir soufflait en lui depuis des jours. Durant les repas, elle portait lentement la fourchette à sa bouche dans un geste étudié qui éveillait en lui des pensées érotiques.

À présent qu'il avançait à tâtons dans sa chambre, cherchant à se rappeler la disposition des meubles, un violent orage couvait en lui, prêt à se déchaîner.

Ses yeux avaient peine à s'accommoder à l'obscurité. La chambre était noire comme l'intérieur d'un four. La pensée l'effleura qu'elle avait peut-être semé son parcours d'embûches pour se venger. Cette idée l'amusa. Toutefois, il préféra rebrousser chemin pour aller chercher une petite lampe dans son dressing.

Il n'y avait pas de piège. Verity était allongée dans son lit. Sa chevelure noire ruisselait sur le drap blanc.

Cette nuit, il allait devoir se racheter. Il ne fallait pas qu'elle considère l'acte conjugal comme une douloureuse corvée. Tout en s'approchant du lit, il tenta de contrôler son érection.

Sous les draps, sa silhouette paraissait toute petite. Quoiqu'elle eût les yeux fermés, ses cils s'agitaient. Il posa la lampe sur une console loin du lit, se débarrassa de sa robe de chambre, et s'avança vers elle.

À cet instant, elle ouvrit les yeux et l'observa. Cela faisait quelques jours qu'elle avait perdu son innocence, et elle le reluquait déjà avec la curiosité d'une courtisane expérimentée.

Il se glissa sous le drap. Une autre surprise l'attendait.

— Vous vous êtes déshabillée ?

— Tout comme vous.

— Oui, mais...

— Étais-je censée vous attendre dans ma robe du soir ? Ou dans un peignoir ? Comment le saurais-je ? Personne ne m'a jamais rien appris. La dernière fois, vous avez déchiré ma robe. Je suis désolée de vous décevoir, mais je pensais protéger ma garde-robe de votre impétuosité.

— Votre idée est à la fois pratique et bienvenue, répliqua-t-il en captant la chaleur que son corps irradiait. Ce soir, ce ne sera pas précipité. Et seule la première fois est désagréable pour les femmes. Je vous promets que vous connaîtrez le plaisir.

Chaleur. Vigueur. Le contact de sa peau contre la sienne. Une volupté terrifiante embrasait ses sens. Bien qu'elle n'en montrât rien, elle fut stupéfaite par l'infinité de caresses qu'il lui prodigua. Elle n'avait pas imaginé les choses ainsi.

Dès le premier baiser, ce fut radicalement différent. Elle ne chercha ni à le repousser, ni à opposer la moindre résistance. Elle s'était préparée à se donner à lui dès l'instant où elle avait congédié sa femme de chambre, ôté sa nuisette favorite, et s'était glissée dans son lit.

Prenant son temps, il la charma avec de longs baisers impérieux. Il exigeait de son corps un abandon total.

Le drap glissa par terre, découvrant leur nudité. La lampe posée sur la console l'exposa au regard de son mari. Elle-même l'observait tandis qu'il lui prodiguait des baisers, qui laissaient sur sa peau de minuscules traces, tout en déclenchant une décharge dans ses veines. Son embarras se dissipa au profit des sensations qu'il éveillait en elle.

Elle suivit le tracé de sa main sur son corps. C'était une main virile, puissante, plus sombre que sa propre peau. Tandis qu'il baisait son cou et ses épaules, il effleura ses seins du bout des doigts, allumant un feu au creux de son ventre qui se transformerait bientôt en brasier.

Ce feu n'était autre que le désir. Elle voulait cet homme.

Elle fut incapable de résister à l'appel des sens. Plus rien ne la retenait. Se libérant de ses dernières hésitations, elle s'abandonna complètement à lui, à la fois soulagée et résignée. Comme la première fois, le plaisir chassa la culpabilité de son esprit. Plus tard, elle s'en voudrait peut-être d'avoir trahi ses aspirations, son héritage et sa destinée en succombant à ces caresses. Plus tard, elle repenserait avec un soupçon de nostalgie à Michael, à son sourire espiègle, tout en s'inquiétant de son sort.

Lorsque Hawkeswell se mit à titiller la pointe érigée d'un sein, elle ferma les paupières pour que rien ne vienne distraire le bouillonnement délicieux qu'il déclenchait en elle. Baissant la tête, il flatta son autre sein à l'aide de sa bouche, de sa langue, de ses dents. Elle s'agrippa à lui, enfonçant les ongles dans ses épaules et dans son bras. Creusant les reins, elle dressa la poitrine et l'implora mentalement de lui prodiguer encore plus de plaisir.

Elle n'était plus qu'un brasier ardent, sensible au moindre contact. Le désir s'était rendu maître de son corps, martelait ses tempes et ses seins, frappait en elle tel un tambour sourd. Il se mêla aux pulsations de son cœur. Elle en voulait plus. Les baisers, les caresses, la fièvre, une fièvre merveilleuse, brisaient tous les interdits.

Cette main, à présent, cette main puissante glissait lentement vers le creux de son ventre, trop lentement. Ses propres gémissements résonnaient dans sa tête. La main descendait le long de son ventre pour se rapprocher de l'épicentre. Plus rien n'avait d'importance à l'exception de cette zone où se concentrait la volupté. Elle attrapa son visage et le porta à ses lèvres pour y écraser un baiser enfiévré. Elle était insatiable. Tandis qu'il effleurait sa féminité, elle écarta les cuisses en geignant.

— Un peu de patience, la réprimanda-t-il calmement.

Sa main se referma sur l'intérieur de sa cuisse. Elle souleva instinctivement les hanches.

— C'est cela ce que vous voulez ?

Du bout des doigts, il frôla la chair humide.

Une salve de sensations la transperça. Suivie d'une deuxième, et d'une troisième. Elle fut prise d'une véritable frénésie.

Enfin, une vague très différente monta en elle, profonde, intense, avant d'exploser pour se répandre dans son corps tout entier, dans son sang, en un long tremblement qui l'engourdit totalement.

Voilà le moment qu'il avait attendu. Il se plaça au-dessus d'elle, plaquant son bas-ventre contre son intimité. Puis il s'insinua en elle. Elle eût été incapable de dire si c'était douloureux ou agréable. Le frisson qu'elle avait éprouvé se répercutait encore dans sa chair.

D'une main, il positionna ses jambes, puis, prenant appui contre la tête de lit pour caler ses mouvements, il la pénétra profondément, submergeant son corps et son âme.

— Vous me préviendrez quand il faudra que je laisse la porte ouverte ? demanda-t-elle, brisant finalement le silence, une fois redescendue de l'extase.

Il n'avait pas vraiment la tête à discuter logistique.

— Vous devriez la laisser ouverte tous les soirs. Je ne pense pas qu'il faille vous donner un préavis.

— Alors, je ne saurai jamais à l'avance ? Je suis censée veiller au cas où vous décideriez de me rendre visite ? Et, le cas échéant, je resterai éveillée toute la nuit pour rien ?

— Cela ne risque pas d'arriver.

— Vous voulez dire que vous avez l'intention de venir tous les soirs ?

En réalité, ce qu'il avait voulu dire, c'est qu'elle finirait de toute façon par s'endormir, et qu'elle n'attendrait pas toute la nuit. Sa question lui rappelait à quel point elle était encore inexpérimentée.

— Peut-être bien. Dans les premiers temps, oui, je viendrai sans doute vous rendre visite toutes les nuits.

Il ne lui demanda pas son avis. Il n'était pas d'humeur à entamer ce genre de pourparlers.

— Ce ne sera pas trop répugnant. C'est vous qui aviez raison. En fin de compte, nous ne nous entendrons pas trop mal sur ce plan-là, dit-elle d'une voix songeuse.

S'appuyant sur un coude, il la scruta, la mine rembrunie.

— En réalité, nous nous entendrons très bien, à condition que vous continuiez à vous montrer audacieuse.

— Ma gouvernante m'a pourtant appris qu'un homme préférait une épouse modeste et vertueuse.

— Dieu merci, vous n'avez pas retenu la leçon !

— Alors, vous n'avez pas été choqué par mon audace ?

— Pas le moins du monde.

— C'est sans doute parce que vous avez déjà tout expérimenté avec vos nombreuses maîtresses.

— Comment ? Oh, celles que je fréquentais autrefois ? À vrai dire, je les avais complètement oubliées ! répliqua-t-il avec prudence.

Elle partit d'un éclat de rire. Lorsqu'elle eut repris son souffle, elle se souleva pour lui déposer un baiser sur sa joue, avant de s'effondrer de nouveau dans le lit.

— J'apprécie votre tact, Hawkeswell. Toutefois, je ne me fais pas d'illusions.

Sentant qu'ils s'aventuraient en terrain glissant, il songea que la conversation avait suffisamment duré et qu'il pouvait désormais regagner sa chambre sans qu'elle se sente lâchement abandonnée.

Il l'embrassa, patienta encore quelques instants, repensant à leur moment d'intimité, puis quitta le lit.

14

La résidence de Hawkeswell sur Hanover Square lui parut moins délaissée que la demeure de Greenlay Park. Ce n'était pas la meilleure des adresses, comme le lui avait appris une lettre de Celia. L'élite avait fui le quartier depuis longtemps, ce dernier n'étant plus à la mode. Mais les Hawkeswell n'en avaient pas bougé. Sans doute était-ce le signe d'une gestion financière désastreuse datant de plusieurs générations.

Verity garda espoir. Certaines pièces lui firent même bonne impression. Vivre dans cette maison ne serait pas un calvaire. La bibliothèque aurait certes besoin d'un coup de neuf, mais elle aimait les tentures rubis, le bois sombre, ainsi que les grandes fenêtres donnant sur la place.

En comparaison, le salon paraissait froid, avec ses meubles en ivoire et son décor classique. Cette pièce n'avait pas dû être fréquentée très souvent au cours des dernières années. Hawkeswell ne recevait sans doute pas beaucoup chez lui. Et à supposer que des gentlemen viennent toquer à sa porte, il les accueillait probablement dans la bibliothèque, plus agréable, voire dans ses appartements.

— Voici le jardin, annonça-t-il en ouvrant l'une des nombreuses portes-fenêtres de la galerie tenant également lieu de salle de bal. Jurez-moi de ne pas me tirer les oreilles.

Elle s'avança sur une grande terrasse pavée de marbre brut. Le jardin s'étendait en face d'elle, jusqu'à un mur de brique qui masquait des bâtiments, sans doute les remises de calèches et autres dépendances.

— Juste Ciel !

— Je sais, le jardinier n'est pas un génie.

— Il est incompétent, oui ! Les ifs sont fichus, les buissons mal élagués. Je crains qu'il n'ignore tout du paysagisme.

— Vous le lui apprendrez. Je vous fais confiance.

Elle descendit quelques marches et se campa au milieu du jardin sinistré.

— Je ne suis pas sûre d'en être capable. C'est trop pour moi.

— Entourez-vous de toute l'aide nécessaire. Renvoyez le jardinier actuel et embauchez-en un autre. Trois autres, s'il le faut. Je m'en remets entièrement à vous.

Elle examina la série de plates-bandes constituées de petites fleurs rabougries éparpillées le long des sentiers. La propriété allait devoir être entièrement revue.

Ils continuèrent le tour du propriétaire pour finir par ses appartements. Comme à Greenlay Park, la décoration était plutôt récente. Elle se demanda si tante Julia et Colleen en étaient les instigatrices.

Tandis qu'elle caressait les tentures du lit à baldaquin et regardait par la fenêtre, il l'observa, semblant attendre un signe d'approbation. Lorsqu'elle passa en revue les tiroirs et penderies de son dressing, il se glissa derrière elle.

Elle repéra une porte au fond.

— Un autre passage secret ?

Fidèle à sa parole, il avait emprunté le passage de Greenlay Park chaque nuit. Elle avait fini par l'attendre tous les soirs. Parfois, tandis qu'elle patientait, elle ressassait les images de la fameuse première nuit.

Puis il marchait vers elle, nu, dans toute la gloire de sa virilité, le regard sombre et le visage grave. Elle sentait son corps frémir et ses seins se raidir de plaisir anticipé.

— Pas de passage, cette fois. Nos dressings sont attenants.

Ce disant, il ouvrit la porte pour lui montrer le sien, dont une penderie, une table et quelques fauteuils constituaient le mobilier. Un valet était en train de suspendre une redingote à un cintre. Il cessa son activité pour leur faire une révérence.

— Je vous présente M. Drummond. Il est mon valet depuis... Depuis combien de temps exactement, Drummond ?

— Douze ans, monsieur. À mon grand honneur. Depuis votre entrée à l'université.

Drummond paraissait ému de l'attention qu'on lui portait.

— Il fut très tôt débordé, à l'époque, reprit Hawkeswell. La vie est devenue beaucoup plus monotone ces cinq dernières années, ne trouvez-vous pas, Drummond ?

— Ce n'est jamais monotone, monsieur, répondit l'employé en se remettant au travail. Vous avez reçu du courrier. J'étais sur le point de vous le faire suivre dans le Surrey.

Hawkeswell porta son attention sur les lettres. De son côté, Verity regagna ses appartements, où du courrier l'attendait également. Posté le matin même.

C'était Audrianna, l'informant qu'elle était de retour en ville avec lord Sébastien. Verity poussa un soupir de soulagement. Elle se sentirait désormais moins seule.

Hawkeswell plongea la plume dans l'encrier et commença à signer la pile de vélins disposée devant lui par Thornapple. À chaque nouvelle signature, il maîtrisait un peu plus la fortune de Verity.

Le notaire s'était jusque-là acquitté de son rôle à merveille. Très professionnel, il avait affiché une parfaite indifférence vis-à-vis de l'affaire. Seulement, une fois la dernière page signée, il ôta ses lunettes et se mit à examiner Hawkeswell, qui remettait les documents en ordre.

— Accepteriez-vous un petit conseil concernant l'héritage de votre épouse, lord Hawkeswell ?

— Bien sûr.

— Il s'agit d'une entreprise industrielle. Plus sujette aux caprices de l'économie qu'une fortune issue de propriétés terriennes. Si le potentiel est décuplé, les risques aussi. Lady Hawkeswell vous apporte de beaux revenus et, avec la dissolution du second fidéicommis des fonds accumulés durant sa minorité, une jolie petite fortune mise de côté. Cependant, il n'est pas certain que les revenus continuent à ce rythme.

— Je suppose que le besoin en fer va augmenter, et non pas diminuer. Bien que, d'un côté, il n'y ait aucune garantie, rien ne laisse présager un déclin non plus.

— C'est là que vous avez tort. Certes, le secteur du fer marche bien, mais il subit actuellement les retombées de la crise d'après-guerre. En outre, plus de la moitié des revenus provient du forage et de l'usinage. L'entreprise bénéficie pour l'instant d'un avantage, grâce à l'ingéniosité de Joshua qui a inventé une méthode innovante. Comme vous le savez sans doute, il ne l'a jamais fait breveter, car s'il l'avait fait, il aurait dû révéler ladite méthode. Or, il craignait qu'on ne la lui dérobe. Si jamais on venait à la découvrir, cependant, l'entreprise serait lourdement dépréciée.

— Et l'avantage perdu pour de bon ?

— Il n'y aurait plus aucun avantage.

Depuis la confession de Verity dans l'Essex, il savait que cette fortune ne tenait qu'à un fil.

— Lady Hawkeswell se porte-t-elle bien ? Ses aventures ne lui ont-elles pas causé d'ennuis ? demanda le notaire d'un ton détaché.

Évidemment, Thornapple était lui aussi rongé par la curiosité. Mais, contrairement aux autres, il avait connu le père de Verity et, en tant que mandataire testamentaire, il était normal qu'il se fasse du souci.

— Ses petites aventures ne l'ont pas marquée, peut-être parce qu'elles n'étaient pas si aventureuses que cela. Tout ce temps-là, elle vivait non loin de Londres, auprès d'une veuve qu'elle considère comme une amie très proche.

Thornapple se détendit.

— Merci de votre franchise. Vous me rassurez. Ma réaction vous aura peut-être paru dure, chez le coroner. Mais voyez-vous, en vérité…

Il se ravisa, faisant mine de replonger le nez dans ses dossiers.

— En vérité ?

— En vérité, je la croyais morte. Nous le croyions tous, n'est-ce pas ?

— Mis à part son cousin.

— Il n'avait aucun intérêt à ce qu'elle soit morte. Ils ne sont pas liés par le sang. Aussi, il n'aurait pas hérité de ses parts. Votre surprise prouve que vous n'étiez pas au courant.

— En effet, je l'ignorais.

— Il est le fils de l'épouse de son oncle. L'enfant d'un premier mariage. Bertram estimait qu'il n'avait pas reçu assez de parts en héritage, mais on aurait pu lui rétorquer qu'il n'aurait surtout rien dû toucher.

— Verity a hérité de la plus grande partie de l'entreprise, fit Hawkeswell.

— Soixante-quinze pour cent. Et Bertram Thompson a reçu vingt-cinq pour cent. Son beau-père, Jeremiah

Thompson, le frère de Joshua, a aidé ce dernier à monter son entreprise, mais ses cinquante pour cent revinrent à Joshua à la mort de son frère. Bertram s'attendait sans doute à toucher cette moitié quand Joshua mourut à son tour. Il était furieux en apprenant la nouvelle.

Thornapple classa les documents en deux piles distinctes, une pour lui, l'autre pour son client.

— D'après le testament de Joshua, les biens doivent rester au nom de Verity, puis être légués à ses descendants. Il me semble qu'il existe en outre des parents éloignés dans le Yorkshire. Alors, non, cela n'aurait pas plu à Bertram que des étrangers débarquent et l'évincent. Je suppose que, même au bout de sept ans, il se serait opposé à la déclaration de décès.

Hawkeswell prit congé du notaire en emportant sa liasse de documents. Tandis qu'il s'éloignait de la City sur son hongre, il songea à ce que Thornapple venait de lui apprendre.

Il comprenait à présent pourquoi, pendant deux ans, Bertram n'avait pas cherché à résoudre le mystère de la disparition de Verity. Il avait tout intérêt à ce qu'on ne prononce pas son décès. Car, elle vivante, il conservait la mainmise sur l'entreprise. Sans compter qu'elle était l'une des deux seules personnes à connaître le secret de son père.

— Je pense qu'il faut la bâtir ici, déclara Daphné en se plantant au milieu d'un sentier serpentant à travers la deuxième moitié du jardin. Si tu veux une serre propice à la germination, il faut qu'elle reçoive suffisamment de lumière.

— Je crois qu'elle a raison, reconnut Celia. Il faudra aussi que tu peaufines la structure. Une serre destinée à orner le jardin de ville d'un comte doit avoir du style.

Verity examina l'emplacement recommandé par Daphné. Quels que soient l'endroit et la forme, ce serait une serre modeste, similaire à celle des Fleurs Rares. De toute façon, son but n'était pas de cultiver à des fins commerciales.

— Tu es sûre que Hawkeswell approuve le projet ? demanda Audrianna.

— Mieux vaut éviter de le froisser, ajouta Daphné d'une voix sèche, non dénuée d'ironie.

— Comme je vous l'ai dit, c'est son idée, répliqua Verity. Il m'a confié la gestion des deux jardins en me disant de faire comme bon me semble.

— Tu as donc prévu de rester quelque temps. Suffisamment pour voir ton travail prendre forme, fit remarquer Daphné. T'es-tu faite à l'idée de ce mariage ?

— Daphné, tu te mêles de ce qui ne te regarde pas, la réprimanda Celia avec un petit rire. Cependant, je t'en prie, continue.

Le sourire de Verity se transforma en légère grimace.

— En effet, j'ai l'intention de rester ici. Je ne compte plus sur l'annulation. À moins que Hawkeswell ne soutienne ma demande à cent pour cent, et que j'arrive à produire une preuve irréfutable qu'on m'a fait chanter. Rien de cela n'arrivera. Et voilà ! Fin de l'histoire.

Celia, qui était la plus proche, la prit dans ses bras.

— Je sais que tu préférerais être ailleurs. Toutefois, tu aurais pu plus mal tomber.

Être mariée à un comte, avoir accès à une immense fortune, ce n'est pas un mauvais lot. Voilà, en d'autres termes, ce que la pragmatique Celia voulait dire.

— Tu as raison. Et je ne vais pas me plaindre de mon sort. Je finis par y trouver une certaine satisfaction.

Elles rejoignirent la terrasse, où elles discutèrent de l'agencement du reste du jardin. Celia esquissa un plan du paysage envisagé, vu depuis la maison.

— Je te laisse ajouter les couleurs, Verity, dit-elle. Je vais en faire plusieurs exemplaires pour que tu puisses organiser le jardin en fonction des saisons.

— Non, contente-toi d'un deuxième exemplaire, intervint Daphné. Nous le rapporterons à la maison pour Katherine, qui exécutera les autres. Elle a un véritable don, Verity. Il faut d'ailleurs que je passe lui acheter des pigments avant de repartir pour Cumberworth.

— Elle va donc rester ?

— Oh oui ! s'écria Celia. Je pense qu'elle séjournera chez nous quelque temps.

Verity croisa le regard d'Audrianna, empreint lui aussi de curiosité. Au cours d'une de leurs récentes conversations, elles étaient tombées d'accord sur le fait qu'il était difficile d'obéir au règlement des Fleurs Rares.

— Je suis sûre qu'elle est inoffensive, hasarda Audrianna. C'est du moins un sujet qui tracasse Sébastien.

Daphné se pencha au-dessus du croquis de Celia.

— À mon avis, elle n'est pas plus dangereuse que tu ne l'étais, Audrianna. Tiens, par exemple, elle n'a pas manifesté le moindre intérêt pour mon pistolet.

Les joues d'Audrianna s'empourprèrent. Daphné faisait allusion à l'incident qui l'avait rapprochée de lord Sébastien.

— Il doit bientôt rentrer ? demanda Daphné, faisant référence à Hawkeswell.

Celle-ci avait accepté de rendre visite à Verity seulement si le comte était absent.

— Il est censé retrouver Sébastien au club, les informa Audrianna. Ils devraient en avoir pour quelques heures.

— Dans ce cas, Verity a le temps de me montrer sa nouvelle garde-robe, fit Celia en levant ses deux dessins pour les comparer.

— Je préférerais vous montrer autre chose. J'ai grand besoin de vos conseils éclairés.

Une demi-heure plus tard, elles étaient toutes réunies dans la chambre de Verity. Cette dernière, Daphné et Celia étaient assises sur le lit, occupées à décortiquer des papiers. Audrianna avait approché un fauteuil pour mieux voir.

— J'ai toujours trouvé excessif ton goût pour les journaux, fit remarquer Celia. Je constate à présent que tu en as fait bon usage. Et dans un but précis, ajouta-t-elle en désignant les piles de documents. Certains articles remontent à ton arrivée aux Fleurs Rares, il y a deux ans de cela. Les soulèvements des travailleurs. Les protestations. Les arrestations et les exécutions, dit-elle en parcourant une petite liasse.

— Et voici des articles sur Brandreth et ses partisans, indiqua Daphné. Comme si nous n'avions pas assez de problèmes dans le Sud. Tenez, aujourd'hui par exemple, nous avons dû entrer dans la capitale par une autre route. Celle que nous empruntons d'habitude était bloquée par des émeutes. Nous avons toutefois eu la chance d'échapper aux révolutionnaires de l'acabit de Brandreth.

— À mon avis, on lui a bel et bien tendu un piège, comme le sous-entend M. Shelley dans son poème. Nombreux sont ceux qui partagent cette opinion, expliqua Audrianna, tout en parcourant les articles sélectionnés par Verity. En tout cas, j'ai l'impression qu'il ne fait pas bon vivre dans la région de ton enfance, Verity. En fin de compte, il est peut-être préférable que tu vives ici.

— Si j'ai archivé ces articles, ce n'est pas pour prouver les dangers qu'il y a à vivre dans le Nord. En fait, je recherchais des noms. Regarde. Ce sont des faits divers qui se sont produits dans les comtés voisins du mien. Des personnes portées disparues. Des hommes, pour la plupart. Et là, ce sont les noms de personnes retrouvées après avoir disparu ou s'être fait blesser. Et là, de ceux qui ont été jugés pour crime. En comparant les différents articles, on se rend compte qu'il y a six hommes portés disparus, au sujet desquels il n'existe aucune autre information.

— Pourquoi les avoir gardés ? demanda Daphné en caressant une des liasses.

— Au début, je tenais un agenda des procès que j'avais suivis, de ceux que j'avais manqués. Je cherchais un nom en particulier, qui, étrangement, n'apparaît nulle part.

— Tu veux dire que tu cherchais à collecter des renseignements sur un homme en particulier ?

— Oui, le jeune homme dont je vous ai parlé. Celui que mon cousin avait menacé.

Celia coula un regard à Daphné.

— C'est un ami d'enfance, précisa Verity qui sentit ses joues s'empourprer. Je dois absolument découvrir ce qui lui est arrivé.

— Évidemment, répondit Daphné. En revanche, l'absence d'information sur ces hommes ne signifie pas forcément le pire. Il se peut très bien qu'ils aient fui leur famille, changé de vie. Cela arrive parfois.

— En temps normal, j'aurais partagé ton avis. Mais jette un œil là-dessus.

Elle étala quelques articles.

— Ces deux hommes originaires du Staffordshire, près de Birmingham, ont été interrogés par un juge de paix suite à des plaintes déposées par des propriétaires terriens. Or, ce juge de paix ne les a pas arrêtés. Ils ont tout bonnement disparu. Celui-là s'est évanoui dans la nature juste après une altercation avec lord Cleobury. Quant au dernier, il fut arrêté dans le Shropshire après que mon cousin l'a signalé comme fauteur de troubles à la fonderie, puis relâché. Suite à quoi, il a également disparu.

— Ils se sont sans doute enfuis pour ne plus être au centre de l'attention, hasarda Audrianna.

Peut-être, songea Verity. Toutefois, plus elle relisait ces articles, plus elle avait le sentiment que quelque chose clochait à propos de ces mystérieuses disparitions.

— *Si je le veux, je peux causer de sérieux ennuis au fils de cette femme. Personne ne pourra m'arrêter. Je peux le faire déporter – voire pire. Et alors, qui nourrira sa mère ?*

C'est ainsi que Bertram avait formulé ses menaces.

Daphné prit les articles en question.

— Je trouve étrange qu'ils se soient tous brouillés avec des personnages haut placés, et que ce soit ces mêmes gens qui les aient ensuite dénoncés ou fait arrêter en les accusant de semer le trouble. Tu nous as beaucoup parlé de ton cousin ; quant à lord Cleobury, il est réputé pour ses opinions extrêmes. Le nom de ce juge m'est également familier, je ne sais pas pourquoi...

— Il ne me dit rien, fit Verity. Ni mon père, ni même mon cousin n'ont jamais prononcé le nom de M. Jonathan Albrighton en ma présence.

Sursautant, Celia arracha l'article des mains de Daphné et le parcourut.

— Tu le connais, Celia ? demanda Daphné.

Tout en lisant, Celia fronça les sourcils.

— C'était un personnage connu de la scène londonienne, il y a quelques années. Je crois qu'il est parti à l'étranger. S'il s'agit du même homme, il semblerait qu'il soit de retour.

— Peut-être irai-je lui rendre visite quand je retournerai dans le Nord, lâcha Verity. J'en profiterai pour lui demander ce qu'il pense de cette affaire.

— Tu as l'intention d'y retourner bientôt ? s'enquit Audrianna.

— Dès que possible.

Trop délicates pour lui en faire la remarque, ses amies se turent. Cependant, on lisait sur leurs visages à livre ouvert : son projet de voyage risquait fort de tourner court, si son mari avait son mot à dire.

— Enfer et damnation ! marmonna Hawkeswell quand apparut l'ombre d'un géant dans l'embrasure de la porte de la salle de jeu de Brooks[1]. Que diable fiche-t-il ici ?

Summerhays jeta un coup d'œil par-dessus son épaule.

— Eh bien, il est membre du club. Certes, il ne vient que très rarement, mais...

— Il approche. Il vient sans doute de quitter le lit d'une prostituée pour venir me chercher des noises. Summerhays, plutôt mourir que rester assis gentiment pendant qu'il rira à mes dépens...

— Castleford ! s'exclama Summerhays en saluant le colosse qui jeta sur leur table une ombre menaçante. Quelle surprise de te voir ici ! La nuit n'est pourtant pas encore tombée. Bizarre. À moitié sobre, qui plus est ! Et nous ne sommes pas encore mardi !

C'était le mardi que le duc de Castleford jouait au duc, en étalant son opulence aux yeux de tous – une fortune si grande que c'en était obscène. Le reste de la semaine, il se vautrait dans les fanges du diable.

À une certaine époque, Hawkeswell et Summerhays avaient partagé sa vie de débauche. Cependant, leur comportement s'était tempéré au cours des années, la maturité aidant. Pour sa part, Castleford avait continué à vivre dans le vice, tout en exerçant au Parlement et dans la société une influence certaine.

Le jeune duc baissa le regard vers eux, le visage affable et l'œil truculent. Sa chevelure coupée à la

---

1. Club de gentlemen fondé en 1764. *(N.d.T.)*

dernière mode dégringolait sur son front avec une négligence parfaitement calculée. On eût dit un vieil ami saluant ses compagnons de débauche. Seule ombre au tableau : dans ses yeux brillait une étincelle diabolique.

Avant même qu'il ait ouvert la bouche, Hawkeswell sentit la moutarde lui monter au nez.

— Comment cela ? Ne sommes-nous pas mardi ? s'écria Castleford d'une voix traînante, feignant la surprise. J'ai clairement perdu la notion du temps !

Il tira une chaise jusqu'à leur table et s'effondra dans le siège, tout en faisant signe à un serveur de s'approcher. Il commanda une bouteille d'un très bon vin hors de prix.

— Ton préféré, si je me souviens bien, dit-il à Hawkeswell. J'espère que j'ai visé juste, car j'ai l'intention de la partager avec vous.

— Comme c'est généreux.

— Il est de mise entre amis de célébrer les bonnes nouvelles. J'ai entendu dire qu'on avait retrouvé ta femme ? Tu dois être heureux. Et soulagé aussi.

— Évidemment qu'il l'est, intervint Summerhays.

On apporta le vin. Castleford insista pour qu'on leur servît trois verres. Puis il leva le sien vers Hawkeswell.

— Alors, raconte-moi tout. Où diable était-elle passée pendant deux ans ?

— Bon sang, Tristan ! gronda Summerhays. Si tu t'es joint à nous pour le provoquer…

D'un geste, Hawkeswell indiqua à son ami de le laisser faire.

— Cela ne m'étonnerait pas que tu te sois levé à une heure décente et que tu sois resté sobre pour le seul plaisir de venir me poser cette question. Ta vie est-elle à ce point vide que la perspective de cet entretien te réjouisse autant ?

Castleford esquissa un sourire.

— Oui, aux deux questions. Lorsque j'ai appris la grande nouvelle, il y a deux jours, j'ai immédiatement cessé de boire. Sacristi, me suis-je dit, il se cache là une histoire croustillante ! Peut-être même une trame d'opéra comique, enchaîna-t-il en sirotant son vin. Depuis, j'ai tout fait pour te rencontrer en ville. Sans grand succès.

— Si tu tenais vraiment à le voir, il te suffisait d'aller chez lui, fit remarquer Summerhays.

Castleford feignit de trouver l'idée saugrenue. Puis, se concentrant de nouveau sur sa victime :

— Tu ferais mieux de me dire la vérité. Les rumeurs vont bon train, et elles sont peu flatteuses pour toi. Comment veux-tu que je prenne ta défense si j'ignore le fin mot de l'histoire ?

— Quel genre de rumeurs ?

— Tu ne lui as donc rien dit ? demanda le duc à Summerhays.

— Hawkeswell, ne l'écoute pas. Il est plus atteint qu'il n'en a l'air, rétorqua ce dernier.

— Quel genre de rumeurs ? répéta Hawkeswell en martelant ses mots.

Castleford se pencha en avant sur son siège pour donner un tour confidentiel à leur discussion.

— J'ai pris note des instigateurs des rumeurs, au cas où tu voudrais leur demander réparation.

— Comme c'est délicat de ta part.

— Les amis sont là pour cela, non ?

— Non, répliqua Summerhays, au comble de l'exaspération. Les amis ne mettent pas de l'huile sur le feu pour se divertir. Bon sang, s'il provoque qui que ce soit en duel, je jure de te le faire regretter !

— Summerhays redoute toujours que je sorte de mes gonds. À dire vrai, je suis d'un calme olympien depuis cinq ans. Je n'ai pas l'intention de provoquer le moindre duel. À présent, parle-moi de ces rumeurs.

Castleford fit remplir son verre.

— Tout d'abord, il y a celle selon laquelle la jeune fille apeurée se serait enfuie par crainte de la nuit de noces. Celle-ci est sans intérêt, je te l'accorde. D'autres racontent qu'elle aurait pris la poudre d'escampette *après* avoir expérimenté le lit nuptial, parce que tu aurais été tellement nul que tu l'aurais dégoûtée. Tu seras heureux de savoir que j'ai proposé de présenter une vingtaine de femmes prêtes à démentir publiquement cette fable, dit-il en le regardant droit dans les yeux.

— C'est ridicule ! Personne ne gobera cela, rétorqua Hawkeswell. L'imbécile à l'origine de ces âneries se trahira lui-même par sa propre bêtise.

— Précisément. Arrive alors un homme, qui se confie à moi, prétendant tenir de source sûre qu'elle s'est trouvée auprès de son amant tout ce temps. Tu aurais été cocu avant même que l'encre n'ait séché sur ton certificat de mariage. C'est, je le crains, l'hypothèse la plus vraisemblable, et le ragot le plus populaire.

Si Hawkeswell s'était lui-même posé la question, c'était justifié. En revanche, que d'autres que lui répandent ces mensonges était inadmissible.

La colère le gagna peu à peu. Telle une bête furieuse sommeillant en lui tirant sur ses chaînes jusqu'à ce qu'elles finissent par lâcher, lentement, une à une.

— Qui t'a confié cette histoire ?

— Ne le lui dis pas ! l'avertit Summerhays.

— Si tu as l'intention de provoquer quelqu'un en duel, ce n'est pas ton homme, fit Castleford en balayant cette idée d'un geste dédaigneux de la main. Du reste, comme je te l'ai dit, tout le monde en parle ; tu ne vas pas tous les tuer. Non, celui que tu devrais abattre, c'est celui qui m'a rapporté que ta femme se trouvait à Shrewsbury, où elle s'est fait l'abbesse d'un bordel fréquenté par la lie du peuple.

La bête brisa soudain ses chaînes.

— Comment s'appelle ce fichu menteur ?

— Bon sang, Castleford, ne lui donne pas de nom ! le conjura Summerhays.

— Il ne pourra pas le tuer de toute façon, il est introuvable. J'ai recommandé au vaurien de s'éclipser. Je lui ai dit que si Hawkeswell venait à apprendre ses dires – ce à quoi je veillerais personnellement –, il était un homme mort. On m'a rapporté ce matin qu'il s'était fait la malle en France.

— Dans ce cas, pourquoi le lui avoir dit ? Regarde dans quel état il est ! s'exclama Summerhays en désignant son ami.

Hawkeswell trouva toutefois Sébastien beaucoup plus agité que lui. Il but une gorgée de vin, tout en songeant à faire un saut en France pour y débusquer le vaurien qui avait insulté Verity et le dépecer.

Castleford s'en prit à Summerhays.

— Et si c'était devant toi qu'on avait manqué de respect à sa femme ? Tu serais resté muet ? Et si c'était ta femme qu'on avait insultée en ma présence, aurais-tu souhaité que je me taise ? Il a le droit de savoir, et il se doit de demander réparation au prochain qui ébruitera cette histoire.

— Merci pour les informations, dit Hawkeswell. D'autant plus que cela a dû beaucoup te coûter. Je compte sur toi pour me tenir informé au cas où tu entendrais quelqu'un d'autre divulguer ce mensonge, pour que je prenne les mesures nécessaires.

— Évidemment. Toutefois, j'ai eu le temps de considérer le problème. Deux bonnes journées d'abstinence me l'ont permis. J'ai échafaudé un plan qui devrait détourner l'attention de l'interlude marital fâcheux de lady Hawkeswell.

Summerhays et Hawkeswell échangèrent un regard. Castleford semblait très fier de son plan. Jusque-là, rien d'étonnant. Non, ce qui les surprenait, c'est qu'il en ait concocté un.

— Un plan ? hasarda Summerhays.

— Un plan de génie. Fais-moi confiance, Hawkeswell. Dans un mois, plus personne ne parlera de la disparition de lady Hawkeswell. Ils auront autre chose à se mettre sous la dent. Je lui rendrai visite mardi prochain pour lancer l'affaire.

— Ton plan nécessite que tu lui rendes visite ?

— Je dois m'assurer qu'elle le mérite. Je l'ai à peine aperçue à ton mariage. J'aimerais au moins avoir une petite conversation avec elle, avant de décider de l'intégrer à mon cercle d'amis.

Une fois encore, Hawkeswell et Summerhays échangèrent un regard. Le fameux plan n'augurait rien de bon.

— Ton « cercle d'amis » ? Tu veux dire « tes amis du mardi » ?

— Au départ, oui.

Hawkeswell se figura sa femme au milieu de ces parties de débauche. Qu'il ait lui-même goûté à ces orgies à une époque ne signifiait pas qu'il permettrait à Verity de faire de même.

La bête en lui, qui s'était quelque peu calmée entre-temps, se remit à cracher des flammes.

À une table voisine, un groupe d'hommes parlant politique capta l'intérêt du duc.

— Castleford... Tristan... *Votre Grâce* ? fit Hawkeswell qui tentait d'attirer son attention.

— Hmm ?

— Tu peux évidemment rendre visite à ma femme demain – en ma présence. Ou n'importe quand, d'ailleurs – en ma présence. Cependant, que ce soit clair, ne t'avise pas de passer si je n'y suis pas.

Le duc parut amusé.

— Ne sois pas stupide, Hawkeswell.

— Écoute-moi bien. Si tes intentions sont bonnes, je te remercie. En revanche, si tu as prévu de provo-quer un autre scandale avec tes amis, tu te fourres le doigt dans l'œil. Et n'imagine pas lancer une rumeur sur une éventuelle relation adultère avec toi…

— Tu avais à peine prononcé tes vœux qu'elle t'avait déjà quitté, mon ami. Voilà la triste vérité. Elle n'a pas besoin que tu la couves. De toute façon, j'ai pour règle de ne pas séduire les femmes de mes amis, et même si Summerhays et toi êtes devenus fort barbants, je vous considère toujours comme tels. Mon plan consistait juste à donner un dîner en compagnie de la fine fleur de la société. Voilà tout.

— Tu ne reçois jamais l'élite à dîner.

— Non, en effet. Ces gens sont d'un ennui mortel. Cependant, pris d'un accès de nostalgie pour notre ancienne amitié – qui a surgi de je ne sais où – j'ai décidé de donner un dîner auquel ta femme et toi seriez conviés.

Il se leva, agacé par leur méfiance, bien qu'il sût pertinemment qu'il ne l'avait pas volé.

— Un mois à compter de mardi prochain. Attendez-vous à recevoir des invitations. Tous les deux.

Avant qu'il ne les quitte, Summerhays leva un doigt pour ajouter un dernier point.

— Castleford, le beau monde refusera d'assister à ton dîner. Tu as offensé la plupart de ces gens.

— Tu as raison. Toutefois, j'ai mentionné la « fine fleur » de la société, et non pas le « beau monde ».

15

Chaque matin, avant de sortir dans le jardin, Verity prenait son petit déjeuner dans la salle à manger, où elle se laissait tenter par une tasse de thé. Cette petite gâterie lui rappelait que le titre de comtesse avait ses avantages.

Le courrier arrivait à ce moment-là ; parmi les lettres, il y en avait toujours quelques-unes pour elle. C'était parfois une invitation de Colleen lui proposant d'aller rendre visite à des amis ; une lettre de Daphné et Celia lui décrivant l'évolution des travaux de la nouvelle serre aux Fleurs Rares ; une brève note d'Audrianna lui suggérant une sortie.

Elle connaissait leur écriture. Aussi, un matin, lorsqu'une missive portant une calligraphie différente arriva, Verity la distingua sur-le-champ du reste du courrier. L'écriture lui était pourtant familière. C'était celle de Nancy Thompson, l'épouse de Bertram.

Verity songea un instant à l'ignorer, mais elle savait qu'elle ne pouvait pas y échapper.

Nancy s'adressait à « Madame la comtesse », exprimant un soulagement ampoulé à la nouvelle de sa réapparition. Elle lui indiquait ensuite qu'ils résidaient, Bertram et elle, à l'hôtel Mivert, et lui demandait la permission de lui rendre visite.

Verity fut très tentée de se servir de son titre pour lui répondre de manière cassante, et rompre ainsi les liens qui l'unissaient à ses cousins. Mais elle se ravisa. Mieux valait éviter de se brouiller avec le gérant de l'entreprise qui constituait sa fortune. Elle se rendit dans la bibliothèque, s'assit au bonheur-du-jour et proposa à ses cousins de les retrouver à Hyde Park.

Elle griffonna ensuite une note à l'attention de son mari, pour l'informer du rendez-vous, qu'elle fit porter à l'étage afin que le valet la lui remette à son réveil.

Quand le carrosse s'arrêta à Hyde Park et que Verity en descendit, Hawkeswell la trouva splendide. Son chapeau de crêpe bleu surmonté de plumes blanches encadrait joliment son visage délicat, et sa robe de promenade soulignait sa silhouette élancée. Elle ouvrit une ombrelle blanche pour se protéger des faibles rayons du soleil et, ensemble, ils rejoignirent le flot de promeneurs qui se pavanaient dans le parc.

Il n'y avait pas foule en cette saison. Aussi, il n'eut aucun mal à repérer Bertram Thompson. Ce ne fut pas tant son corps, moyen et sec, ou ses cheveux châtains raides comme des baguettes qui attirèrent son œil, mais plutôt son teint cadavérique et ses paupières lourdes qui lui donnaient l'air hautain ou mort d'ennui.

Sa compagne s'était apprêtée avec coquetterie. Les bords inclinés du chapeau de Nancy Thompson permettaient aux regards d'admirer sa jolie chevelure blonde ; elle tenait son ombrelle de manière qu'on puisse apprécier son visage fier, sa beauté sévère, ainsi que ses grands yeux verts.

Lorsque Colleen lui avait présenté le couple, il avait aussitôt vu en eux des opportunistes. Des arrivistes qui considéraient ce mariage comme une occasion de grimper d'un bond dans la pyramide sociale. Comment le leur reprocher ? Lui-même était né tout en haut de cette pyramide. Il comprenait qu'on fût prêt à tout pour se hisser au sommet et quitter les bas-fonds. Sauf que Verity n'était pas intéressée.

Les Thompson s'approchèrent. Quand Nancy vit Verity, elle marqua une pause affectée avant de s'élancer vers elle, les bras grands ouverts.

— Lady Hawkeswell ! s'exclama-t-elle, forçant Verity à l'étreindre.

Mais cette dernière resta raide comme un piquet. Bertram, quant à lui, parvint à déposer un baiser maladroit sur sa joue.

— Nous sommes soulagés de vous revoir parmi nous. En forme, qui plus est, déclara-t-il.

Verity lui coula un regard haineux.

— Je me réjouis également de vous voir tous les deux. Vous portez un ensemble ravissant, *madame* Thompson. Ce gris argenté vous sied à ravir.

L'adresse n'échappa à personne. La comtesse de Hawkeswell venait d'annoncer la couleur. L'étiquette serait maintenue.

— Reprenons la promenade, suggéra Hawkeswell.

Ils marchèrent en cadence. Bertram marmonna une ou deux plaisanteries, auxquelles Hawkeswell répondit sur le même ton. Puis les dames menèrent la discussion.

— Tout va bien à Oldbury ? s'enquit Verity. J'ai lu les journaux régionaux dès que j'en avais l'occasion, mais je n'ai quasiment pas eu de nouvelles directes depuis deux ans.

— Il y a eu tellement de changements qu'il me faudrait des heures pour vous les conter. En revanche, je peux vous les écrire, répondit Nancy.

— M. Travis travaille-t-il toujours à la fonderie ?

— Bien sûr ! Ce n'est pas comme si nous avions le choix, si vous voyez ce que je veux dire, fit Nancy en baissant la voix.

— Et le pasteur, M. Toynby : endort-il toujours ses ouailles le dimanche avec ses sermons ?

— Il nous a quittés. Nous avons un nouveau pasteur depuis plus d'un an.

Le visage de Verity se crispa.

— Et le fils de Katy Bowman, Michael. Qu'est-il finalement advenu de lui, madame Thompson ?

Mari et femme réagirent tous deux à la question, bien que de manière différente. Nancy piqua un fard en jetant un regard méfiant à Verity. Bertram tressaillit de colère.

— Parti depuis un bon bout de temps, rétorqua ce dernier avec hargne. Bon débarras ! Voilà ce que je pense. Ce petit ingrat n'était qu'une source d'ennuis.

— Parti où ? demanda Verity avec empressement.

— Qui sait ? En ville, peut-être. Pour y rejoindre ses amis révolutionnaires. Je m'en fiche pas mal, du moment que c'est loin de ma région et de mon entreprise.

Nancy ne pipa mot. Verity la dévisageait, comme si son silence en disait plus long que n'importe quel discours.

— Votre entreprise, Thompson ? ne put s'empêcher de relever Hawkeswell. J'admire votre attachement aux intérêts de votre famille, mais vous vous êtes mal exprimé.

— Merci, Hawkeswell, vous m'avez ôté les mots de la bouche, intervint Verity. Vous m'avez évité de reprendre moi-même mon cousin.

Celui-ci vira au cramoisi.

— Pardon... notre entreprise, lady Hawkeswell.

Pour le bien commun, Hawkeswell résolut de mettre un terme à cette situation infernale. Il entraîna Verity à l'écart en la prenant par le bras.

— Ce fut un plaisir de vous revoir tous les deux après tout ce temps. Thompson, j'ai deux ou trois questions pour vous à propos de l'entreprise. Je vous écrirai. Venez, ma chère.

Après des adieux maladroits, ils s'éloignèrent. Mme Thompson parut froissée de ne pas avoir reçu la moindre invitation de la part de la comtesse.

Tandis qu'ils rejoignaient le carrosse, Verity paraissait songeuse. Il la fit monter pour se placer ensuite sur la banquette opposée.

— Vous êtes-vous amusée ? demanda-t-il. Si votre but était de leur faire comprendre que vous ne les appréciez pas, et que vous ne comptez pas faire d'efforts, vous avez réussi.

Elle ne sembla pas prêter attention à ses paroles.

— Je me suis beaucoup amusée, je vous remercie, répliqua-t-elle d'une voix monocorde et lointaine.

Son esprit était ailleurs.

Il se déshabillait dans son dressing quand il perçut un bruit qui interrompit le fil de ses pensées – cette rencontre dans le parc, l'intérêt de Verity pour un dénommé Michael...

Le bruit venait de la pièce voisine, sans doute la chambre. Verity pleurait.

Drummond fit mine de ne rien entendre jusqu'à ce que Hawkeswell se fige et lève la main pour obtenir le silence absolu. Le valet croisa son regard. Hawkeswell le congédia. Il passa dans le dressing de Verity en chemise et pantalon.

Elle était assise près du lit ; les larmes avaient cessé. Elle les avait ravalées en l'entendant entrer.

— Je ne suis pas prête. Désolée.

Sur ces mots, elle ôta un escarpin et posa le pied sur un fauteuil. Elle déroula un bas, à croire que la présence de son mari dans sa chambre ne pouvait avoir qu'une seule explication.

En vérité, jusque-là, il ne lui avait pas donné de raison de penser le contraire. Mais cette fois, c'était différent. Lui arrivait-il souvent de pleurer ?

Peut-être pleurait-elle toutes les nuits, avant de sécher ses larmes, de se déshabiller et se glisser sous les draps en attendant d'accomplir son devoir d'épouse. Cette idée le hérissa.

Elle posa l'autre pied sur le fauteuil et déroula le second bas.

— Arrêtez, Verity.

Elle sursauta. Reposant le pied par terre, elle pivota vers lui.

— Pourquoi pleuriez-vous ?

Elle se contenta de le regarder. Ses yeux bleus étaient insondables.

Il voulait qu'elle se confie. Il faillit même lui lâcher que, en tant qu'époux, il avait le droit de tout savoir. Sauf que ce n'était pas le cas, et elle le savait. Il pouvait exiger son obéissance, contrôler son avenir ainsi que son corps, mais il ne pouvait la forcer à lui ouvrir son cœur.

Le regard de Verity s'embua. Elle s'essuya les yeux, renifla un bon coup et se tourna vers son lit, où elle saisit un papier.

— Nancy n'aura pas perdu de temps. Elle m'a fait porter cette lettre ce soir. Ce sont des nouvelles d'Oldbury. Une liste des voisins qui sont décédés durant mon absence. Et moi qui ignorais tout... Elle a également établi un bilan des départs et des arrivées.

Il lui prit la lettre des mains et s'assit sur le lit, près de la lampe. Les noms étaient rangés par colonnes selon quatre catégories différentes. Décès. Départs. Arrivées. Disparitions. Le nom de Verity apparaissait dans cette dernière colonne en gros caractères – on l'avait ensuite barré. Nancy avait finalement trouvé un moyen d'exprimer sa rancœur.

Katy et Michael Bowman étaient rangés dans la rubrique Départs.

— Katy n'est ni dans les disparitions ni dans les décès. C'est plutôt bon signe, non ? dit-il.

— Je suppose que oui. Toutefois, je ne le saurai que lorsque je l'aurai vue. J'avais écrit au pasteur pour qu'il me donne des nouvelles d'elle et qu'il lui lise une lettre. Seulement, le pasteur a quitté le village. Si la lettre a été redirigée, il se peut qu'elle se perde ou mette des années à parvenir à destination.

— C'est la cruauté de Nancy qui vous chagrine ? Le manque de tact avec lequel elle a dressé cette liste de noms ?

Elle secoua la tête.

— Non, je suis émue parce que je connaissais la plupart de ces personnes. C'est une petite fille, expliqua-t-elle en s'approchant de lui et en pointant un nom dans la colonne des décès. Elle aurait à peine dix ans, aujourd'hui. Une jolie petite créature aux boucles rousses. À sa naissance, mon père a aidé le sien à bâtir leur maison. Il faisait cela de temps à autre.

Elle énuméra d'autres noms. Des gens de son enfance. Elle lui raconta comment elle était liée à chacun d'eux.

Quand elle parvint au terme de son récit, elle esquissa un sourire. Ces souvenirs ne l'attristaient pas ; au contraire, ils lui réchauffaient le cœur. Hawkeswell résolut d'attendre encore une journée avant de l'interroger sur le dénommé Michael.

Elle replia la lettre. Il lui prit la main pour y déposer un baiser.

— Je vous laisse à vos souvenirs, Verity.

De nouveau, les yeux de la jeune femme se voilèrent. Elle retint sa main.

— Pour un homme qui a connu tant de femmes, Hawkeswell, vous avez encore pas mal de choses à apprendre. Je ne veux pas rester seule. Je ne veux pas passer ma nuit à pleurer des fantômes.

— Dans ce cas, je resterai avec vous, si vous voulez bien de moi.

Elle parut reconnaissante, songea-t-il avec émotion. Elle lui tourna le dos et commença à se déshabiller. Ses gestes n'avaient rien de séducteur. Distraite, elle faisait cela automatiquement.

Évidemment, il ne put s'empêcher de la regarder, tandis que lui-même se débarrassait de ses vêtements. La simplicité de ses manières le charma.

Ils se rejoignirent sous les draps, mais il comprit aussitôt qu'elle ne lui avait pas demandé de rester pour qu'ils se donnent du plaisir. Elle voulait simplement de la compagnie.

Il plaqua le ventre contre elle. Dos à lui, elle poussa un profond soupir. Sa respiration finit par s'apaiser.

Il crut bientôt qu'elle s'était endormie, et envisagea de s'éclipser. S'il s'attardait dans ce lit, il ne pourrait pas trouver le sommeil.

Mais elle lui prit la main pour le retenir. Elle la remonta pour la placer en coupe sous son sein. Alors, il la caressa, et elle émit encore un soupir, mêlé d'une note de satisfaction.

Il ne lui fallut pas davantage d'encouragements. Il la caressa jusqu'à ce que, haletante, elle frotte sa croupe contre son aine. Elle voulut se tourner.

— Non. Restez comme vous êtes, dit-il.

En revanche, il l'écarta légèrement de lui, s'appuya sur un coude et embrassa son cou et son épaule, son dos et sa chevelure. De sa main, il éveillait sa sensualité, glissant les doigts vers le bas de son corps. Elle finit par pousser de petits cris d'impatience et pressa son postérieur contre son érection, avide de plus d'intimité.

Il descendit la fente de ses fesses, traversa une zone infiniment douce. Elle empoigna les draps.

Alors il la pénétra, et elle s'arc-bouta avec ardeur en réponse à ses poussées.

— Il faut que je rentre chez moi.

— C'est ici, chez vous.

— Il faut que j'aille à Oldbury, rectifia-t-elle. Vous me l'aviez promis.

Ils n'avaient pas changé de position. Son corps était toujours niché contre celui de Hawkeswell, dont la main englobait son sein, en signe de possession. Leurs ébats avaient duré longtemps. La jouissance spectaculaire de sa femme avait déchaîné la sienne. Elle avait hurlé dans la nuit, dans un instant d'abandon total, puis elle avait attiré son visage contre le sien pour l'embrasser avec une sauvagerie qui avait décuplé son orgasme. La violence de l'extase résonnait encore dans sa tête.

Bref, il n'était pas vraiment préparé à cette annonce.

— En réalité, j'ai dit que vous pourriez y aller quand je serais en mesure de vous accompagner. Ce qui n'est pas le cas en ce moment. Les séances parlementaires vont bientôt reprendre. De toute façon, nous devrons impérativement être ici dans un mois.

— Je serai de retour bien avant !

Elle redonna du volume à son oreiller, qu'elle étreignit ensuite.

— Je vais y aller.

— Et si je vous l'interdis ?

Elle ne répondit pas.

— Eh bien, au moins cette fois-ci, je saurai où vous trouver.

Elle se tourna vers lui.

— J'ai certaines choses à régler dans le Nord. Je vous ai dit que je n'abandonnerais pas mon passé pour vous, mais j'ai l'impression que c'est tout de même ce que vous attendez de moi. N'y comptez pas. Et ce, en dépit de vos interdictions et du plaisir que vous me procurez.

— C'est beaucoup trop risqué d'y aller seule. Nous en reparlerons demain.

Hors de question pour lui de rendre les armes si facilement. Toutefois, l'esprit encore troublé par les élans de la passion, il refusait de se disputer avec elle maintenant.

Elle sourit d'un air satisfait, persuadée d'avoir remporté la bataille. Eh bien, il la remettrait à sa place le lendemain.

— Pourquoi doit-on être à Londres dans un mois ? demanda-t-elle.

— Vous allez être conviée à un dîner chez le duc de Castleford. Apparemment, certains membres de la famille royale seront présents.

— Qui eût cru que la fille d'un modeste forgeron partagerait un jour la table de la famille royale ? Voilà ce que l'on gagne à épouser un comte. Je me cacherai derrière vous, tout en faisant de mon mieux pour ne pas commettre d'impair.

— Hors de question que vous restiez pendue à mes basques lors de cet événement. Ni que vous vous cachiez. Le dîner est donné en votre honneur.

Elle s'appuya sur un coude et fit courir ses doigts sur le torse de son mari tout en fronçant les sourcils, pensive.

— Pourquoi ce duc prendrait-il la peine d'organiser un dîner pour moi ?

— Lui et moi, nous étions autrefois très liés. Il semblerait que la nostalgie de notre amitié l'ait poussé à agir en votre faveur. Il vous rendra d'ailleurs visite demain. Mais je serai présent.

Il hésitait à la mettre en garde. Avec Castleford, on n'était jamais à l'abri de rien. Tristan serait sans doute fasciné par Verity, d'autant plus si elle ne se laissait pas impressionner par son personnage. Ce serait pour lui une provocation à laquelle il ne saurait résister.

— Il a une réputation de libertin aux mœurs dissolues. Je préfère être là quand vous le recevrez.

— Je connais le personnage, j'ai lu des anecdotes à son sujet dans les journaux à scandales. Sa réputation le précède. Celia a d'ailleurs complété son portrait. Si vous étiez proches, vous avez forcément vécu, autrefois, une vie dissolue vous aussi, enchaîna-t-elle en lui jetant un regard réprobateur. Orgies et compagnie.

— Ces passe-temps ne sont plus à mon goût.

— C'est pourtant le genre de divertissements dont on ne se lasse pas.

— Un jeune homme de dix-neuf ans trouve amusant de boire comme une éponge. C'est une façon de se rebeller. Il faut être complètement imbibé pour participer à une orgie. Il y a environ cinq ans, j'ai décidé de ne plus m'enivrer. À partir de là, les orgies ne m'ont plus amusé.

— Autrement dit, vos goûts ont évolué.

— Oui. Ils sont devenus beaucoup plus ennuyeux.

— Ou plus discrets. On ne se fait pas moine du jour au lendemain. Vous avez tout simplement cessé de copuler avec des femmes dans une salle où des tas d'autres hommes copulaient avec d'autres femmes.

Qu'on n'accuse jamais lady Hawkeswell de mâcher ses mots ou de se soucier des convenances !

— Qu'est-ce qui vous a poussé à arrêter de boire ?

C'était le problème, avec les femmes. Un homme avait beau prendre des gants pour éviter un sujet sensible, elles avaient le don de mettre le doigt exactement là où il ne fallait pas.

— Vous aurez remarqué que j'ai tendance à m'emporter.

Elle éclata de rire.

— Quand je suis ivre, j'ai du mal à maîtriser mes sautes d'humeur, ajouta-t-il. J'ai appris à me modérer, à accepter mes propres limites.

Cette réponse vague parut la satisfaire. En tout cas, elle ne posa pas d'autre question. Après avoir changé de position, elle émit un long bâillement et ferma les yeux.

— J'ai failli tuer un homme. Voilà pourquoi j'ai décidé d'arrêter de boire.

Ses paupières se rouvrirent et ses yeux bleus cherchèrent son visage.

— Mais vous ne l'avez pas tué ?

Il secoua la tête.

— Summerhays était là. Aussi saoul que moi, mais de meilleure disposition. Il a vite compris que cela risquait de mal finir et m'a séparé du pauvre bougre. Et, pour être sûr que je ne recommence pas, il m'a mis une raclée. Lorsque j'ai repris connaissance, après avoir dessaoulé, j'ai compris qu'il fallait que cela change.

Ses souvenirs de cette nuit-là restaient vagues. Un tourbillon d'euphorie qui s'était transformé en colère noire. La seule image qui demeurait clairement était celle de son poing s'abattant encore et encore sur ce visage, poussé par une fureur sans nom.

— L'homme avait dû m'insulter. Je ne me souviens même plus de ce qu'il a dit. Si Summerhays n'avait pas été là...

Il s'était souvent demandé comment il aurait pu vivre tout en sachant que sa fougue avait coûté la vie à un homme. Cet incident lui avait servi de leçon. Il avait appris à se contrôler.

— La plupart des hommes n'auraient pas reconnu leur tort, ni même accepté de changer leur comportement, commenta-t-elle. Surtout si ce revirement implique de se brouiller avec un ami cher – comme cela semble s'être passé avec Castleford. C'est normal qu'il vous manque parfois, que vous lui enviiez cette vie de libertin sur laquelle vous avez dû tirer un trait.

— Il ne me manque pas. Et je ne l'envie certainement pas.

Sur ce point, il mentait. Il lui arrivait parfois de le jalouser. Il n'y avait que Verity pour comprendre que

Castleford n'était pas le seul à avoir la nostalgie de cette époque.

Elle ne chercha pas à le contredire. C'était une qualité qu'il appréciait particulièrement chez elle. Elle exprimait son avis, sans jamais l'imposer. Elle se contenta de fermer les yeux, et ne tarda pas à s'endormir.

À son tour, il s'assoupit. Son corps se détendit sur le matelas, contre son corps soyeux. Le premier était très confortable et le second étrangement réconfortant. Un calme agréable le gagna. Il dut se forcer à rouvrir les paupières. Alors, rejetant le drap, il s'apprêta à regagner ses pénates.

— Vous n'êtes pas obligé de partir, dit-elle d'une voix somnolente.

Il jugeait plus raisonnable de regagner sa chambre. Mais n'avait-elle pas peur de rester seule avec ses fantômes ? Et s'ils étaient tapis dans un recoin sombre de ses rêves ?

Il décida de rester, cette fois-ci. Pour lui faire plaisir.

16

Une fois de plus, Hawkeswell suivait un carrosse sous une pluie battante. Leur périple dans le Shropshire s'avéra épique.

Colleen en était la principale responsable. En entendant Verity mentionner l'expédition – à laquelle Hawkeswell n'avait pas encore donné son aval –, elle avait aussitôt insisté pour les accompagner. D'une part, cela faisait deux ans qu'elle n'avait pas vu la cousine de leurs mères, Mme Geraldson, qui vivait près de Birmingham. D'autre part, ce voyage lui permettrait de faire d'une pierre deux coups. Échapper à la chaleur lourde de la capitale, et éviter sa mère pendant deux semaines supplémentaires. Ce fut ce dernier argument qui convainquit Hawkeswell – quoiqu'il acceptât à contrecœur.

Et si Colleen venait, sa femme de chambre aussi. Les deux domestiques accompagnaient leurs maîtresses dans le carrosse surchargé de bagages.

Il passa la majeure partie du voyage à contempler le paysage, tout en ressassant la leçon qu'il venait de tirer. Bien que Verity ne fût pas le genre de femme à profiter de ses charmes pour soutirer des bijoux à son mari, elle considérait toute demande laissée en suspens comme un acquis. En d'autres termes, lorsque Hawkeswell lui disait « nous en reparlerons demain », elle comprenait « oui ».

La pluie cessa bientôt, et une trouée apparut dans le ciel. Ils n'allaient plus tarder à arriver. La demeure de Mme Geraldson ne se trouvait qu'à une heure de route d'Oldbury.

S'il avait autorisé le voyage, il préférait que sa femme ne réside pas trop près de la fonderie. Aussi, lorsque Mme Geraldson avait insisté pour les héberger, avait-il sauté sur l'occasion.

Cette tante vivait en lisière du comté du Staffordshire. D'après ses souvenirs, c'était une quinquagénaire au franc-parler qui savourait sa vie à la campagne. Son domaine était de taille décente, doté de pièces claires et spacieuses, et flanqué de plusieurs dépendances.

On avait attribué au comte et à la comtesse les meilleures chambres de la maison. Elles s'avérèrent parfaitement convenables, quoique non luxueuses. Une fois leurs bagages déballés, ils se joignirent à leur hôtesse autour d'une légère collation. Ils s'installèrent dans un agréable salon féminin, en compagnie de Colleen, où ils grignotèrent de minuscules gâteaux.

— Lord Hawkeswell, lady Hawkeswell, c'est un honneur pour moi de vous recevoir, déclara Mme Geraldson tout en gratifiant Verity d'un sourire complaisant. Pardonnez mon manque de modestie, mais je suis heureuse d'être en partie responsable de votre bonheur. On n'imagine pas l'impact que peut avoir une simple lettre, ni la série d'événements chanceux qui peuvent en découler.

— Hermione fait référence à la lettre de recommandation qu'elle a donnée aux Thompson pour leur première visite prolongée à Londres, précisa Colleen en voyant la confusion se peindre sur le visage de Verity. Même si j'avais déjà rencontré M. Thompson dans mon enfance, quand je venais séjourner chez ma tante, sa lettre nous a permis de nous retrouver.

— Vous connaissez mon cousin, madame Geraldson ? s'étonna Verity.

— Je connais absolument toutes les personnalités des environs de Birmingham.

Apparemment, elle avait aussi connu le père de Verity. Elle lui donna même des nouvelles de la fonderie.

— Il y a de l'orage dans l'air, à ce que l'on raconte. Comme partout ailleurs en ce moment, n'est-ce pas ? Tous ces radicaux, toutes ces émeutes ! D'après lord Cleobury, des comités révolutionnaires secrets se tiendraient aux quatre coins du pays. On n'ose même plus sortir de chez soi en carrosse, de peur de se faire attaquer par ceux que l'ordre naturel a condamnés à conduire de simples charrettes.

— À Londres, nous n'en avons pas entendu parler. Y a-t-il réellement eu des attaques telles que vous les décrivez ? demanda Hawkeswell.

— Non, mais cela ne devrait pas tarder, vu ce qui s'est passé dans le Derbyshire l'été dernier, et à Manchester au printemps. M. Albrighton fait de son mieux pour que la situation ne dégénère pas, mais il est seul.

— Albrighton ? répéta Hawkeswell. Jonathan Albrighton ? J'ignorais qu'il habitait dans la région. À vrai dire, je ne savais même pas qu'il était de retour en Angleterre.

— Nous parlons bien du même homme, lord Hawkeswell. Vous le connaissez ? Il a hérité d'un parent et s'est installé à Losford Hall.

Cette découverte piqua l'intérêt de Hawkeswell.

— J'irai lui rendre visite demain. Cela doit faire cinq ans que je ne l'ai pas vu.

— De quelle manière M. Albrighton veille-t-il à ce que la situation ne dégénère pas ? demanda Verity. Menace-t-il les gens ? Les fait-il expulser du comté ?

— Ce ne serait pas une solution. Qu'est-ce qui les empêcherait de revenir sur-le-champ ? Lord Cleobury a installé des canons sur son domaine, alignés sur sa terrasse en prévision d'une attaque.

— Je doute qu'il y ait un jour une véritable insurrection, fit remarquer lord Hawkeswell. Certes, les gens sont en colère ; ils sont agités. Avec la fin de la guerre, la population a connu beaucoup de privations. La plupart des manifestations sont l'expression de ce mécontentement.

— Je crains que vous ne soyez trop généreux avec eux, et que ce ne soit lord Cleobury qui ait raison. Ils ne seront satisfaits que lorsqu'ils auront détruit tout ce qu'il y a de bon, intervint Colleen. Ce qu'il leur faut, c'est une réponse ferme. On doit faire appel à l'armée, comme avec Brandreth et ses partisans[1].

— Si ces actes s'étaient produits aux portes de votre jardin, lord Hawkeswell, vous auriez un autre avis sur la question. Vous comprendriez l'inquiétude des habitants de notre région, renchérit Mme Geraldson.

— Tout ce que réclament ces gens, fit à son tour Verity, c'est de quoi nourrir leur famille. Il est dans l'intérêt de chacun de les aider dans ce sens.

Mme Geraldson n'était pas habituée à ce qu'on la contredise.

— Apparemment, votre famille ne partage pas cet avis. M. Thompson a menacé l'ensemble de ses ouvriers de renvoi et d'expulsion s'ils osent prendre part aux mouvements de sédition. Il n'a pas hésité à appeler la cavalerie, l'hiver dernier, quand certains ont eu des paroles déplacées.

— Je ne peux pas parler au nom de mon cousin. En revanche, je sais que mon père n'aurait jamais

_____

1. Référence à l'insurrection de Pentridge de 1817 menée par un jeune apprenti nommé Brandreth. (N.d.T.)

empêché un homme de s'exprimer librement. Nous sommes un peuple libre, non ?

— En effet, acquiesça Hawkeswell.

Il sentait planer une dispute. Il fallait changer de sujet, et vite.

— Dites-moi, madame Geraldson, j'avoue ne pas avoir rencontré toute la famille de ma mère. Sont-ils nombreux dans le comté ?

— Surtout dans le Derbyshire.

On parla alors de cousins éloignés. Pendant que Hawkeswell s'évertuait à détourner l'attention de leur hôtesse, Verity semblait songeuse, troublée sans doute par les révélations de celle-ci sur Bertram et la fonderie.

Le lendemain matin, Verity se leva de bonne heure et revêtit une tenue de voyage. Elle prenait son petit déjeuner lorsque Hawkeswell entra dans la salle à manger. Tandis qu'il faisait la conversation à Mme Geraldson, il jaugea ses habits, son ombrelle, et son sac.

— Vous avez prévu de sortir ? demanda-t-il quand leur hôtesse fut sortie.

— J'aimerais me rendre à Oldbury, répondit-elle d'une voix faussement innocente.

— C'est hors de question. Vous n'irez pas sans moi.

— Mais vous avez l'intention de rendre visite à M. Albrighton ! Je n'ai pas d'autre choix que d'y aller seule. Je serai de retour cet après-midi. Et je vous promets d'être prudente.

À en juger par son expression, il prenait sur lui.

— Verity…

— C'est pour cela que je suis venue ici. Je serai incapable de tenir en place, encore moins de jouer le rôle de l'invitée polie.

Puis, ramassant son ombrelle et son sac, elle fit mine de se lever.

— Reposez cela. Si je vous l'interdis, vous n'irez nulle part. Le cocher ne braverait pas mon autorité, contrairement à vous.

— La maison de mon enfance se trouve à quelques kilomètres à peine. Pourquoi m'avoir permis de vous suivre jusqu'ici, si c'est maintenant pour m'empêcher d'y aller ?

— Je veux juste vous empêcher de foncer la tête la première dans une situation périlleuse. Nous ne sommes pas à Manchester, mais vous avez entendu comme moi la manière dont Mme Geraldson décrit l'atmosphère dans la région. C'est dangereux.

Elle aurait aimé le contredire, lui expliquer que la fille de Joshua Thompson ne serait jamais en danger à la fonderie. Mais si ce n'était plus le cas ? Si on la considérait désormais non plus comme la fille de Joshua, mais comme la cousine de Bertram, ou comme l'épouse d'un pair du royaume ?

Elle reposa son sac.

— Je savais que nous ne nous entendrions pas.

Hawkeswell crispa la mâchoire et la transperça du regard.

— Vraiment ? Tout époux digne de ce nom agirait comme moi. Vous préféreriez peut-être que je me fiche de votre sécurité ?

Non, songea-t-elle. Toutefois, après deux ans d'indépendance, elle n'était pas habituée à ce qu'on lui dicte sa conduite.

— Le problème ne vient pas de vous. Je ne suis sans doute pas faite pour le mariage. Je ne supporte pas l'interférence d'un époux, quel qu'il soit.

— Vous allez devoir vous y faire. Nous sommes mariés, un point c'est tout. À présent, venez par ici.

Il était furieux. Une vilaine peur refit surface, mais elle tenta de se raisonner. Sa réaction était stupide !

Cet homme ne l'avait jamais physiquement agressée, il avait toujours su contrôler sa colère en sa présence. Malgré tout, elle ne put réprimer l'angoisse viscérale surgie de son passé. Aussi hésita-t-elle un instant avant de contourner la table pour le rejoindre.

Il écarta sa chaise et tapota sa cuisse.

— Asseyez-vous.

Elle se percha sur ses genoux.

— Maintenant, embrassez-moi. Comme la nuit où je suis resté à vos côtés juste après vous avoir fait grimper au septième ciel.

Ses joues s'enflammèrent. Jetant un coup d'œil par-dessus son épaule, elle vérifia qu'ils étaient seuls.

Qu'attendait-il précisément ? Posant les lèvres sur les siennes, elle chercha à se rappeler cette fameuse nuit, le baiser, ainsi que la myriade de sensations qui l'avaient précédé. Une salle à manger n'était pas franchement le lieu approprié.

Cependant, elle essaya. Elle tenta de reproduire les mouvements avec sa langue. Et quand il lui rendit son baiser avec fougue, son corps ne resta pas de marbre.

La porte aurait pu s'ouvrir à tout instant. Il fallait arrêter. Elle devait être cramoisie !

— Maintenant, demandez-moi de vous accompagner à Oldbury, au cas où vous auriez besoin qu'on vous protège.

— J'aimerais beaucoup que vous m'accompagniez à Oldbury. Pourriez-vous m'y conduire ? dit-elle en ravalant son orgueil.

Entrouvrant la bouche, il aspira son doigt tout doucement. Une étincelle sauvage illumina brièvement ses yeux. Elle le fixa sans pouvoir détourner le visage. Dans son regard, elle retrouvait la fièvre de cette fameuse nuit où il l'avait possédée.

Il la reposa par terre et se leva.

— Je vais faire préparer le carrosse. Ma visite à Albrighton attendra.

— Merci, répondit-elle.

— Vous ne trouvez pas que nous nous entendons à merveille ? murmura-t-il en attrapant son menton pour l'embrasser.

Hawkeswell était toujours surpris de constater que les sites industriels se mêlaient relativement bien au paysage champêtre. Située à un peu plus d'un kilomètre d'Oldbury, dans un recoin isolé du Shropshire, la fonderie ne faisait pas exception.

Les bâtiments étaient construits en brique. Édifiés parmi les buissons et les arbres, rehaussés çà et là de quelques fleurs des champs, ils se fondaient dans la végétation. On eût cru qu'il s'agissait des dépendances d'un corps de ferme. Au loin, à environ trois cents mètres, sur une éminence, se dressait une maison en pierre. À en juger par sa taille, elle appartenait au propriétaire des lieux.

Au nord de la fonderie, se trouvait une communauté de cottages à la lisière desquels coulait un large canal. L'eau s'acheminait vers la fabrique, où un barrage contrôlait son flux, actionnant par la même occasion la grande roue du martinet.

Voilà ce que Verity appelait sa maison. Jusque-là, il n'avait pas pris conscience de la portée de ses paroles. Elle avait grandi dans la demeure sur la colline, au pied de laquelle – dans son jardin, pour ainsi dire – se dressaient des fourneaux et des forges. Il l'imagina dévalant la pente pour aller jouer avec les enfants des ouvriers.

— Vous voudriez aller visiter la maison ? demanda-t-il. Les Thompson étaient encore à Londres lorsque nous sommes partis. Je ne pense pas qu'ils soient de retour. La gouvernante vous laisserait entrer.

Elle contempla longuement la demeure.

— C'est inutile. Il ne reste rien de mon père dans cette maison. En revanche, je sens sa présence dans les forges et les fourneaux. Et là-bas, ajouta-t-elle en indiquant le canal. C'est dans ce courant qu'il s'est noyé. Difficile d'imaginer la puissance de la crue, le printemps de l'incident. Il aidait les ouvriers à sauver leurs maisons quand les flots l'ont emporté.

Elle descendit le chemin boueux qui tenait lieu de rue. Sur son passage, toutes les têtes se tournaient ; les regards la suivaient, elle et le gentleman qui l'accompagnait. Ils parvinrent au bout du chemin, où des rails étaient plantés dans le sol.

— Le fer est transporté du canal jusqu'ici sur ces rails, expliqua-t-elle. Ce n'est pas trop long. Il existe peu de fonderies de cet acabit. Le minerai arrive à l'état brut pour ressortir sous forme de pièces fondues et de fer forgé.

À cette extrémité se dressait une autre demeure, grande également, quoique plus modeste que la première.

— La maison de M. Travis. Il n'y sera sûrement pas à cette heure-ci. Il doit être à l'atelier.

Ils rebroussèrent chemin. Elle le conduisit vers un bâtiment peu élevé, pourvu de rares fenêtres. Ils ne croisèrent personne. Aucune fumée ne s'élevait de la cheminée.

Six hommes œuvraient à l'intérieur, équipés d'alésoirs ; ils fixaient des tubes en acier sur la machine qui en dévorait la partie interne. Lorsque Verity apparut dans la salle, les ouvriers suspendirent leur travail. Le silence et la méfiance firent bientôt place au plus vif étonnement.

— Monsieur Travis ! cria un vieillard. La fille du patron est là. On la croyait morte, mais elle ressemble pas à un fantôme.

Une porte s'ouvrit, laissant apparaître une autre salle, où trônait une longue table couverte de morceaux de fer et d'acier, et emplie de tours plus petits. Le nez chaussé de lunettes, M. Travis jaugea les nouveaux arrivants. Puis il ôta ses bésicles et les fixa plus longuement.

C'était un homme robuste aux cheveux poivre et sel virant au blanc. Son visage rougeaud était aussi dur que l'acier. Le sourire qui le fendit l'adoucit pourtant et, l'espace d'un instant, Hawkeswell crut que le gaillard allait fondre en larmes.

— C'est impossible, Isaiah. Ça ne peut pas être Mlle Thompson. C'est une vraie lady que voici ! Une lady qui s'est trompée d'adresse.

— Si, c'est bien moi, monsieur Travis, répliqua Verity, jouant son jeu.

Travis s'approcha sans la quitter des yeux, les sourcils froncés. Une fois devant elle, il se pencha pour voir sous le bord de son chapeau.

— Sapristi ! C'est vrai, c'est bien elle. Le temps l'a transformée en femme, une femme qui s'est ensuite métamorphosée en lady !

Verity le serra fort dans ses bras, avant de lui présenter Hawkeswell.

— J'aimerais faire le tour de la fonderie avec vous, monsieur Travis, mais je ne voudrais pas perturber votre travail.

— Vu qu'il n'y a personne ici pour vous l'interdire, ce n'est pas moi qui vais vous en empêcher, répondit-il. Prenez tout le temps nécessaire parce que, une fois que votre cousin sera de retour, il ne vous laissera pas revisiter les lieux.

Il les conduisit dans la salle voisine, prenant soin de refermer la porte derrière eux. Hawkeswell examina les morceaux d'acier répandus sur la surface de travail, ainsi que des alésoirs. Ce devait être ici même que perdurait le secret. Les machines étaient pourvues de tiges confectionnées dans l'antre de cette pièce par Travis.

— Je vous ai écrit une lettre dans laquelle je vous disais que j'étais saine et sauve, monsieur Travis. Vous ne l'avez pas reçue ?

— Si, et elle m'a énormément réjoui et soulagé. J'avais porté votre deuil, alors ça m'a beaucoup troublé.

— Au point de ne pas répondre à ma lettre ?

— La nouvelle est parvenue aux oreilles de votre cousin. Il est venu me trouver pour m'interdire de vous répondre, sous peine de renvoi, même si cela aurait signifié la fin de l'usine. Il m'a dit que ce serait de ma faute si tous ces gens perdaient leur travail. Il sera furieux d'apprendre que nous nous sommes parlé.

Il attrapa deux chaises suspendues au mur et les posa par terre.

Verity s'assit. Hawkeswell préféra rester debout.

— Eh bien, profitons de son absence pour bavarder. Nous avons beaucoup de choses à nous dire, monsieur Travis. D'abord, j'aimerais savoir si vous avez des nouvelles de Katy. Je lui ai aussi écrit, dès que... dès que j'ai été en mesure de le faire, dit-elle après avoir consulté Hawkeswell du regard. Cependant, j'ai adressé la lettre au pasteur. Et je sais désormais qu'il est parti.

— Pour être parti, il est parti ! Il a perdu son poste. Remplacé par un parent de Mme Thompson. M. Thompson pensait que l'ancien pasteur profitait de sa chaire pour semer la discorde. Autrement dit, il faisait plus souvent l'éloge de votre père que de lui.

— Et Katy ?

— Elle n'est pas loin, mais elle a déménagé. Elle vit désormais de la charité de la paroisse. Dans un cottage près du canal.

Ils parlèrent ensuite de l'usine. Hawkeswell écoutait, tout en examinant les machines dont Travis se servait dans cette salle.

Le forgeron évoqua les troubles survenus l'hiver précédent. Selon lui, Bertram avait géré la situation d'une main de fer. Il décrivit les doléances des ouvriers qui souffraient d'une diminution des salaires. À présent que la guerre était finie, on ne commandait plus ni mousquets ni canons.

Verity prit congé, non sans lui promettre de revenir très bientôt. Une fois sortie, elle fit part de son inquiétude à son mari.

— Je me suis toujours doutée que Bertram n'était pas à la hauteur de l'héritage de mon père. Du jour où il est devenu mon tuteur, il m'a interdit de descendre à l'atelier. Je n'avais pas parlé seule à seul avec M. Travis depuis des années. D'ailleurs, je suis sûre qu'il a encore beaucoup de choses à me révéler.

— En tête à tête, vous voulez dire.

— Ne le prenez pas personnellement. Il ne vous connaît pas. Il ignore dans quel camp vous êtes.

— Autrement dit, il craint que je ne sois de mèche avec Bertram.

Comment en vouloir à M. Travis ? songea-t-il. Sa propre femme se méfiait de lui.

— Vous êtes un comte. Il ne parlera pas librement en votre présence. La Chambre des lords n'a pas vraiment épousé la cause de ces pauvres gens.

Elle descendit l'allée d'un pas déterminé.

— Maintenant, je dois trouver Katy.

17

Le cottage situé près de l'écluse était en réalité une vieille cahute de pierre et de chaume, que seuls des volets protégeaient du froid extérieur, et devant lequel, dans la terre rocailleuse, on cultivait un potager.

Verity eut le cœur fendu en découvrant la chaumière. Quoiqu'elle eût tout donné pour retrouver Katy, elle en arrivait presque à espérer qu'on leur ait indiqué une mauvaise adresse.

Hawkeswell descendit le premier du carrosse. Elle lui passa le panier de nourriture acheté à Oldbury. À son tour, elle quitta le véhicule, aidé par son mari.

— Je vais vous attendre dehors, annonça-t-il.

Elle s'était justement demandé comment aborder le sujet. Elle fut touchée de constater sa délicatesse. Il comprenait qu'elle ait envie de passer du temps seule avec Katy. Non seulement elle comptait discuter de choses qui ne le concernaient pas, mais elle souhaitait également pouvoir se livrer à ses émotions en privé.

— Il se peut que cela dure un petit moment. Vous préférerez peut-être prendre le carrosse et revenir plus tard ?

— Je vais aller voir ce qui se passe à l'écluse. Si j'ai besoin de la voiture, je vous le ferai savoir.

Elle avança jusqu'à l'entrée du cottage avec le panier. Lorsqu'elle toqua à la porte, des bruits de pas résonnèrent sur le plancher. La porte s'ouvrit, laissant apparaître Katy. Elle avait maigri, ses cheveux avaient blanchi, mais son visage n'avait pas changé.

En découvrant sur le seuil cette élégante lady, la femme fronça les sourcils, tout en penchant la tête pour examiner le carrosse garé devant chez elle.

— C'est moi, Katy. C'est Verity.

Katy agrippa l'encadrement de la porte. Ses yeux étincelèrent et s'emplirent de larmes. Elle la prit dans ses bras et la serra longuement, d'une manière si chaleureuse et familière que Verity aussi se mit à pleurer.

— Mon enfant, fit Katy d'une voix douce, brisée.

— C'est ton mari dehors ? demanda Katy, assise sur un tabouret.

Elle avait insisté pour que Verity s'installe sur l'unique chaise de la pièce.

— C'est un fort bel homme, ajouta-t-elle.

— Ce n'est pas faux.

Trop beau, peut-être, songea-t-elle. C'était sa beauté qui l'avait perdue. Conjugué à son titre, son physique lui donnait une très grande confiance en lui.

— Il est très gentil, précisa-t-elle.

En toute franchise, il pouvait effectivement faire preuve d'une extrême gentillesse.

— Il m'a accompagnée ici pour que je puisse te rassurer.

— Je ne pensais jamais te revoir. J'avais perdu espoir. C'est un miracle ! S'il est gentil, pourquoi t'es-tu enfuie, mon enfant ?

C'était du Katy tout craché. Elle avait deviné qu'elle s'était enfuie. Même si autrefois, lorsqu'elle s'enfuyait, c'était pour se réfugier dans les bras de Katy.

L'étreinte qu'elles avaient échangée sur le pas de la porte lui avait rappelé pourquoi c'était vers elle qu'elle courait. Ces bras avaient réconforté une enfant qui avait perdu sa mère, puis son père quelques années plus tard. Parfois, quand la gouvernante la grondait trop fort, ou quand Nancy la corrigeait, elle s'éclipsait tout en sachant qu'elle en paierait ensuite le prix, et dévalait la colline jusqu'au cottage de Katy en quête de réconfort.

Durant ces deux dernières années, le parfum et la douceur de cette femme ne l'avaient pas quittée. À présent qu'elle était assise dans cette maisonnette délabrée, elle avait le sentiment de redevenir elle-même.

Néanmoins, il était hors de question de l'effrayer en lui révélant les menaces proférées par Bertram.

— Si je me suis enfuie, c'est parce qu'on m'avait plus ou moins contrainte à ce mariage.

Alors elle lui expliqua son projet, l'espoir qu'elle avait nourri de s'émanciper à sa majorité pour revenir et mettre Bertram à la porte.

— C'était le projet d'une enfant, fit Katy. Tu es bien la fille de ton père ! On reconnaît là sa manière de penser. Mais c'était tout de même le rêve d'une enfant qui connaissait peu de chose de la vie. Cependant, tu es de retour parmi nous, et si ce lord te traite bien, tu ferais mieux d'accepter ce mariage une fois pour toutes. Au moins, il te protégera.

— J'ai mûri. Et je me sens beaucoup mieux maintenant que je t'ai retrouvée, déclara Verity en se penchant pour la prendre de nouveau dans ses bras. Et Michael ? Comment va-t-il ?

Katy ferma les paupières. Le cœur de Verity se fendit.

— Il est parti juste avant ton mariage. Au début, je n'ai pas voulu imaginer le pire. Après tout, ce n'était pas la première fois qu'il disparaissait, comme tu le sais…

— Où est-il allé ?

Katy secoua lentement la tête.

— Je l'ignore. Il m'arrivait parfois de rêver de vous deux. Vous étiez ensemble, comme quand vous étiez petits. Te croyant morte, je craignais que le rêve ne signifie qu'il était mort, lui aussi.

Elle se tamponna les yeux tout en se forçant à sourire.

— Mais puisque tu es en vie, peut-être l'est-il également ?

— Aurait-il pu se faire arrêter ? Il ne mâchait pas ses mots, Katy. Il a pu se retrouver mêlé à une affaire, et on l'aura envoyé en prison.

— En tout cas, ça ne s'est pas passé ni dans le Shropshire, ni dans le Staffordshire. S'il avait été présenté au tribunal, on me l'aurait dit. M. Travis l'aurait su.

Verity prit la main de Katy dans la sienne.

— Je vais découvrir ce qui lui est arrivé, Katy, même si les nouvelles ne sont pas bonnes. Tu n'attendras plus en vain, je t'en fais la promesse.

Elle balaya les lieux du regard. C'était une petite pièce sombre avec deux minuscules fenêtres.

— Ce doit être désagréable par temps de pluie. Et en hiver.

— J'ai déjà la chance d'avoir un toit au-dessus de ma tête. Après le départ de Michael, on m'a obligée à quitter la maison de fonction.

Ce qui n'était pas censé se produire. D'après l'accord qu'elle avait conclu avec Bertram, Katy aurait dû rester chez elle. Cela démontrait une fois encore la perfidie de son cousin. Verity fulminait.

— Je vais veiller à ce que tu sois plus confortablement installée.

Elle allait préciser sa pensée lorsqu'elle se souvint que la décision ne lui revenait plus. Auparavant, elle devrait demander la permission à Hawkeswell.

Elle se leva et s'approcha de la petite table où reposait le panier.

— Je t'ai apporté des petites choses pour plus tard, et d'autres pour maintenant.

Elle déballa un pâté en croûte et un morceau de fromage.

— Partageons cela, pendant que tu me donnes des nouvelles de mes voisins. Mais seulement les bonnes, Katy. On m'a déjà appris les mauvaises.

Hawkeswell observait la péniche passer l'écluse. Bloquée entre deux portes puissantes, elle s'élevait à mesure que l'eau s'engouffrait dans le sas par la vanne. Les monceaux de charbon dont elle était chargée ne pouvaient rien contre les forces de la nature ; son pont continua son élévation jusqu'à dépasser le niveau de la porte en aval ; puis la porte s'ouvrit lentement, et la péniche s'éloigna.

Devant, le canal de Birmingham formait un coude, le premier d'une longue série entre Wolverhampton et Birmingham. Et malgré ce tracé sinueux, le canal rencontrait parfois quelques collines incontournables. Aussi avait-on installé des moteurs à vapeur pour pomper l'eau et assurer le passage à ces endroits-là.

Le Parlement était assailli de projets de loi concernant les canaux, lancés par des hommes qui, avides d'argent, cherchaient à obtenir l'autorisation de creuser des cours d'eau. Aussi Hawkeswell était-il mieux renseigné sur les canaux que la plupart des gens. Par exemple, il savait que ce passage-là était étroit et compliqué en raison des méandres capricieux du canal. Toutefois, il évitait aux hommes d'avoir à transporter le charbon par voie de terre.

Tout en regagnant la voiture, il vérifia l'heure sur sa montre de gousset. Verity voudrait sans doute passer plus de temps avec Katy.

En assistant à leurs retrouvailles, aux embrassades et aux larmes qu'elles avaient suscitées, il avait compris que Verity n'avait pas exagéré. Katy était comme sa mère.

Les lieux lui parurent assez paisibles. Il décida finalement de prendre la voiture, et il envoya le cocher avertir Verity qu'il repasserait la chercher deux heures plus tard.

Losford Hall se dressait sur une colline, au bout d'une allée serpentant à travers bois. Dans le carrosse, Hawkeswell trouva la propriété charmante, quoique empreinte de mystère. Ce qui semblait plutôt approprié au nouveau propriétaire des lieux, songea-t-il.

Jonathan Albrighton le reçut dans une bibliothèque truffée de livres et de journaux, mêlés aux recueils reliés que l'on trouve d'ordinaire dans les propriétés de campagne.

— J'espérais bien que tu me rendrais visite, lança Albrighton.

Il paraissait plus maigre que dans ses souvenirs, mais son maintien trahissait le même mélange de déférence et d'arrogance. Ses cheveux étaient ramenés en une queue-de-cheval démodée. Son regard noir et sa contenance inspiraient la confiance. Toutefois, comme Hawkeswell l'avait appris, ces yeux recelaient un secret que jamais personne n'arriverait à percer.

— Tu savais donc que j'étais dans la région, répondit-il. Les nouvelles vont vite dans le coin, n'est-ce pas ? Et toi qui es juge de paix, tu dois être le premier au courant.

— Cela n'a fait que confirmer mes soupçons. Je me doutais que tu finirais par venir estimer l'héritage de ta femme.

Ils s'étaient installés dans de confortables bergères, le genre de fauteuils où l'on pouvait s'asseoir et lire pendant des heures. C'était sans doute ce que son ami faisait. À l'université, Albrighton avait été un étudiant très studieux ; tout le monde s'attendait à ce qu'il embrasse la carrière de professeur. Mais il avait choisi de mener une vie de nomade, voyageant de par le monde sans jamais se poser, y compris à Londres où la durée de ses séjours était toujours incertaine.

Si l'on ajoutait à cela des revenus d'origine douteuse, on pouvait imaginer qu'Albrighton se livrait à des activités frauduleuses, peut-être même pour le compte du gouvernement. Du moins était-ce l'avis que partageaient Hawkeswell, Summerhays et Castleford.

— À ce que je vois, tu es devenu un gentleman de campagne, fit remarquer Hawkeswell en admirant la bibliothèque. Quoique cela sied à ta curiosité intellectuelle, je ne t'imagine pas confiné ici trop longtemps. En même temps, ta fonction de juge de paix te donne l'occasion de mettre en pratique cette curiosité.

— Cette nomination est tombée de manière très inattendue. Mais je fais mon possible pour remplir ma fonction au mieux.

— Je n'en doute pas. Tu as l'intention de l'assumer pendant un bout de temps ? Tu as finalement prévu de rester en Angleterre ?

— Cela reste à voir, répliqua Albrighton, un sourire mystérieux aux lèvres.

Son regard fascinait les autres, sans jamais rien dévoiler.

— Depuis mon arrivée, on m'a rebattu les oreilles avec des histoires de mouvements séditieux présents dans la région, expliqua Hawkeswell. Ma tante est persuadée que la révolution menace. Elle m'a rapporté une anecdote insensée : Cleobury aurait acheté des canons. Pourtant, jusque-là, je n'ai rien vu qui corrobore ses craintes.

— On ne peut pas empêcher les gens de parler. La peur est partout, sans être forcément justifiée. Quant à Cleobury, eh bien, disons qu'il n'est pas toujours très fin.

— Beaucoup pensent que le ministère de l'Intérieur jette de l'huile sur le feu au lieu de calmer les agitateurs. Que c'est même le ministre de l'Intérieur, lord Sidmouth, qui aurait envoyé des agents provocateurs dans la région pour semer le trouble. Aurais-tu par hasard entendu parler de quoi que ce soit ?

Albrighton le regarda avec une pointe d'amusement, les lèvres légèrement incurvées.

— Et moi qui croyais qu'il s'agissait d'une visite de courtoisie. Sont-ce les pairs du royaume qui t'ont envoyé dans le Nord pour enquêter sur les rumeurs ? Si oui, je ne peux rien pour toi. Je n'ai rencontré aucun agent provocateur, si tant est qu'il y en ait.

— Personne ne m'a envoyé. Je suis simplement curieux.

Il était surtout curieux de savoir ce qu'Albrighton trafiquait dans la région. Certes, à présent que la guerre était finie, le marché de l'espionnage avait chuté – de même que celui du fer. Et si ses services n'étaient plus requis, il fallait bien qu'il se pose quelque part.

Hawkeswell se leva pour s'approcher de la fenêtre. Elle donnait sur un petit jardin.

— Cela fait longtemps que tu es rentré en Angleterre ? Personne à Londres ne semble au courant.

— Un an, peut-être. J'ai fait une halte éclair à Londres. Je n'ai pas eu le temps de passer voir les vieux amis.

De toute façon, il ne faisait sans doute pas partie des amis à qui Albrighton aurait rendu visite. Dans le fond, qui en faisait vraiment partie ?

— C'est un beau domaine. Tu en as hérité ?

— Merci. En effet, c'est un beau domaine.

Hawkeswell éclata de rire.

— Tu tiens à tes secrets, n'est-ce pas ?

— Je préfère appeler cela mon intimité.

— Je doute que Cleobury te permette d'avoir beaucoup d'intimité. J'ai cru comprendre que vous vous étiez liés d'amitié.

— Je ne décrirais pas lord Cleobury comme un ami.

Hawkeswell fit volte-face.

— Qu'est-ce que tu fiches ici ? Ce n'est sûrement pas l'air de la campagne qui t'aura attiré.

— Tu voudrais que je te mente, Hawkeswell ? Que je te raconte une jolie petite histoire pour calmer tes soupçons ? Je peux le faire, si tu insistes. Mais je préférerais ne pas avoir à mentir. Nous nous connaissons depuis trop longtemps, et nous avons autrefois partagé de bons moments. Tu mérites mieux.

Ils avaient aussi connu de mauvaises passes, avec Summerhays et Castleford. Or, dans les bons moments comme dans les mauvais, Albrighton s'était toujours tenu à l'écart. On savait peu de chose sur lui. Il appelait cela son intimité.

Hawkeswell regagna son fauteuil.

— Non, ne me raconte pas d'histoires. Parle-moi de Paris, à la place. Tu as dû t'y rendre plus récemment que moi.

— Vous n'avez pas prévu d'autre visite aujourd'hui ? demanda Hawkeswell lorsque Verity sortit de la chaumière de Katy.

— Non, répondit-elle en grimpant dans la voiture, suivie de son mari. Qu'avez-vous fait pour vous occuper ?

— Je suis allé faire un petit tour dans la campagne.

Verity l'observa d'un air songeur. À sa grande surprise, elle quitta la banquette opposée pour venir s'asseoir près de lui. Il glissa son bras autour de sa taille.

210

— Mon cousin sera là dans un jour ou deux. Évidemment, la nouvelle s'est répandue comme une traînée de poudre.

— Je ne peux pas dire que cela me surprenne. Je ne m'attendais pas à ce qu'ils flânent à Londres après votre départ.

— J'ai l'intention de lui parler de Katy. Mais il niera tout en bloc. Il se défendra de m'avoir promis quoi que ce soit.

Elle se blottit contre lui, puis, d'un mouvement maladroit, elle se tourna et parvint à se percher sur ses genoux. Elle l'embrassa alors sans ménagement. Il fut ravi de constater la hardiesse de sa femme.

— Vous êtes sûre que ce soit vraiment l'heure et l'endroit ? demanda-t-il lorsqu'elle détacha les lèvres de sa bouche.

— Sûre et certaine, répondit-elle, le souffle court.

La chaleur de sa voix aiguisa son excitation.

Elle l'embrassa encore pour le lui prouver.

Enfiévré, il plaça les pieds de Verity sur le plancher de la cabine. Elle se courba au-dessus de lui tout en se tenant au dossier de la banquette. D'une main, il lui prit le visage et y planta un baiser féroce, tandis que de l'autre, il retroussait sa robe et sa chemise.

— Tenez vos jupes.

Elle rassembla l'étoffe sur son bras et la plaqua contre sa poitrine. Sous ces volutes de tissu, la peau était nue, jusqu'à ses jarretières. Elle resta penchée sur lui, le postérieur dressé tandis que le carrosse tressautait et qu'elle cherchait l'équilibre. Alors elle cambra les reins et écarta les cuisses.

C'était pour lui une position extrêmement érotique. Il imagina la vision qu'elle offrait de dos et faillit perdre contenance. Il mourait d'envie de la retourner et de la prendre sans autre cérémonie.

Pas maintenant. Pas ici. Il releva la tête, l'embrassa, et flatta les boucles humides de sa féminité. Puis il intensifia ses caresses jusqu'à ce que les gémissements de Verity trahissent son impatience. Il la titillait sans répit, excitant doucement la chair sensible pour lui arracher de petits cris.

Il la replaça sur ses genoux, face à lui, les jambes repliées sous elle. Il s'insinua en elle d'un mouvement vif, plus brusque que prévu. Elle laissa échapper un halètement.

S'immobilisant, il attendit que son corps l'accepte. Jamais il n'avait eu autant de mal à maîtriser ses pulsions. Il serra les dents tandis que son fourreau de chair enveloppait son membre érigé. Alors, il prit ses fesses à pleines mains, pour guider ses mouvements. Et il s'abandonna au plaisir.

Blottie contre lui, la tête contre son torse, elle ne cherchait pas à bouger. Il crut qu'elle dormait. Il la garda contre lui en l'enlaçant.

Puis, d'un geste très délicat, il la secoua. Ils allaient arriver. Elle se redressa, prenant soudain conscience de sa tenue débraillée. S'écartant de lui, elle fit dégringoler sa chemise et sa robe. Ils se hâtèrent de se rendre présentables.

— C'était plutôt indécent, remarqua-t-elle.

— Pas autant que ce que j'avais envie de vous faire.

Elle pesa ces paroles, tentant sans doute de deviner ce qu'il aurait pu lui faire d'autre.

— Ne vous triturez pas les méninges, Verity. Je vous montrerai un jour.

Une minute s'écoula avant qu'elle n'ouvre de nouveau la bouche.

— Je suis très chagrinée de constater la précarité à laquelle est réduite Katy. Cet endroit est insalubre. Elle risque des problèmes de santé. Sans compter que la paroisse lui donne à peine assez pour se nourrir.

— C'est très triste, en effet, répliqua-t-il avec compassion.

— J'aimerais l'envoyer vivre dans le Surrey, à Greenlay Park. Il y a sûrement un cottage de libre, ou bien elle pourrait assister le cuisinier ou la gouvernante. J'aurais suggéré que nous l'emmenions à Londres avec nous, mais elle n'a jamais vécu en ville et elle y serait sans doute malheureuse.

— Il vaudrait mieux pour elle qu'elle vive dans le Surrey.

— Merci. C'est très important pour moi.

Elle partait donc du principe qu'il avait déjà donné son accord. Elle parut satisfaite.

— Verity, auriez-vous usé de vos charmes pour obtenir mon consentement ?

— Ce matin, vous avez insinué qu'avec des baisers, on pouvait facilement vous influencer.

Il lui aurait donné son accord de toute façon. Toute cette mise en scène n'était pas nécessaire. Après avoir assisté à leurs retrouvailles, entendu cette femme appeler Verity son enfant, comment aurait-il pu refuser ? Inutile de recourir à ces ruses.

Mais il se garda évidemment de le lui dire.

18

— J'ai entendu dire que les Thompson étaient de retour, annonça Mme Geraldson deux jours plus tard. Tu vas vouloir leur rendre visite, Colleen. Peut-être que vous aussi, lady Hawkeswell ?

— Nous pouvons y aller toutes les deux en cabriolet, suggéra Colleen. Je manie bien les rênes, Verity, et la jument d'Hermione est très docile.

— Ma femme s'est plainte de maux de tête ce matin, intervint Hawkeswell. Du reste, il n'est pas prudent de vous aventurer si loin sans escorte. Je t'accompagnerai, Colleen. De toute façon, j'ai deux ou trois choses à régler à l'usine.

Verity lui fut reconnaissante d'avoir menti à sa place. Il savait qu'elle n'avait pas la moindre envie de revoir son cousin, encore moins avec Colleen sur les bras.

Une heure plus tard, les rênes en main, il était en route pour Oldbury en compagnie de Colleen.

— Tu dois convaincre Verity de prendre un peu plus soin de sa santé, dit celle-ci. Aujourd'hui, elle était debout aux aurores pour aller se promener dans le jardin, encore humide de la rosée du matin. Elle ne portait même pas de châle.

Il ignorait qu'elle s'était levée de si bonne heure.

— Ne t'en fais pas, elle n'est pas en sucre. Par contre, ce séjour dans la région semble beaucoup la perturber.

— C'est sans doute parce qu'elle se rend compte qu'elle aura du mal à s'intégrer à la haute société. Elle ne s'y sentira peut-être jamais à sa place. Surtout si elle conserve des liens si forts avec Oldbury. Je sais que ce ne sont pas mes affaires, mais si tu veux mon avis, cette visite devrait être sa dernière. Rien ne l'empêchera de voir les Thompson à Londres, quand ils descendront.

— En effet, ce ne sont pas tes affaires.

Colleen se raidit. Il regretta aussitôt son manque de tact et lui pressa gentiment la main.

— Tu as raison, concéda-t-elle. Pardonne-moi. J'ai tendance à me mêler de ce qui ne me regarde pas.

— Pas du tout. Seulement, il est facile de donner des conseils mais pas toujours de les suivre.

Son conseil était avisé et bien intentionné. Ce séjour faisait prendre conscience à Verity qu'elle avait épousé un homme appartenant à un autre monde que le sien. Les proches de sa femme le fuyaient. C'était on ne peut plus clair. Or, elle appréhendait – à juste titre – que son entourage à lui ne réagisse avec la même réticence envers elle.

Il déposa Colleen chez les Thompson, en prenant soin de ne pas s'y attarder. Mme Thompson exprima son désarroi, espérant le revoir bientôt.

Le carrosse le déposa ensuite au pied de la colline. Il se présenta à l'atelier de M. Travis, qui le reçut avec une réserve évidente. Celui-ci insista d'ailleurs pour qu'ils aillent discuter chez lui.

C'est ainsi qu'il fit la connaissance de Mme Travis, une petite femme affable au visage rebondi. Après leur avoir porté une bière dans le salon, elle s'éclipsa.

— Mon épouse a une confiance inébranlable en vous. C'est pourquoi j'ai préféré venir vous voir, plutôt que M. Thompson.

Travis ne manifesta pas la moindre réaction.

— D'après Verity, vous êtes les deux seuls à connaître le secret de Joshua, enchaîna Hawkeswell.

— Ce sont les tiges utilisées pour percer qui font toute la différence, milord. Elles sont composées d'acier et non pas de fer. Les ouvriers de l'atelier emploient ces tiges, mais je les place moi-même sur les machines, et je les récupère à la fin de la journée.

— M. Thompson ne pourrait-il pas tout simplement en subtiliser une ?

— Sans doute. Mais il faudrait d'abord qu'il me passe sur le corps. Et quand bien même ? Que ferait-il avec ? Il l'apporterait à un autre ingénieur pour qu'il fasse des répliques ? Le secret serait éventé et il signerait sa propre ruine. Du coup, il n'a aucun intérêt à le faire.

— Cela lui permettrait de se débarrasser de vous, suggéra Hawkeswell.

Travis éclata de rire.

— Certains jours, il aimerait bien ! Mais sans nos ouvrages spéciaux, l'usine mettrait la clé sous la porte. La demande en pièces fondues est quasiment nulle, de nos jours. Il a tout intérêt à ce que l'affaire continue de tourner – du moins pendant quelques années encore. Le monde est en pleine transformation, lord Hawkeswell. Et ça ne se fera pas sans le fer.

— En attendant, la fabrique tourne au ralenti, j'imagine ?

— Disons que vous ne devriez pas baser votre train de vie sur les revenus d'il y a dix ans. Je suis sûr que l'ancien M. Thompson aurait surmonté la crise, mais le nouveau patron ne prend pas les mesures nécessaires. Il descend souvent à Londres, vous ne trouvez pas ? La fonderie est ici, dans le Nord. Pas là-bas. Il ferait mieux d'aller à Manchester ou Leeds pour y souper avec d'autres industriels, au lieu de flirter avec des comtes.

— Parlez-moi de l'ancien M. Thompson.

Travis avala une gorgée de bière. Hawkeswell l'imita.

— Ce n'était pas un homme commode, si vous voyez ce que je veux dire. Une façade hargneuse qui renfermait sans doute une trop grande tendresse. Comme une bonne miche de pain. Il avait un fichu caractère, ça ne fait pas de doute. Mais quand il s'agissait de travailler le fer, il n'avait pas son égal. Il comprenait le métal comme s'il était fait de la même substance.

— À vous entendre, c'était le cas.

Travis rit de bon cœur en hochant la tête.

— On respectait tous cela. En fin de compte, il était l'un des nôtres. Jusqu'au bout, il lui arrivait de descendre à l'atelier, de se débarrasser de sa veste et de se mettre à frapper le fer avec nous. On peut difficilement se retourner contre un homme qui a sué à vos côtés. C'était quelqu'un d'intègre, mais il savait que l'honnêteté est rare. C'est pourquoi il n'a jamais fait breveter son invention. Pour obtenir un brevet, il faut révéler son secret, faire des dessins. Or, brevet ou pas, dans le milieu, certains volent sans scrupules.

— Mais il vous faisait confiance, à vous.

Travis haussa les épaules.

— Il n'avait que deux bras, il ne pouvait pas tout faire à la fois : superviser les ateliers, trouver des acheteurs, fabriquer les mèches. Il fallait bien qu'il fasse confiance à quelqu'un. Je maniais correctement les machines, comme beaucoup d'autres.

— À l'exception de Bertram Thompson.

Travis ne répondit pas.

— Pourquoi a-t-il enseigné son secret à sa fille ? Elle ne connaît rien au métier du fer.

— J'imagine qu'il lui a appris avec des plans, de manière qu'elle puisse reproduire le dessin si nécessaire. Pourquoi ? Pour que ce ne soit pas à moi de décider de l'avenir de son invention. Il a transmis son secret à la génération suivante. Et, à travers elle, à un autre qui prendrait sa place, je suppose.

Son mari, autrement dit. Si Joshua Thompson n'était pas mort noyé dans le canal, il aurait lui-même marié sa fille. À un forgeron.

Verity avait vu juste, songea-t-il. Bertram l'avait vendue à un lord pour servir ses propres intérêts. Ainsi, débarrassé de tout rival potentiel, il assurait son contrôle sur l'entreprise familiale. Un lord ne risquait pas de se salir les mains dans une telle affaire. Bertram serait donc tranquille.

— Si vous deviez à votre tour transmettre le secret à un autre homme, monsieur Travis, à qui penseriez-vous ? Si Verity était un jour amenée à prendre cette décision, vers qui devrait-elle se tourner ?

Travis lâcha un soupir.

— Eh bien, voilà qui pose problème, monsieur. Il faudrait un homme à la fois intègre et compétent dans le domaine. Deux qualités peu répandues de nos jours. Je choisirais un jeune homme aux aptitudes prometteuses, un garçon en qui j'ai une totale confiance.

— Vous en connaissez un ?

— Ce n'est pas évident. Il y en avait bien un, mais il n'est plus dans la région. Michael Bowman, le fils de Katy Bowman.

Le fameux Michael pour lequel Verity se faisait du souci, songea Hawkeswell. Il n'avait pas osé l'interroger à ce sujet, redoutant sa réponse et ce qu'elle impliquerait.

À présent, il apprenait que ce Michael Bowman possédait les qualités faisant défaut à Bertram. En d'autres termes, c'était le candidat idéal à la succession de Joshua Thompson.

Ce dernier aurait voulu pour sa fille un mari tel que le fils de Katy. C'était clair, à présent. Et Verity l'avait épousé, lui, le comte de Hawkeswell, pour protéger cet homme de Bertram.

Hawkeswell regagna le cabriolet à grands pas.

Verity passa la matinée à éviter Mme Geraldson, qui manifestait pour ses migraines une inquiétude doucereuse. Elle jetait fréquemment un œil par la fenêtre pour surveiller l'allée.

Un cavalier finit par arriver au petit galop. Elle voulut aller l'accueillir, mais le valet fut plus rapide. Elle le suivit du regard tandis qu'il portait la lettre à la maîtresse de maison.

À la grande déception de celle-ci, on avait apposé un sceau sur le papier. Elle fronça les sourcils, tout en plaçant la lettre devant la fenêtre pour tenter d'en voir le contenu à contre-jour. Verity signala sa présence par un léger toussotement.

Surprise, Mme Geraldson fit brusquement volte-face. Elle eut la décence de rougir.

— Un messager vient de déposer une lettre pour vous, lady Hawkeswell.

— Si vous voulez bien m'excuser, je vais aller dans le jardin pour la lire.

Une fois dehors, elle brisa le cachet. C'était un message dicté par Katy Bowman. La note lui signalait que l'ancienne gouvernante avait bien rempli la petite mission que sa pupille lui avait confiée.

Elle regagna la maison pour faire savoir à Mme Geraldson qu'elle se sentait beaucoup mieux et qu'elle comptait aller faire un tour en carrosse.

C'est à peine s'il y avait assez de place dans la chaumière de Katy pour y faire entrer les trois hommes. L'un d'eux était d'ailleurs trop grand pour se tenir debout sans courber la tête, aussi préféra-t-il s'asseoir par terre.

Ils lui donnèrent des nouvelles de la région, le genre de nouvelles que Mme Geraldson ignorait. Deux d'entre eux travaillaient à la fonderie. Ils lui parlèrent du mécontentement ambiant. La fin de la guerre avait affecté le secteur métallurgique. Les forgerons d'Oldbury n'avaient pas été épargnés.

— C'est grâce à la méthode spéciale de votre père que la fonderie continue de tourner, dit l'un. L'usinage et le perçage. Malheureusement, M. Thompson n'est pas aussi efficace que votre père pour décrocher de nouveaux contrats. Du coup, il a renvoyé les ouvriers les plus âgés ; c'est le cas de Timothy, ici présent. Ils vivent de la charité de la paroisse, comme Katy. Mais ça ne va pas bien loin.

— L'hiver dernier, il a baissé les salaires, se plaignit un deuxième. Et on travaille dans le froid car il lésine sur le chauffage. Il préfère chauffer sa maison.

Assise dans un coin de la pièce, Katy se contentait de se balancer légèrement pour manifester son approbation. De temps à autre, Verity la questionnait du regard pour s'assurer qu'ils n'en rajoutaient pas un peu.

Katy n'avait eu aucun mal à les rassembler ; c'étaient tous d'anciens amis de Michael. Quand ils eurent donné leur avis sur la fonderie, Verity leur demanda de réparer la barrière qui encerclait le potager de Katy.

Puis elle s'éloigna de la chaumière, tout en faisant signe à Timothy de la rejoindre.

— J'ai préféré ne pas en parler devant Katy, Tim, mais j'aimerais que tu me dises si tu as eu des nouvelles de Michael.

Ses lèvres se pincèrent.

— Très peu. Et ça ne sent pas bon.

— Je t'écoute.

— Il n'avait pas la langue dans sa poche. Il ne s'est pas gêné pour dire le fond de sa pensée. Il était moins lâche que nous. Et il a rejoint d'autres types, dans les grandes villes. Il lui arrivait de monter à Liverpool, ou de se rendre à des réunions secrètes près de Shrewsbury. M. Travis a bien essayé de l'en dissuader, mais il n'en faisait qu'à sa tête, soupira-t-il en haussant les épaules. Et puis, un jour, il est parti et on ne l'a plus jamais revu.

— L'a-t-on arrêté ?

— Si c'est le cas, on n'en a pas entendu parler. Bizarre. Je vois mal comment on peut faire passer un homme devant le juge sans que ça fasse du bruit.

En effet, c'était difficile à imaginer. Mais était-ce vraiment inconcevable ?

— Y en a qui pensent qu'il est simplement parti. Qu'il a trouvé mieux ailleurs, enchaîna-t-il. On peut pas lui en vouloir. Travailler le fer, c'était son truc. C'était le meilleur d'entre nous. Il était doué, comme votre père. C'est en partie pour ça qu'il l'a pris sous son aile quand il était petit. Par contre, le nouveau patron ne le portait pas dans son cœur. Je me trompe ?

Non, Bertram détestait Michael. En revanche, son père l'avait adoré. Et pas seulement parce que Katy travaillait chez eux. Il avait appris à Michael deux ou trois tours de forgeron à l'atelier, et le jeune homme comprenait vite.

Comme par hasard, il avait disparu juste après que Bertram eut menacé de le faire déporter. Seulement, personne dans le coin n'avait entendu parler ni d'arrestation ni de procès.

Certes, Bertram aurait pu faire en sorte de le faire arrêter dans un autre comté. Mais le procès aurait attiré l'attention ; on l'aurait sans doute mentionné dans les journaux de la capitale.

Deux années durant, elle avait cherché à savoir ce qui lui était arrivé. Priant pour que Nancy ait menti. Pour que Michael soit toujours à la fonderie. Aujourd'hui, il paraissait évident que Nancy avait dit vrai. Bertram s'était bel et bien arrangé pour faire disparaître Michael.

— Il n'est pas le seul à être parti du jour au lendemain, n'est-ce pas ? demanda-t-elle. Il y en a eu d'autres.

Timothy considéra la question.

— Il y a eu Harry Pratt, de l'atelier, plus tôt dans l'année. Sa femme refuse de croire qu'il s'est enfui, mais vu qu'il y avait eu du grabuge entre M. Thompson et lui, la plupart des hommes partagent cet avis. On dit qu'il y en a eu d'autres dans le Staffordshire. Seulement, quand on voit les nouvelles lois, moi aussi je préférerais déguerpir si on m'avait à l'œil.

— J'aimerais parler avec les autres ouvriers, déclara-t-elle. Peut-être certains anciens en savent-ils un peu plus ?

Timothy secoua la tête.

— À votre place, je n'irais pas à l'usine sans escorte. Ce n'est plus comme au temps de votre père. Il y a des hommes en colère là-bas. Et ils se méfient de votre lord. D'accord, ils vous ont toujours à la bonne, mais...

Mais elle n'était plus des leurs. L'époque où elle dévalait la colline pour aller jouer avec les enfants des ouvriers était révolue. On ne lui faisait plus confiance.

Timothy détourna la tête vers la route, où quelque chose avait capté son attention. Répondant à son signal, ses amis quittèrent la barrière et le rejoignirent.

Verity pivota pour voir la cause de cette agitation. Un cavalier s'approchait au galop. Hawkeswell.

Elle s'avança à grands pas pour l'intercepter avant qu'il ne parvienne jusqu'aux hommes. Quand il immobilisa son cheval, toutefois, il avait les yeux braqués sur eux. Sa stature et sa corpulence auraient suffi à en effrayer plus d'un. Sa colère le rendait encore plus redoutable. C'était la première fois qu'elle le voyait dans une telle rage, depuis leurs retrouvailles à Cumberworth.

Finalement, il baissa le visage vers elle :

— Drôle de rendez-vous, Verity.

— J'ai demandé à Katy de les réunir ici. Il fallait que je sache ce qui se passe vraiment à la fonderie.

— Dans quel but ? D'un point de vue légal, vous n'avez pas de poids. Sans oublier que votre cousin verra d'un mauvais œil votre ingérence dans ses affaires. C'est justement parce qu'il redoutait votre intervention qu'il s'est débarrassé de vous en vous mariant.

C'était la cruelle vérité. Et il la lui avait jetée en pleine figure.

— Vous m'avez trompé, aujourd'hui, dit-il, le visage dur. J'imagine que ce n'est pas la première fois.

Sans attendre de réponse de sa part, il fit quelques mètres au petit trot jusqu'au carrosse, que le cocher avait avancé en voyant arriver son maître.

— Ramenez-la à la maison. Immédiatement.

Elle n'eut d'autre choix que de monter dans la voiture lorsque le cocher ouvrit la portière. Et quand le carrosse se mit en branle, Hawkeswell ne partit pas dans son sillage. En passant la tête par la vitre, elle vit son mari se diriger vers le groupe de Timothy.

19

Lorsque Verity parvint chez Mme Geraldson, l'après-midi touchait à sa fin. Colleen et sa tante étaient parties rendre visite à un voisin.

Hawkeswell leur avait-il demandé de vider les lieux pour le laisser s'expliquer avec son épouse fugitive en toute intimité ? Ou bien était-ce Colleen qui, comprenant son humeur et pressentant une scène terrible, avait eu l'heureuse idée d'éloigner la maîtresse de maison ?

Verity monta dans sa chambre, ôta son chapeau, et s'installa dans un fauteuil. Il n'allait pas tarder à arriver. Quoi qu'il eût à dire au trio d'ouvriers – et il n'allait sans doute pas leur conter fleurette –, il n'en aurait pas pour longtemps.

Pleine d'appréhension, elle éprouva un serrement au cœur. L'angoisse la saisit. Dans sa tête, une petite voix docile lui conseilla d'implorer le pardon de son époux.

En quelques minutes, elle redevint la fillette esseulée qu'elle avait été, terrifiée à l'idée de recevoir une correction. Des sensations, des bruits et des images de son passé surgirent dans son esprit, l'empêchant de se calmer. Elle tenta de les chasser en se repliant aux confins de son être, où elle pouvait s'abandonner à ses émotions.

Les piaffements d'un cheval retentirent. La voix du cavalier lui tordit l'estomac. En entendant le bruit de ses pas dans le hall, le sang martela ses tempes.

Il était irascible. Et même s'il prétendait contrôler ses sautes d'humeur, rien ne l'empêcherait de lâcher ses nerfs sur elle. Du reste, il en avait légalement le droit.

Sous le coup de la colère, les hommes étaient parfois capables des pires cruautés.

Quand les bruits de pas parvinrent à sa porte, elle tenta de rassembler son courage. Mais, au lieu de cela, elle se mit à trembler comme une feuille. Enfin, la colère gagna son âme révoltée.

Elle s'excuserait si besoin était, mais elle ne l'implorerait pas. Cette vie, elle ne l'avait pas choisie. Plutôt mourir que de redevenir l'enfant brisée d'autrefois.

Hawkeswell s'apprêtait à affronter une grosse dispute en ouvrant la porte de la chambre. Il avait beaucoup de choses à lui dire, et il avait bien l'intention de vider son sac sans plus attendre !

Seulement, il s'était préparé à tout sauf à ce qui l'attendait derrière cette porte.

Assise dans un fauteuil, le regard résolument fixé au sol, Verity paraissait calme. Déterminée. Cette attitude l'irrita au plus haut point.

Elle finit par lever les yeux. Leur expression le stupéfia.

Il y lut de la résolution. De la révolte. Mais également un soupçon de résignation. Et de crainte. Une crainte qui, quoique dissimulée sous le reste, était palpable.

C'était *lui* qu'elle redoutait, comprit-il. Elle craignait qu'il ne passât sa rage sur elle. Cette pensée le choqua. C'était comme une injure. Jamais il ne lui avait donné de motifs de le craindre.

Une idée l'effleura. Qui gonfla sa colère. Seulement, ce n'était pas dirigé contre elle.

Il y songerait plus tard. Pour l'heure, il voulait la rassurer, tout en gardant ses distances pour ne pas l'alarmer.

— J'espère que c'est la dernière fois que vous vous moquez de moi, Verity.

— Ils n'auraient jamais accepté de me rencontrer si vous m'aviez accompagnée.

— Je m'en contrefiche ! Comme je vous l'ai dit, vous n'êtes plus leur patronne. Vous ne valez plus rien à leurs yeux !

Elle baissa la tête.

— L'histoire aurait dû être différente.

— En effet. Vous étiez censée épouser l'un d'entre eux. C'est pour cette raison que le secret vous a été transmis.

— Non, pas forcément l'un d'entre eux. En revanche, c'est vrai, mon père s'attendait à ce que mon futur mari reprenne en main l'affaire.

— A-t-il décrété que ce devrait être ce Michael pour lequel vous semblez si inquiète ? dit-il d'une voix chancelante.

Aussi irrité fût-il, il attendit la réponse avec une étrange appréhension.

— À la mort de mon père, Michael et moi n'étions encore que des enfants. C'est surtout pour Katy que je m'inquiète. Et si j'ai demandé des nouvelles de son fils, c'est parce que je pense que mon cousin lui a fait du mal.

— Vous ne me dites pas tout. J'exige de connaître la vérité. Avez-vous… ?

— Et si je le jurais, me croiriez-vous ?

— Bon sang ! Je n'ai pas d'autre choix. Il faudra que je m'en contente.

Il tenta une approche différente.

— Lorsque Katy vous a ouvert la porte, elle a d'abord paru choquée, puis chagrinée.

— Non. Elle a peut-être versé des larmes, mais elle n'était pas triste.

— J'ai vu son visage quand elle vous a étreinte. Vous ne pouviez pas le voir. « Mon enfant », disait-elle... J'ai cru tout d'abord qu'elle s'adressait à vous, mais en y repensant, j'ai compris mon erreur.

— À qui d'autre...

— Son fils. Son enfant. Elle pensait qu'il s'était enfui avec vous, Verity. Elle n'a jamais cru à votre mort. Elle vous croyait quelque part avec son fils. En vous revoyant, elle a découvert qu'elle s'était trompée. Son inquiétude et son chagrin n'ont pas pris fin quand elle a ouvert cette porte. Ils ont commencé.

Il vit qu'elle se repassait à son tour la scène dans la tête.

— Vous aussi, vous pensiez qu'il vous rejoindrait, Verity ?

Une nouvelle bouffée d'appréhension le saisit. Une sorte de désespoir. Il détestait cette sensation et la faiblesse qu'elle trahissait. Aussi se réfugia-t-il derrière la colère.

— Depuis votre découverte, je me suis posé la question. Était-ce pour en rejoindre un autre que vous aviez fui ? À présent, vous vous faites tant de souci pour lui. Vous l'attendiez ! Que puis-je conclure d'autre ? Comme il ne vous a pas rejointe, vous êtes persuadée que quelque chose lui est arrivé.

— Ce n'est pas du tout ce que vous croyez. Michael et moi, c'est différent.

— Vraiment ? Lorsque vous alliez vous réfugier chez Katy, vous le retrouviez lui aussi. Votre ami d'enfance est devenu peu à peu votre amoureux.

Un autre détail lui revint en mémoire. Il fulmina.

— Ce premier baiser. Bon sang ! C'était lui, n'est-ce pas ?

Elle eut beau détourner le regard, ses joues s'enflammèrent. Il avait donc vu juste ! La désillusion se joignit à la rage.

Elle avait aimé ce jeune homme. Elle l'aimait toujours, corrigea-t-il. Elle avait pensé l'épouser un jour. Or, elle avait dû se contraindre à un autre mariage pour le sauver, et s'était ensuite enfuie pour être avec lui. Son mariage, son titre, son époux... tout cela constituait une vie dont elle n'avait jamais voulu. À laquelle elle ne se résignerait jamais. Car ce n'était pas *sa destinée*.

Il se détourna, s'imprégnant de cette révélation. Il rit de sa propre naïveté. Sacristi ! Elle l'avait pourtant prévenu. Elle lui avait quasiment tout expliqué, point par point, tout en lui offrant la possibilité de se libérer d'elle. Alors, pourquoi cette... déconvenue ? ce sentiment de perte ? Après tout, rien de cela n'avait réellement d'importance.

— Je ne me suis pas enfuie pour le rejoindre. Nous n'avions pas conclu de pacte, je vous le jure. Sur la mémoire de mon père. Je suis partie pour les raisons que je vous ai données. Si je me suis souciée du sort de Michael, c'est parce que Bertram avait menacé de lui faire du mal. Il faut que je sache ce qu'il est devenu.

— Alors, vous m'avez épousé pour protéger cet homme ?

— Il s'agit du fils du Katy. Il est toute sa famille. Je le connais depuis toujours. Oui, j'aurais fait n'importe quoi pour le protéger. Quand on voit le résultat !

Il voulut s'approcher d'elle, mais elle se raidit.

Son regard et sa posture exsudaient la peur. Elle le craignait.

Et si elle n'était pas totalement sincère avec lui ? Si elle travestissait les faits parce qu'elle redoutait sa réaction au cas où elle admettrait son amour pour ce jeune homme ? Oui, elle redoutait sa réaction.

Cette pensée raviva ses soupçons.

— Votre cousin vous battait-il, Verity ?

Surprise par la question, elle braqua sur lui ses grands yeux bleus insondables et haussa les épaules.

— Beaucoup d'enfants reçoivent des châtiments corporels. Pas vous ?

— Mes précepteurs me donnaient des coups de badine, certes, mais cela n'allait pas plus loin. Bertram a-t-il dépassé la limite ? Vous menaçait-il de vous battre ?

Elle se leva d'un bond.

— Je n'ai aucune envie d'aborder ce sujet. Il appartient au passé.

— En êtes-vous si sûre ? Vous m'aviez tout l'air d'une femme se préparant à recevoir des coups quand j'ai passé cette porte. Or, je ne vous ai donné aucune raison d'imaginer cela.

— Vous avez failli tuer quelqu'un...

— J'étais ivre, il m'a insulté, c'était un homme. Et j'ai eu tort. Je vous le demande à nouveau, Verity. Votre cousin a-t-il déjà levé la main sur vous ?

— Pourquoi me demander cela maintenant ? C'est une histoire qui date. Ce n'est certainement pas votre problème.

— Bien au contraire. Répondez-moi.

Son insistance la bouleversa. Les traits de son visage frémirent. Ses yeux trahissaient une certaine colère, de la peur et... de la haine.

— Cela lui arrivait rarement. Nancy s'en chargeait à sa place, finit-elle par avouer en s'essuyant les yeux avec le dos de la main. Elle était furieuse qu'il n'ait pas reçu un héritage plus consistant. Quant à lui, il abhorrait mon existence...

Le reste de sa phrase fut englouti par un sanglot. Elle se couvrit les yeux et lui tourna le dos.

— Dieu me pardonne, à la fin, j'aurais voulu les tuer. Ils ont pris du plaisir à me voir souffrir. C'est à peine si j'osais respirer, parvint-elle à articuler, le souffle saccadé. Je ne me permettais pas un seul instant de plaisir. J'étais dans ma maison, et pourtant je n'étais plus chez moi.

Hawkeswell était fou de rage. La douleur de la jeune femme atténuait tout le reste, pour l'instant.

Il s'approcha d'elle, la força à se retourner, et la prit dans ses bras. Elle éclata en sanglots et il la laissa s'abandonner à son chagrin. Elle finit par se calmer. Son souffle se régula. Avant de la relâcher, il lui caressa la tête.

— Bertram savait-il que sa femme vous battait ?

Elle hocha la tête.

— Quand elle a voulu me convaincre d'accepter ce mariage, il lui a passé la canne.

Il lui déposa un baiser sur les cheveux.

— Je dois vous laisser. Nous finirons cette conversation plus tard, Verity. Je vous en prie, ne quittez pas le domaine sans moi.

Les garçons d'écurie n'avaient pas encore fini de desseller son cheval. Il fut donc prêt en un rien de temps. Hawkeswell bondit en selle et lança sa monture au galop en direction d'Oldbury.

Le jour tombait quand il se présenta chez les Thompson. Le valet emporta sa carte et revint le chercher au petit trot pour le conduire à son maître.

Les Thompson posaient dans leur salon, prêts à le recevoir. Dans le salon de Verity, pour être exact. Tandis que Hawkeswell les dévisageait, ils lui exprimèrent leur plaisir – et leur surprise – de l'accueillir à une heure si tardive.

— J'ai appris une histoire scabreuse aujourd'hui, monsieur Thompson. J'espère que vous pourrez m'aider à y voir clair, fit Hawkeswell en posant sa chambrière et son chapeau.

— Si je puis vous être d'une quelconque utilité, ce sera un honneur pour moi, milord.

— Verity m'a avoué qu'en voulant la contraindre à accepter ma demande, votre épouse l'a battue à maintes reprises, et vous le lui avez non seulement permis, mais vous l'avez également encouragée.

Le visage de Nancy se décomposa. Bertram demeura bouche bée.

— Ce sont d'abominables accusations ! s'écria-t-elle.

— Vous insinuez donc que ce sont des mensonges ?

— Verity n'en a toujours fait qu'à sa tête, lord Hawkeswell. Elle n'avait aucune raison de s'opposer à ce mariage. Aucune jeune femme n'en aurait eu, à sa place.

— Vous n'avez pas répondu à ma question, madame Thompson. Sont-ce des mensonges ? Avez-vous, oui ou non, battu Verity alors qu'elle était sous la tutelle de votre mari ?

— Seulement lorsqu'elle se montrait récalcitrante.

— En refusant de m'épouser, par exemple ?

Un long silence suivit. Ce fut Bertram qui finit par le rompre, furieux, haussant ses lourdes paupières en s'écriant :

— Écoutez, lord Hawkeswell, je n'aime pas du tout le ton que…

— Madame Thompson, il vaudrait mieux que vous me laissiez seul avec votre mari.

La tête haute, l'expression dédaigneuse, elle virevolta de manière théâtrale et quitta la pièce.

Bertram fourra les mains dans les poches de son veston et gonfla le torse.

— Je n'admets pas votre façon de venir chez moi et de parler à ma femme, milord.

— Je me suis contenté de la questionner sur un sujet qui me préoccupe beaucoup.

— Vous ne croyez pas qu'il est un peu tard pour chercher à savoir si ma cousine vous a épousé de son

plein gré ? À l'époque, c'était le dernier de vos soucis.
Pourquoi vous en préoccuper aujourd'hui ?

— J'ignorais alors que vous l'aviez forcée à coups
de badine.

— Peu importe, vous vous en fichiez. Voyons, trêve
de baratin, monsieur. En vérité, seule sa fortune vous
intéressait. Le reste n'était que vétilles. Vous m'avez
laissé le soin de conclure l'affaire. Ce que j'ai fait.

Depuis quelques heures, Hawkeswell avait les nerfs
en boule. Les accusations de Bertram furent la goutte
d'eau qui fit déborder le vase. Les digues cédèrent,
laissant s'échapper un fleuve déchaîné. Que Bertram
ait en partie raison amplifia sa rage.

— Aujourd'hui, je veux connaître la vérité,
Thompson ! Votre cousine est ma femme, quelle que
soit la manière dont le mariage s'est fait. Elle est
désormais sous ma responsabilité.

— Ne venez pas vous plaindre auprès de nous. Ce
n'est pas notre faute si elle est une éternelle épine au
pied. Nous savions la tenir, nous.

— En brandissant votre poing ou votre fouet ? Cela
ne s'appelle pas tenir quelqu'un, mais le briser. Vous
étiez son tuteur. Vous auriez dû la protéger. Et non la
maltraiter.

Bertram afficha un sourire narquois.

— Je n'ai pas enfreint la loi. Elle était nourrie et
logée. Je n'ai pas à m'excuser, et je ne vous laisserai
certainement pas m'accabler de reproches parce que
vous vous découvrez soudain des sentiments tardifs à
son égard. C'est grâce à moi que vous avez touché son
héritage. Vous n'avez pas à vous plaindre.

Hawkeswell empoigna Bertram par la veste.

— Vous êtes une crapule, gronda-t-il d'une voix
féroce. Vous avez battu une jeune fille innocente.
Quelle sorte d'homme êtes-vous ?

— Ce n'est pas arrivé souvent ! Demandez-le-lui !

232

— Une fois, c'est déjà trop, espèce de lâche. Sans oublier que vous avez permis à votre chienne de femme de la battre à volonté.

— J'étais dans mon droit. C'était une tête de mule, rebelle et indisciplinée. J'étais son tuteur. Vous ne pouvez rien contre moi.

— C'est là que vous avez tort. Je peux faire ça.

Sur ces mots, il abattit son poing sur le visage de Bertram, envoyant valser sa tête en arrière.

— Vous êtes malade ! s'écria Bertram, couvrant son visage de sa main. J'ai entendu parler de vous, de votre tempérament violent. Votre réputation de bagarreur vous précède. Je ne le tolérerai pas. Je vais…

— Vous avez entendu parler de moi ? répéta Hawkeswell, pensant devenir fou. Vous pensiez que j'étais une brute et vous me l'avez quand même confiée ? Allez rôtir en enfer !

Bertram se recroquevilla en se protégeant le visage des deux mains. Puis il coula un regard à gauche et à droite. Repérant la chambrière de Hawkeswell, il se rua dessus. Quelques secondes plus tard, le fouet s'abattit sur les épaules du comte. Un sourire victorieux aux lèvres, Bertram fit de nouveau claquer la cravache.

Cette fois-ci, Hawkeswell intercepta la lanière au vol, et l'arracha des mains de Bertram. Ce dernier, furieux et terrifié, agita les poings en l'air pour le frapper.

Hawkeswell n'avait pas été aussi survolté depuis des années. Certes, il se défendait, mais à chaque coup qu'il assenait à Bertram, c'était Verity qu'il vengeait.

20

Verity fut réveillée par des cris. On frappait à une porte tout en hurlant le nom de son mari. C'était une voix de femme.

Elle se leva pour jeter un coup d'œil dans le couloir. Colleen se tenait dans l'étroit passage, dans sa chemise de nuit blanche. Elle frappa de nouveau à la porte, criant le nom de son cousin d'une voix furieuse.

Verity sortit discrètement de sa chambre pour observer la scène. La porte de son mari s'ouvrit, laissant apparaître un mince filet de lumière. Il ne dormait pas.

Colleen s'engouffra dans la chambre.

Verity parcourut les quinze mètres qui séparaient sa porte de celle de son époux, puis elle aventura un œil à l'intérieur de la pièce. Hawkeswell était encore vêtu. Colleen était campée face à lui, les mains sur les hanches, les traits déformés par l'émotion.

— Aurais-tu perdu la tête ? s'écria-t-elle dans un sifflement. Tu veux qu'on te prenne pour un fou furieux ? Qu'on te traite en paria ?

Il lui tourna le dos, caressa un papier sur son bureau, prit un stylo et se pencha pour griffonner une note.

— Tu fais allusion à Thompson, je suppose.

— Précisément. On vient tout juste de m'informer de tes exploits.

— Voilà qui explique le cheval dans l'allée.

— Nancy m'a envoyé un messager.

— Dans quel but ? J'espère que tu lui as répondu que tu attends d'avoir eu ma version des faits.

Il reposa son stylo.

Piquée par la curiosité, Verity pénétra dans la chambre.

— S'il s'agit de Bertram, j'aimerais aussi connaître les faits.

Colleen jeta un regard noir à son cousin.

— Je t'en prie, dis-lui de nous laisser. Je dois te parler en tête à tête.

— Tu peux parler devant elle. De toute façon, elle finira par l'apprendre.

— Hawkeswell...

— Si elle le désire, elle peut rester. Sa présence ici est bien plus justifiée que la tienne.

Colleen accusa le coup. Son visage se décomposa. Lorsqu'elle eut recouvré son calme, elle s'adressa à lui comme si Verity n'était pas là.

— Alors, ce qu'on m'a rapporté est vrai ? Tu as roué de coups M. Thompson ?

— C'est exact.

— Hawkeswell ! s'écria-t-elle en arpentant la pièce. Seigneur ! Et moi qui pensais que tu avais changé... Étais-tu saoul ?

— J'étais parfaitement sobre.

— Dans ce cas, quelle mouche t'a piqué ?

— C'est entre Thompson et moi. Ce n'est pas ta faute, Colleen, même si c'est toi qui me l'as présenté. Cet homme est une vraie fripouille. Je ne veux plus jamais avoir affaire à lui. Nos rapports se limiteront au strict minimum, à savoir la gestion des biens de Verity.

— Comment cela, « même si c'est moi qui te l'ai présenté » ? Tu songes à me faire porter le chapeau ?

— Je t'ai dit que ce n'était pas ta faute. Je suppose que tu ignorais sa vraie nature.

— Quelle que soit ton opinion de lui, ton comportement est inexcusable.

— Au contraire, j'avais la meilleure raison du monde. Si M. et Mme Thompson le désirent, nous pouvons d'ailleurs rendre publiques les motivations de mon acte. Sois assurée que personne ne prendra le parti de Bertram.

— Vas-tu au moins me donner le motif de cette bagarre ?

Il consulta Verity du regard.

— Non.

Colleen avait relevé leur bref échange. Elle pinça les lèvres.

— Je vois. Pardonne-moi si j'ai réagi violemment. J'ai craint que tes mauvaises habitudes n'aient repris le dessus. Bonne nuit.

Elle passa devant Verity sans ralentir le pas, le visage brûlant. Verity referma la porte derrière elle.

— Vous avez passé Bertram à tabac ?

Il haussa les épaules.

— Pourquoi Mme Thompson a-t-elle dépêché un message à Colleen ? Peut-être s'attendait-elle à ce que ma cousine me provoque en duel pour demander réparation ?

Il rit de sa propre plaisanterie.

— À mon avis, si elle a envoyé quelqu'un, ce n'est pas pour que Colleen vous gronde, mais pour qu'elle joue l'intercesseur.

— J'ai humilié son mari. Je doute qu'elle cherche à recoller les morceaux.

— Nancy est rongée par l'ambition. Elle serait prête à sacrifier Bertram pour préserver ses relations dans la haute sphère, expliqua-t-elle en s'approchant de lui. Puisque cette histoire me concerne aussi, allez-vous enfin me dire ce qui vous a pris ?

— Disons simplement que c'était pour la bonne cause.

Il allait plier la lettre qu'il venait de rédiger, mais elle la saisit et la reposa sur le bureau. Il n'était pas très fier d'être sorti de ses gonds, devina-t-elle, mais il n'avait pas l'air désolé pour autant.

— C'est à cause de notre conversation de cet après-midi ?

Il baissa les yeux vers elle et, du bout des doigts, dégagea les mèches folles qui lui chatouillaient le front.

— Il n'a rien nié. Sa femme non plus, d'ailleurs. Mais je ne pouvais pas rouer de coups une femme.

— En effet, c'eût été lâche.

— Je vous imaginais dans cette maison, reprit-il d'une voix calme. Effrayée, malheureuse, avec cette femme – j'espère juste que vous n'allez pas avoir peur de moi, après cette mésaventure.

Elle blottit sa joue contre sa main et baisa sa paume.

— Je n'ai plus peur de vous. Je suis touchée que vous ayez pris ma défense.

Personne ne l'avait fait depuis la mort de son père. Elle en fut infiniment bouleversée.

Il glissa les mains autour de sa taille et captura son regard. À présent, il avait l'air pensif. Comme s'il cherchait à sonder son âme.

— Vous avez dit vrai. On vous a forcée à m'épouser.

Elle aurait sans doute dû être soulagée qu'il la croie enfin. Mais elle fut troublée par son air solennel.

— Bertram prétend que je me fichais alors de vos sentiments. C'est sa ligne de défense.

Comme Bertram avait été sot de provoquer les foudres de Hawkeswell ! Nancy et lui n'avaient-ils pas vu la colère qui le consumait de l'intérieur ?

— Il avait raison, enchaîna Hawkeswell. Et vous aussi, à Cumberworth. C'était votre argent qui m'intéressait, pas votre bonheur. Aveuglé par la vanité, je suis parti du principe que vous consentiez à ce mariage, ajouta-t-il en baisant son front. Je vous ai fait beaucoup de mal.

— Vous n'êtes pas responsable de ce que vous ignoriez.

— À l'époque peut-être, mais dans le Surrey, je vous ai séduite en connaissance de cause. J'avais des doutes. Toutefois, sachez que je n'ai pas concrétisé notre union pour mettre la main sur votre héritage. Si cela avait été le seul enjeu, j'aurais agi différemment.

— Pourquoi alors ?

— Pour vous. Je vous voulais. Il y a deux ans, vous n'étiez qu'une oie blanche. Rien à voir avec la femme qui m'a tenu tête à Cumberworth. Cette dernière, je l'ai désirée.

L'excitation et le plaisir avaient joué un rôle important dans leur histoire. Il l'avait attrapée dans ses filets, mais elle s'y était laissé prendre de bonne grâce. En cet instant, dans ses bras, tandis qu'ils avaient enfin cette discussion qui n'avait que trop tardé, leur intimité ne la laissait pas insensible.

— Ce qui est fait est fait.

Avec ces quelques mots, elle lui signalait qu'elle s'ouvrait enfin à lui. Sans le moindre regret. Une bouffée de joie l'envahit.

— Un mariage édifié sur la base de l'argent et du plaisir... ce pourrait être pire, dit-elle en tirant sur sa chemise avec espièglerie. Et puisque c'est moi qui ai rapporté l'argent, je compte sur vous pour vous charger du plaisir.

Il éclata de rire. Verity fut ravie de le voir s'égayer un peu.

— À condition que vous continuiez à vous montrer coopérative.

— Voilà ! Vous cherchez déjà à vous décharger de votre responsabilité. C'est à *vous* de veiller à ce que je continue de coopérer, Hawkeswell.

Sur cette note aguicheuse, elle pivota pour quitter la pièce. Elle avait à peine fait deux pas qu'il l'emprisonna dans ses bras pour la ramener contre lui. Son baiser lui embrasa la nuque.

— Si vous croyez que je vais vous laisser vous sauver après m'avoir lancé un tel défi, Verity, vous vous trompez. À en juger par votre nature rebelle, plus je vous empêcherai de coopérer, plus vous voudrez le faire.

Il couvrait son corps de caresses.

— Je vois mal comment vous pourriez m'en empêcher.

— Vraiment ? susurra-t-il à son oreille.

Il plaça les mains en coupe sous ses seins et, des pouces, il flatta la pointe tendue sous le tissu de sa chemise de nuit.

Bloquée devant lui, elle sentit le plaisir se ficher au centre de son être. Tendant le bras en arrière, elle chercha à le toucher à son tour.

— Non, non, la gronda-t-il. Pas de manœuvres de contournement.

Il arracha les rubans de son corsage. À mesure qu'il dénouait les attaches, le vêtement révélait sa nudité.

Il fit glisser la chemise sur ses épaules et le long de ses bras. Le tissu dégringola sur ses hanches, tout en restant noué aux poignets car il n'avait pas déboutonné les manches. Elle voulut s'en débarrasser, mais ses gestes furent gênés par l'étoffe.

— Il semblerait que vous ne puissiez plus bouger, fit-il remarquer. Il faudra vous y résigner.

Autrement dit, accepter servilement ses caresses. Sa bouche s'écrasa sur ses épaules et son cou. Elle observa ses mains viriles masser sa poitrine endolorie. Balayée par des vagues exaltantes, elle était totalement désarmée.

Il la souleva dans ses bras et la porta jusqu'au lit. Puis il la fit rouler sur le ventre, la tête sur un oreiller, si bien que les manchettes de sa chemise de nuit immobilisèrent complètement ses bras.

Il s'allongea à côté, appuyé sur un coude. D'un geste consciencieux, il remonta sa chemise jusqu'à sa taille. À présent, elle était entièrement nue, exception faite de la ceinture de tissu qui lui barrait le bassin.

Il parcourut son corps du regard, avant de descendre le long de son dos pour l'embrasser. Chaque baiser provoquait une petite décharge de volupté. Elle ferma les yeux.

Parvenu au creux de ses reins, il interrompit ses baisers. Elle rouvrit les paupières et vit qu'il la contemplait. Du bout des doigts, il effleura son dos. Cette fois, pourtant, il ne s'arrêta pas à l'étoffe. Il caressa la courbe de ses fesses, puis le galbe de ses cuisses, où il s'attarda quelques instants. Son toucher était comme celui d'une plume. Un véritable supplice.

— Vous êtes d'un érotisme incroyable, allongée dans cette position, dit-il en reprenant les caresses.

Ses paumes massèrent la forme pleine de ses fesses. Elle éprouvait de délicieux frissons d'anticipation. Ils avaient à peine commencé, mais elle était déjà au comble de l'excitation.

Il aventura les mains entre ses cuisses. Elle retint son souffle et ferma les paupières, dans l'attente de la suite. Il la fit languir jusqu'à ce qu'elle n'en puisse plus. Alors il se remit à l'effleurer, d'une main experte.

— Vous êtes déjà prête. Il ne vous aura pas fallu beaucoup de temps.

Il la flatta doucement, et son corps frémit.

— Devrais-je vous prendre maintenant ? Ou bien dois-je d'abord m'assurer de votre volonté de coopérer ?

Où voulait-il en venir ? Elle lui lança un regard perplexe.

— Coopérer, cela ne signifie pas juste se soumettre et recevoir, Verity.

Il jouait avec les boutons de ses manches.

— Mais également donner et partager.

Jusque-là, elle était restée passive.

— C'est vous qui m'avez emprisonnée. Pour m'assujettir.

— Maintenant, la manchette est déboutonnée. Vous pouvez vous libérer. Ou pas, précisa-t-il en roulant sur le dos tout en déboutonnant ses propres manches. Vous n'avez que quelques minutes pour prendre une décision. Après, je ne réponds plus de rien.

Elle dégagea son bras et se redressa en position assise. Elle eut tôt fait de défaire l'autre manchette et s'extirpa tant bien que mal de l'étoffe volumineuse.

Pendant ce temps-là, Hawkeswell s'était débarrassé de ses propres habits. Il l'empoigna, la positionna au-dessus de lui, et lui planta le premier véritable baiser de la nuit.

Partage. Coopération, avait-il dit. Il aimait qu'elle l'embrasse. Aussi veilla-t-elle à lui rendre son baiser. Après cela, elle le reluqua.

— J'ai peu d'expérience, commenta-t-elle. Il se peut que ma contribution ne soit pas à la hauteur de vos attentes.

— Pour le moment, je n'ai pas à me plaindre.

S'agenouillant, elle s'appuya sur ses cuisses repliées. Sous elle, deux saphirs amusés la narguaient.

Elle posa les mains sur ses épaules, glissa lentement le long de son torse, fascinée par la fermeté de ses muscles sous sa peau de velours, puis remonta vers les épaules.

Ce ne serait pas si difficile, songea-t-elle. À quatre pattes au-dessus de lui, elle traça un sillage de baisers allant de sa bouche à son torse.

Enhardie, elle captura ses lèvres goulûment. Une douce émotion surgit alors. Attentionnée, elle voulait non seulement lui faire plaisir, mais aussi lui montrer sa gratitude.

Bouleversée par leur intimité, elle ne put contenir son émoi. Elle l'embrassait avec voracité, le caressait sans retenue. Et seul le contact de ses lèvres contre sa peau lui permettait de libérer ce trop-plein d'émotions.

Enfin, sans interrompre ses caresses, elle se redressa pour contempler son corps. Sa chevelure noire ébouriffée et ses magnifiques yeux bleus. Le feu qui le dévorait.

Alors, ses yeux se posèrent sur son membre érigé. Leurs regards se croisèrent. Les traits empreints de malice, il semblait lui lancer un défi.

Lorsqu'elle toucha le sommet de son sexe, elle devina aussitôt ce qu'il fallait faire. Elle glissa les doigts le long du membre.

Basculant la tête en arrière, il ferma les yeux. Les mâchoires tendues, le visage raidi. Elle était fascinée par ce qu'elle découvrait.

Tout à coup, le regard enfiévré, il l'attrapa par le bassin, la souleva et la posa sur son bas-ventre.

Elle s'agrippa à lui pour qu'ils s'unissent, et elle le laissa pénétrer en elle.

— C'est différent, dit-elle.

Plus profond, voilà ce qu'elle voulait dire.

— Peut-être que je vais aimer coopérer, ajouta-t-elle.

Tendant les bras, il esquissa des cercles autour de ses seins. Le fourreau de chair qui l'enveloppait se mit à frémir. Plus la caresse était légère, plus la réaction était vive.

Elle se pencha en avant et appuya les paumes sur son torse. Elle se hissa au sommet de son mât et s'arrêta juste avant de rompre le contact. Puis son bassin s'affaissa pour l'absorber de nouveau. Une sensation délicieuse naquit de l'union de leurs corps. Elle recommença le même mouvement, tout en ondoyant.

Bien qu'il posât les mains sur ses hanches, il la laissa faire. Ses ondulations se firent plus rapides tandis qu'elle tentait diverses positions. Les frémissements s'intensifièrent. Une chaleur mystérieuse s'empara de son être.

Il empoigna ses hanches. À présent, il la guidait pour qu'elle accompagne ses mouvements. Elle suivit la cadence. Les frissons devinrent de merveilleux tressaillements. Une sensation divine gonfla au creux de son ventre pour se diffuser dans tout son corps.

Submergée par une violente vague de volupté, elle poussa un cri. Suivi bientôt d'un autre, puis d'un troisième. Une nouvelle onde se propagea en elle lorsque Hawkeswell atteignit la jouissance. C'était la première fois qu'elle éprouvait un soulagement d'une telle intensité.

Elle s'effondra sur lui, épuisée, désorientée par la puissance de leurs ébats. Alors il l'enlaça et la serra contre son torse.

Il s'endormit, mais Verity demeura éveillée. Elle interrogeait son cœur, et les émotions qu'elle avait éprouvées ces derniers jours. Elle se tourna et baisa son torse, sans qu'il s'en rende compte. Elle s'attarda dans cette position, les lèvres pressées contre sa peau. Elle se sentait infiniment proche de lui.

En fin de compte, elle s'était résignée à son sort en acceptant ce mariage. Mais si elle avait encore le choix, que ferait-elle ? Si on lui rendait sa liberté, comment réagirait-elle ?

Quoiqu'elle ignorât la réponse à cette question, elle était sûre de deux choses. D'une part, s'ils se séparaient maintenant, elle en souffrirait. Leur intimité lui manquerait. Jamais elle n'aurait fait preuve de tant d'audace avec Michael. Jamais il ne lui aurait inspiré un désir si puissant. D'autre part, cette union, aussi improbable soit-elle, ne la rendrait jamais malheureuse.

Elle attendit que Hawkeswell remue, avant de bouger à son tour. Alors, elle quitta discrètement le lit et enfila sa chemise de nuit, s'apprêtant à regagner sa chambre. Mais ses mouvements l'éveillèrent. Il la retint.

Elle se pencha au-dessus de lui et l'embrassa.

— Je crois qu'il est temps de retourner à Londres. J'ai appris l'essentiel. Mais, avant cela, je dois rendre visite à lady Cleobury. J'ai été négligente, j'aurais dû le faire plus tôt. Ensuite, nous partirons.

21

Lord Cleobury était le seul noble à vivre dans la région quasiment toute l'année. Les autres avaient pour habitude de louer leurs terres à des cultivateurs ou des mineurs. Aussi lord Cleobury occupait-il une place influente dans le Staffordshire.

— En général, il assiste à toutes les assemblées locales. Les apparitions de lord et lady Cleobury sont toujours très attendues, expliqua Mme Geraldson tandis que le carrosse filait au milieu des champs. Il prend son poste dans la région très au sérieux. Il considère qu'il est de son devoir de veiller aux affaires locales – à juste titre.

— Je suppose qu'il a son mot à dire dans la nomination du juge de paix et du coroner ? fit Verity.

— En effet, il serait inconcevable de prendre une telle décision sans avoir au préalable obtenu son approbation.

Mme Geraldson avait souhaité profiter de leur visite pour aller saluer sa chère amie, lady Cleobury, qu'elle n'avait pas vue depuis des semaines. Colleen s'était incrustée à son tour. Voyant Verity en si bonne compagnie, sans compter le cocher et le valet d'écurie, Hawkeswell avait jugé inutile de les accompagner.

Lord Cleobury en fut très déçu.

Verity prétexta que son mari avait décidé de parcourir le comté à cheval pour prendre la mesure de l'atmosphère qui y régnait.

— C'est fort dommage, marmonna-t-il. J'aurais pu lui fournir un compte rendu détaillé de la situation. J'étais d'ailleurs impatient de le faire. Et cela m'aurait évité d'avoir à me rendre à la commission qui se tiendra cet automne dans la capitale. Tant pis pour moi !

Puis, tournant sa tête dégarnie vers sa femme :

— Tu devras m'accompagner, ma chère. Je ne te laisserai pas seule ici. C'est trop dangereux, avec toute cette bande d'agités dans les parages.

— J'ai entendu dire que vous aviez pris des précautions magistrales pour vous défendre de ces agitateurs, milord, commenta Verity.

— En effet, mais il faut un homme pour commander les remparts, n'est-ce pas ? Mon absence nous rendra vulnérables. Si cette demeure tombe entre les mains de cette cohue, le reste du comté sera menacé.

— Hawkeswell a exprimé un certain intérêt pour vos moyens de défense.

— Ah bon ? Dommage qu'il ne soit pas venu. Je lui aurais fait faire un tour du propriétaire. Il se pourrait qu'il ait besoin lui aussi de protéger ses terres. Si vous voulez bien me suivre, lady Hawkeswell, je vais vous les montrer. Vous les lui décrirez de votre mieux.

Sa femme ne leur emboîta pas le pas. Au lieu de cela, elle engagea la conversation avec Mme Geraldson et Colleen. Lord Cleobury conduisit Verity sur la terrasse, à l'arrière de la maison.

On n'avait pas exagéré les précautions prises par le noble. Quatre canons imposants étaient postés là, allongeant leur gueule luisante au-dessus du muret de la terrasse. Un tas de projectiles attendait à côté, prêts à être chargés dans le tube en cas d'insurrection.

Lord Cleobury avait-il l'intention de les manier lui-même ? Ou s'attendait-il à ce que ses domestiques se

246

salissent les mains pour défendre ses privilèges au péril de leur vie ?

— Manchester est dans cette direction, expliqua-t-il d'un ton éloquent en pointant le doigt vers la forêt.

— Mais si les agitateurs se dirigent par ici, n'est-il pas plus logique qu'ils empruntent la route ?

— Ils sont plus rusés que vous ne l'imaginez, lady Hawkeswell. Beaucoup plus rusés. J'ai tracé une ligne droite de Manchester à ma propriété, et je peux vous assurer qu'ils couperont par ce bois.

Elle le complimenta sur la finesse de son jugement, tout en contemplant les canons.

— Les habitants du comté ont bien de la chance que vos terres se trouvent ici, milord. Car, pour piller le reste de la région, les agitateurs devront d'abord passer par votre domaine.

— C'est parce que vous partez du principe qu'ils viendront exclusivement du nord. Je regrette d'avoir à vous l'apprendre, mais ils sont partout. Nous devons être vigilants et surveiller les quatre points cardinaux. Je suis d'avis que quelques pendaisons de plus ne feraient pas de mal. Histoire de rappeler à ces bandits ce que le droit de propriété signifie.

— Il y a eu des pendaisons ? Les journaux de la capitale n'ont rien mentionné de tel.

— Les journaux londoniens ne savent pas tout. Soyez assurée qu'aucun comportement séditieux n'est toléré dans ce comté, et que nous réglons le problème en un rien de temps.

Fait-on disparaître les gens ? Qui a-t-on déjà pendu ? Ces questions lui brûlaient les lèvres. Son estomac se noua ; elle craignait de connaître d'avance la réponse.

Elle examina les boulets. En fer. Bien exécutés. Le canon lui parut familier lui aussi. Moulé en une seule pièce. Puis foré.

— C'est à la fonderie de mon père qu'il a été coulé ?

— En effet. D'après l'armée, l'artillerie fabriquée là-bas est de qualité supérieure. Je me considère comme chanceux de ne vivre qu'à quelques kilomètres de cette fabrique.

— Mon cousin se considère lui aussi comme chanceux de vous compter parmi ses clients, je suppose.

— Voyez-vous, chère lady Hawkeswell, votre cousin et moi partageons des intérêts communs. Ce qui explique que je m'abaisse à le fréquenter. De nos jours, les dirigeants d'un comté se doivent de se serrer les coudes, et ce en dépit des origines sociales. Malgré mon attachement au rang, je ne refuserai jamais mon aide à un compatriote en difficulté.

— Vous faites sans doute référence aux agitations qui ont secoué la fonderie l'hiver dernier, quand la cavalerie a été appelée à la rescousse. Je suppose que vous n'y êtes pas totalement étranger ?

Il sourit avec complaisance, tout en remuant les sourcils d'un air mystérieux.

— Voyez-vous, je me prépare à de nouvelles émeutes. Bertram Thompson sait ce qui l'attend. Il l'a senti venir quand d'autres ne s'en doutaient pas encore. Il est assez rusé pour arracher le mal à la racine avant qu'il n'empoisonne toute la récolte. Ne vous en faites pas pour votre cousin, ma chère.

Il la reconduisit dans le salon. Elle passa l'heure suivante à discuter chapeaux et bonnets, tout en dissimulant le chagrin qui lui rongeait le cœur.

Elle soupçonnait lord Cleobury, Bertram et tous les autres « dirigeants » du comté d'avoir arraché, deux ans auparavant, une racine dénommée Michael Bowman.

Quand vint l'heure du départ, elle ne fut pas triste. Elle avait appris tout ce qu'il y avait à savoir sur l'héritage de son père et, craignait-elle, sur Michael.

Elle adressa un bref message à Bertram et Nancy. À l'exception de Mme Geraldson, il n'y avait qu'une personne à qui elle souhaitait faire correctement ses adieux. Hawkeswell la conduisit à la chaumière de Katy avant qu'ils ne reprennent la route.

Cette fois-ci, il l'escorta jusqu'à la porte et salua Katy, avant de les laisser toutes les deux. Comme lors de sa visite précédente, elle s'installa sur l'unique chaise et Katy prit le tabouret dans cette pièce trop petite, que la lumière du jour semblait esquiver.

— Je veux t'emmener avec moi, fit Verity. Lorsque je partirai demain matin, je veux que tu sois dans le carrosse, à mes côtés. Hawkeswell est d'accord. Tu pourras vivre à la campagne, si tu le souhaites. La gouvernante de sa demeure dans le Surrey est une femme adorable. Tu y seras comme chez toi.

Les yeux de Katy s'emplirent de larmes, mais elle sourit.

— Tu n'as jamais cessé d'être une petite fille, n'est-ce pas ? Tu te fais du souci pour ta Katy. Je regrette, mais je ne peux pas venir avec toi. Comment Michael fera-t-il pour me retrouver si je déménage ?

— Il demandera à l'atelier, et on lui dira où te trouver, répliqua-t-elle en ravalant une irrépressible envie de pleurer.

Katy avait beau se douter que Michael était mort, elle ne perdait pas espoir. Verity se pencha en avant et prit ses mains dans les siennes.

— Rien ne t'empêche d'attendre son retour dans le Surrey.

Katy courba la tête.

— Ici, je suis chez moi, Verity. J'ai vécu à Oldbury toute ma vie. C'est une piètre chaumière, et il ne me reste pas grand-chose, mais c'est ici que sont les gens de mon enfance, c'est ici que sont enterrés mes amis. Je ne vais pas déménager à mon âge pour aller vivre avec des étrangers.

— Je ne suis pas une étrangère, Katy.

Celle-ci leva la tête et porta la main sur le visage de Verity pour le caresser.

— Non, mais tu le deviendras au fil du temps. Tu es comtesse, à présent. Ce n'est pas un reproche que je te fais. Ce qui t'arrive est merveilleux. Je suis très fière de toi. Mais cela va te changer, mon enfant, que tu le veuilles ou non. Demain, tu quitteras Oldbury pour de bon. Ce ne sera plus chez toi. Je ne t'apprends rien, je crois.

En effet, Verity le savait déjà. Durant son séjour, rien n'avait semblé pareil. Ce n'était plus comme dans ses souvenirs.

Aujourd'hui, on la regardait autrement. On lui parlait avec méfiance. Même M. Travis, qui était la gentillesse incarnée, n'oubliait jamais qu'il s'adressait à une comtesse. Son rêve de revenir vivre dans son village avait été celui d'une fillette, qui ressassait encore l'époque joyeuse précédant la mort de son père. Malheureusement, ce temps était révolu. Même si Hawkeswell lui rendait sa liberté, jamais plus elle ne serait la même Verity Thompson.

À son tour, elle craqua. Glissant de la chaise, elle se laissa tomber sur le plancher, aux pieds de Katy. Elle posa la tête sur ses genoux, comme autrefois lorsqu'elle était malheureuse. Et tandis que Katy lui caressait le front pour la réconforter, les larmes coulèrent en silence sur les joues de la jeune femme.

22

Hawkeswell ouvrit la porte-fenêtre et fit quelques pas sur la terrasse, où un puissant vacarme l'accueillit.

Trois ouvriers s'affairaient au fond du jardin. De profondes fondations avaient été construites aux quatre coins d'un rectangle. Sous la conduite de Verity, ils maniaient à présent la pioche et la pelle pour creuser quelque tranchée.

Daphné Joyes se tenait à côté de sa femme, tenant l'extrémité d'un plan tandis que Celia tenait l'autre. À intervalles fréquents, Verity se reportait au dessin et donnait ensuite les directives aux maçons.

Colleen était parmi elles. Elle observait. Quand elle l'eut repéré, elle regagna la terrasse.

— Elle est en train de détruire ton jardin, geignit-elle. Il est inutile d'avoir une serre de cette taille en ville. Du reste, les plans sont d'assez mauvais goût. Voyons, le style n'est pas du tout en accord avec celui de la maison !

— Verity a une idée très précise en tête. Elle sait ce qu'elle fait. Je lui fais entièrement confiance.

— Une serre dans le Surrey ne lui suffisait pas ? J'ai peur qu'on la prenne pour une excentrique. Quant à ces femmes... ajouta-t-elle en montrant les amies de Verity d'un geste désespéré. Pense un peu à son avenir, Hawkeswell. Il va falloir que tu sois plus ferme avec elle.

Il aurait volontiers dit à Colleen d'aller s'occuper de ses affaires, mais il se refréna. Elle avait été là pour Verity, lui avait offert son amitié quand d'autres femmes se bornaient à médire sur son compte. Si jamais Colleen se montrait trop pressante, songea-t-il, Verity saurait la remettre à sa place.

En outre, le fait d'aider Verity donnait à sa cousine un but, et un prétexte pour rester éloignée du Surrey. Elle s'était empressée de rouvrir la maison londonienne de sa mère. À présent, elle semblait préférer la ville à la campagne. Elle venait souvent leur rendre visite, et il arrivait fréquemment qu'il la retrouve en compagnie de Verity, le soir en rentrant chez lui.

— J'ai promis de lui donner carte blanche pour les jardins, Colleen. Par ailleurs, elle ne renoncera jamais à son amitié pour ces Fleurs Rares. Si je lui interdisais de les fréquenter, elle n'en ferait qu'à sa tête.

Colleen soupira.

— Peut-être pourrais-tu au moins lui dire de laisser les ouvriers manier la pelle. Ou lui suggérer de porter autre chose que ces vieilles pelures et cet horrible chapeau.

Pour sa part, Hawkeswell trouvait Verity charmante dans cette vieille robe et sous ce couvre-chef.

— On ne pourra jamais l'empêcher de mettre la main à la pâte. Autant qu'elle le fasse dans de vieilles robes.

Colleen se rembrunit.

— Tu ne fais rien pour arranger les choses, Grayson.

Il éclata de rire.

— À vrai dire, je ne suis pas enclin à faire preuve de beaucoup de fermeté à son égard, chère cousine. Reparlons-en dans un an ou deux, quand la passion des premiers jours se sera un peu étiolée.

Elle lui jeta un regard étrange.

— Je… J'ignorais que ce mariage te rendait si heureux. En tout cas, je suis ravi pour toi, assura-t-elle en jetant un coup d'œil à Verity qui, la pelle à la main, réprimandait un maçon.

Elle était certes heureuse pour lui, mais pas complètement non plus. C'était flagrant. Ils avaient toujours été proches et, ces dernières années, ce lien s'était resserré. Il sentait qu'elle prenait la mesure de sa nouvelle solitude.

Elle s'était sans doute attendue à ce que Verity se contente d'être une épouse jolie et discrète, et que Hawkeswell soit un mari indifférent. Diable ! C'est ce qu'il avait cru lui aussi. Mais il se rendait compte que c'était plus profond.

L'évocation de ce bonheur le rendait léger. Si Colleen avait été un homme, un ami comme Summerhays, il aurait succombé à l'envie de lui confier l'intensité, la beauté de leur passion. Il lui aurait même avoué que son épouse occupait une grande partie de ses pensées, et qu'il ne pouvait plus imaginer embrasser une autre femme.

— Il serait peut-être temps que tu songes à trouver un nouveau soupirant. Plusieurs années se sont écoulées depuis sa mort.

Elle tourna brusquement la tête vers lui.

— Un mariage est toujours envisageable, enchaîna-t-il. Avec une dot généreuse, il n'est jamais trop tard. Aujourd'hui, je suis en mesure de t'en procurer une. Il te suffit juste de trouver un homme digne de toi.

Ses yeux étincelèrent. Sa bouche frémit. Elle reporta le regard sur le jardin.

— Tu as sans doute raison. Comme toujours, je te suis reconnaissante de ta générosité.

— C'est pour cela que les frères sont là, non ?

Il crut qu'elle allait fondre en larmes. Se hissant sur la pointe des pieds, elle déposa un baiser sur sa joue, avant de rentrer à l'intérieur.

— Tout ce que je dis, c'est que cette fille ne me passionne pas, fit Audrianna. Elle veut faire partie de notre cercle. Mais jamais elle ne pourra comprendre le Règlement. Elle serait incapable de s'y plier, de respecter l'intimité de chacune.

Verity examinait un jeune myrte en pot. Sa petite serre londonienne était quasiment achevée. Elle était venue aux Fleurs Rares pour y sélectionner ses premières plantes.

— Je ne pense pas que Colleen veuille être l'une de nous.

— Bien sûr que non ! intervint Celia. Nous ne sommes pas assez bien pour elle. En revanche, Audrianna a raison. Elle adore se mêler des affaires des autres.

— Je crois qu'elle cherche plutôt à nous remplacer, enchérit Audrianna.

— J'en doute également, répondit Verity. Elle ne veut pas être mon amie, mais ma sœur. Pour pouvoir continuer à jouer le rôle de sa sœur à lui.

— Une sœur est plus influente qu'une amie, fit remarquer Daphné. Je suppose qu'elle te considérerait évidemment comme sa *petite* sœur.

Verity éclata de rire. Elle voyait juste ! Colleen n'avait pas un mauvais fond, mais elle adorait donner des ordres et la chaperonner.

— Certes, elle a tendance à fourrer son nez partout, et elle a un côté moralisateur. Mais elle fait désormais partie de ma famille. Aussi, je ne vois pas l'intérêt de me brouiller avec elle pour des vétilles. J'ai d'autres chats à fouetter en ce moment.

Daphné posa une pousse d'amaryllis sur la table avec les autres plantes destinées à la serre de Londres.

— Je suis navrée d'apprendre que tu as des soucis, dit-elle sans laisser transparaître son inquiétude.

En revanche, Audrianna fronça les sourcils. Celia continua de tailler un caoutchouc dont certaines feuilles avaient viré au marron.

Dans le jardin, Katherine sarclait le potager.

On l'avait adoptée. D'après Daphné, elle rentrait parfaitement dans le moule, adhérant sans broncher au Règlement qu'elles suivaient toutes. Toutefois, Verity n'avait jamais vécu avec elle, aussi était-elle contente qu'elle ne participe pas à la conversation.

— Vous vous souvenez du jour où je vous ai montré mes coupures de journaux ?

— Bien sûr, répliqua Celia. Tu as découvert ce que tu cherchais durant ton séjour dans le Nord ?

— C'est possible. Et maintenant, je suis un peu perdue. Quand je suis allée à Oldbury, j'ai appris que le fils de Katy a disparu juste avant mon mariage. Depuis, il n'a pas donné signe de vie. D'après ses amis, il n'y a eu ni procès, ni arrestation.

Les femmes considérèrent la question.

— Et pourtant, ton cousin t'a fait comprendre qu'il lui avait réglé son compte ? demanda Celia.

— Oui. Je le crois… J'ai peur qu'il n'ait été tué.

Celia posa sa cisaille. Daphné cessa d'examiner les plantes.

— Par ton cousin ?

— Mon cousin et ses acolytes.

Elle leur parla de lord Cleobury et de son allusion aux racines du mal qu'il fallait arracher.

— Ce n'est pas un aveu à proprement parler, fit remarquer Celia. Lord Cleobury a l'air à moitié fou. Des canons sur sa terrasse, pas moins que cela ! Puisqu'on n'a pas retrouvé le corps, rien n'est certain. Peut-être t'imagines-tu des intrigues là où il n'y en a pas. Et si Michael était tout simplement parti tenter sa chance ailleurs ?

— Parfois, j'arrive à m'en convaincre. En l'absence de preuves, je ne peux en parler à personne. Sauf à mes trois amies qui ne peuvent rien pour moi, si ce n'est me prêter une oreille attentive. Mais je me fais du souci.

— Ce n'est pas étonnant, répliqua Audrianna. Tu devrais en parler à Hawkeswell, il pourrait t'aider. En général, un pair du royaume obtient tous les renseignements qu'il souhaite du gouvernement et des cours de justice.

— Je n'ose pas lui en parler. Il sait que j'ai cherché à avoir des nouvelles de Michael, et il en a déduit que nous avions été plus qu'amis.

— Bien sûr que Hawkeswell soupçonne un lien entre les deux affaires ! s'exclama Celia. Peu après la disparition dudit jeune homme, Verity s'enfuit à son tour. Le jour de son mariage, pour couronner le tout ! N'importe quel homme se serait posé la question.

— J'espère que tu ne cautionnes pas ses soupçons, rétorqua Daphné.

— Bien sûr que non ! Mais je pense, en effet, qu'il est difficile de lui demander de partir à la recherche de Michael.

— Je ne suis pas d'accord, objecta Audrianna. Il serait probablement prêt à l'aider si elle le lui demandait.

Celia roula les yeux.

— Ma chère Audrianna, ce n'est pas parce que lord Sébastien est ton esclave que tous les hommes le deviennent en se mariant. C'est plutôt le contraire, en général.

Daphné ignora leur petite querelle.

— Est-ce qu'il t'a crue lorsque tu as nié avoir eu une histoire avec Michael ?

Verity hésita.

— Je pense qu'il a toujours des doutes.

— Vous vous entendez bien en ce moment ?

— Plutôt bien. Sur certains plans, ajouta-t-elle, les joues brûlantes. Bref, nous ne nous disputons pas souvent. Nous nous comprenons tout à fait dans... des domaines particuliers.

Celia s'esclaffa.

— Tu n'as donc pas peur de lui ?

— Pas le moins du monde.

Daphné ôta ses gants et son tablier. Elle jeta un regard par la fenêtre en direction de Katherine.

— Tu devrais demander à ton mari de t'aider, Verity. Si des hommes ont effectivement transgressé la loi, tué d'autres hommes – peu importe leurs motifs – et s'il existe un moyen de les arrêter, il ne faut pas hésiter.

Verity était de son avis. Cependant, elle redoutait de parler de Michael à Hawkeswell.

— Appelons Katherine et prenons une collation, proposa Daphné. Audrianna, as-tu apporté ta nouvelle chanson ?

— Tu en as écrit une nouvelle ? s'enquit Verity. Je l'ignorais.

— C'est parce que Colleen est là chaque fois que je viens te rendre visite, répliqua Audrianna. Mais aujourd'hui, Celia va la chanter et toutes mes amies auront l'occasion de l'entendre pour la première fois toutes réunies.

— Tu ferais mieux de la chanter toi-même mardi prochain, au dîner de Castleford, la taquina Verity.

Celia écarquilla les yeux.

— Tu vas dîner chez Castleford ?

— Verity aussi, précisa Audrianna. D'après Sébastien, la soirée est donnée en son honneur.

Celia croisa le regard de Daphné. Celle-ci haussa le sourcil d'une fraction de millimètre.

Le mardi suivant, Verity s'apprêtait pour le dîner de Castleford.

— J'ai les nerfs en boule, avoua-t-elle tandis qu'Abigail l'aidait à se glisser dans sa robe de soirée. Hawkeswell pense que je vais m'en sortir à merveille, mais maintenant que j'ai fait la connaissance de ce fameux Castleford, je crains le pire.

La femme de chambre ne répondit pas. Si seulement Daphné et Celia avaient été à ses côtés ! Daphné aurait trouvé le mot juste pour lui redonner confiance, pendant que Celia aurait parfait sa robe et sa coiffure.

Elle examina son reflet dans la psyché, se forçant à sourire pour ne pas renvoyer une image douloureuse.

Un mouvement derrière elle captura la lumière. Les perles étincelaient ; la femme de chambre les lui présenta comme un trésor. Elle lui passa le collier autour du cou, le posa sur son décolleté et attacha le fermoir sur sa nuque.

La robe de soirée était de la même teinte que les perles ; l'effet d'ensemble était époustouflant. Elle glissa les doigts sur le collier.

Depuis la fameuse nuit dans le Surrey, elle avait préféré bouder les perles. Elles représentaient ce mariage, cette maison.

Katy l'avait pourtant prévenue. Une fois qu'elle aurait quitté son village, elle ne ferait plus partie du même monde. Verity avait mis du temps à s'y résigner. Dans son cœur, elle souhaitait toujours jouer sur les berges du canal, rire avec Michael. Elle voulait empêcher Bertram de s'en prendre à ces pauvres gens.

— Vous êtes très belle, milady, fit la femme de chambre. Les rosettes du corsage sont parfaites.

Les petites roses, sur son habit, l'avaient inquiétée. D'ailleurs, ce soir, elle doutait de tout. Dans sa tête, elle passa en revue les sujets de conversation qu'elle avait préparés en vue de la soirée.

— Je suis prête, soupira-t-elle.

En apercevant Verity dans sa robe de nacre, il avait parié qu'elle serait la plus belle femme de la soirée. À leur arrivée chez Castleford, il constata qu'il ne s'était pas trompé.

Ses manières légèrement guindées, qui trahissaient d'ordinaire un certain embarras, passèrent ce soir-là pour de la fierté. Elle se fondit magnifiquement au reste des invités. Castleford ne s'était pas moqué de lui. Il avait rassemblé pour l'occasion la fine fleur de l'aristocratie anglaise. Verity garda son calme tandis qu'on la présentait à deux autres ducs, dont un de sang royal, ainsi qu'au prince régent en personne.

Castleford paraissait plutôt sobre. Ce qui n'était pas le cas de tous ses invités. Le comte de Rawsley, par exemple, était dans les vignes du Seigneur. Il semblait résolu à s'amuser.

— Vous êtes une femme absolument charmante, lady Hawkeswell, dit-il en se penchant en avant pour apercevoir Verity, assise deux sièges plus loin. Il semblerait que votre mari ait fait d'une pierre deux coups.

Les conversations continuèrent mais Hawkeswell vit que les convives, curieux, avaient tendu l'oreille.

— Merci, lord Rawsley.

— Vous êtes dans l'industrie, je me trompe ? Le coton ?

— Le minerai de fer, rectifia Verity sans rougir le moins du monde. Mon père était un ingénieur doublé d'un industriel. Mais il était avant tout forgeron.

Les convives sourirent d'abord avec indulgence, puis ils affichèrent un air contrit. Non pas pour excuser le fait que son père ait travaillé comme ouvrier, mais parce que l'un d'entre eux se comportait comme un rustre.

— Le minerai de fer, dites-vous. Les forges, les fourneaux et compagnie ? fit Rawsley en jetant à Hawkeswell un regard réprobateur. Cela m'a tout l'air d'une activité sale.

— Et dangereuse, renchérit Hawkeswell. Il faut beaucoup de courage pour entrer dans un haut-fourneau.

— Sans le courage de ces hommes, nous n'aurions pas pu vaincre Bony[1], intervint le prince régent.

— Certes, certes, répliqua Rawsley en avalant une gorgée de clairet dont il aurait fort bien pu se passer. Toutefois...

Il lança un regard dédaigneux à Hawkeswell.

— Je possède des mines de fer, intervint Castleford.

Celui-ci se pencha légèrement en avant. Une mèche rebelle balaya un de ses sourcils, lui conférant un air menaçant.

— Vous étiez sur le point de dire quelque chose d'insultant à ce sujet, Rawsley ? Mais, l'esprit brouillé par le vin, vous n'êtes même plus capable de vous exprimer correctement ?

— Je n'ai pas parlé de mines, Castleford.

— Vous avez parlé de minerai de fer. Je l'ai entendu fort distinctement.

— Ce n'était pas à vous que je m'adressais, mais à lady Hawkeswell.

— Comment cela ? Vous cherchiez donc à insulter une lady plutôt que moi ? Sérieusement, Rawsley ?

Confus, Rawsley bafouilla une réponse. Sa jeune épouse, alarmée, devinant le tour que risquait de prendre la soirée, foudroya son mari du regard. Lord Castleford avait effectivement invité la fleur de la société anglaise. Et parmi cette élite, les plus fins savaient qu'il valait mieux éviter de s'attirer les foudres du duc.

Malheureusement, Rawsley ne faisait pas partie de cette dernière catégorie. Non seulement il ne s'était même pas rendu compte de l'embarras croissant de sa femme, mais il versa de l'huile sur le feu.

1. Bonaparte. *(N.d.T.)*

— Je ne vois pas ce qu'il y a de mal à appeler la fille d'un quincaillier la fille d'un quincaillier, rétorqua-t-il enfin d'un ton hautain et sarcastique. Quant à vos mines de fer, permettez-moi de vous féliciter. Grâce à elles, la fortune de votre famille a dû tripler durant la guerre, sans que vous ayez jamais eu à vous salir les mains.

Castleford ferma les paupières – un signe qui n'échappa pas à Hawkeswell. Summerhays croisa son regard pour le mettre en garde. Verity ouvrit des yeux grands comme des soucoupes. Ses leçons de bienséance n'enseignaient pas comment réagir aux grossières attaques d'un personnage de la haute sphère.

Le prince régent se fit remplir son verre, avant de se caler en arrière dans son siège pour profiter du spectacle, apparemment ravi de l'affrontement qui s'annonçait.

— En effet, vous n'avez pas insulté lady Hawkeswell en la traitant de fille de « quincaillier », puisqu'elle ne s'en cache pas, déclara Castleford. Au contraire, elle en est fière, et à juste titre. En revanche, vous avez insinué que Hawkeswell donnait à présent dans le commerce, et du genre salissant. En même temps, je pense que cela lui est égal. Je me trompe, Hawkeswell ?

Tous les regards, rivés jusque-là sur l'hôte de la soirée, se braquèrent alors sur Hawkeswell. Ce dernier jura dans sa barbe.

— En toute honnêteté, Castleford, je préfère encore être traité de quincaillier que de profiteur de guerre.

— Oui, admit Castleford en se caressant le menton d'un air pensif. Justement, j'allais y venir...

— Rawsley ! siffla l'épouse de celui-ci à l'autre bout de la table.

Il hésita à se replier, mais opta finalement pour la bravade.

— Vous prétendez que vous n'avez pas vous aussi tiré profit de la guerre grâce à vos mines ?

Summerhays poussa un soupir audible, car il régnait dans la salle un silence de mort.

— Il faudrait que je pose la question à mes gens. Je doute qu'on ait exploité le minerai de fer à perte. Cela aurait été stupide de notre part, voire peu patriotique. Avez-vous fait don des récoltes de vos terres et de la laine de vos moutons pendant la guerre, Rawsley ?

Rawsley chercha à comprendre comment il en était arrivé à devoir justifier l'usage de ses terres.

— Non seulement vous prétendez que je me suis enrichi, mais qu'en plus je l'ai fait de manière abusive, continua Castleford. Si vous vous excusez maintenant auprès de moi, de Hawkeswell et de sa femme, nous pourrons reprendre le cours de notre dîner sans qu'il soit besoin d'exiger réparation.

Cette allusion au duel fit tressaillir Rawsley. Il s'empourpra comme une jeune fille. Mais, enhardi par l'alcool, il ne voulut pas rendre les armes sans se battre.

— Comme je vous l'ai dit, je n'ai pas insulté madame.

— Ma patience a des limites, gronda Castleford.

Malheur à Rawsley si l'hôte de la soirée sortait de ses gonds !

— Vous avez cherché à l'embarrasser, pour atteindre Hawkeswell à travers elle. Or, je ne permettrai pas qu'on raille ainsi à ma table l'un de mes plus vieux amis. Si vous avez échoué, c'est uniquement parce que lady Hawkeswell a du bon sens et qu'elle ne rougit pas de ses origines. Origines dont elle n'aurait aucune raison d'avoir honte.

Au pied du mur, la cible de tous les regards, le centre d'une scène dont tout le monde parlerait pendant des semaines, Rawsley était à l'agonie. Il finit par marmonner des excuses pour ses paroles déplacées, qu'il attribua au vin.

Castleford afficha un sourire, avant de se tourner vers le prince régent pour lui poser une question. Le bourdonnement des conversations reprit. Les convives auraient sans doute préféré que la scène se termine par un duel, songea Hawkeswell, mais à en juger par leurs mines réjouies, ils n'étaient pas déçus par la soirée, qui était à la hauteur de la réputation du duc.

Quand les dames prirent congé de leurs époux, Castleford offrit un cigare à Rawsley pour apaiser son orgueil bafoué. Summerhays alluma le sien, puis s'approcha de Hawkeswell.

— Apparemment, ta femme a su s'attirer les bonnes grâces du duc. Rawsley cherchait à provoquer Castleford.

— Peut-être bien. À vrai dire, je ne comprends pas tout. Le jour où Castleford a rendu visite à Verity, il s'est montré très poli, très affable. Je me suis même demandé s'il s'était assagi. Il était sobre – pour le troisième jour consécutif – et ne s'est pas éternisé.

Il jeta un coup d'œil en direction de Castleford, qui partageait des plaisanteries grivoises avec le prince régent.

— Peut-être s'est-il mis en tête de nous prendre sous son aile. Bon sang !

Summerhays éclata de rire.

— Serait-ce la fin du monde ?

— Je crois qu'il ne m'en faut pas plus pour me pousser à boire à sa place, plaisanta Hawkeswell. Tu m'excuseras, j'ai une question à poser à notre hôte.

Il s'installa dans un fauteuil non loin de Castleford. Au bout de quelques instants, le prince régent fut distrait par un autre convive, ce qui donna l'occasion à Hawkeswell de prendre Castleford à part.

— C'était une sacrée performance.

Le duc tira une longue bouffée sur son cigare.

— Tu me remercieras quand tu trouveras le moment opportun.

— Parce que je devrais te remercier ?

— Si je n'étais pas intervenu, tu aurais dû donner rendez-vous à ce pauvre Rawsley dans un pré à l'aube. Il était sur le point de t'insulter, obsédé qu'il est de faire montre d'esprit. Étant donné qu'il s'en prenait à ta femme, tu n'aurais pas laissé passer l'insulte.

Non, en effet.

— Lady Rawsley a paru très reconnaissante que tu ne le provoques pas en duel toi-même.

— Lady Rawsley est de nature très reconnaissante, comme j'ai déjà eu l'occasion de le découvrir.

— Eh bien, maintenant je comprends mieux ton accès de bonté. Inutile de tuer un homme quand on peut le faire cocu.

— Un duel aurait compliqué la donne.

Hawkeswell se le figurait parfaitement. Castleford ne voudrait pas que lady Rawsley se montre *trop* reconnaissante.

— Tu possèdes beaucoup de mines de fer ?

— Pendant la guerre, je n'en avais qu'une, qui m'avait été léguée avec mes terres. Toutefois, j'en ai acheté d'autres depuis.

— Ah bon ? Pourtant, la demande en fer a largement diminué depuis deux ans. L'héritage de ma femme n'est plus que l'ombre de ce qu'il était.

— Certes, la demande a beaucoup baissé. C'est d'ailleurs pour cela que je rachète les mines à si bon prix.

— Tu penses que nous nous dirigeons vers une nouvelle guerre ?

— Pas besoin d'être en guerre pour tirer profit de la guerre. Hawkeswell, tu es loin d'être sot. Je pense que tu sais ce qui a mené ta famille à la ruine. D'une part, ton père a eu la poisse au jeu. D'autre part, ta famille s'est reposée sur ses terres comme unique source de revenus.

Hawkeswell ne connaissait que trop bien les limites d'une richesse fondée sur la propriété foncière.

Castleford approcha son visage du sien.

— Ne laisse pas cette usine te filer entre les doigts, mon ami. Garde-la solvable. Dans dix ans, on se précipitera sur mes mines et sur tes fourneaux, si bien que nos fortunes actuelles nous paraîtront fort petites en comparaison de ce qu'elles seront devenues.

Sans plus de cérémonie, il attrapa la bouteille de porto, appela un ami, et abandonna le sujet aussi brutalement qu'il l'avait abordé.

23

Sur le chemin du retour, Verity repassa la soirée dans sa tête. Dans l'ensemble, elle ne s'en était pas mal sortie. Euphorisée par la soirée, qui lui avait procuré un regain de confiance, elle finit par prendre une décision.

Elle revêtit une nouvelle nuisette confectionnée à sa demande. Une batiste si fine qu'elle flottait telle de la soie. La beauté du vêtement tenait à la simplicité du tissu, d'une blancheur exquise. Colleen l'avait trouvée trop sobre.

Elle s'apprêtait à ôter son collier lorsqu'elle se ravisa. Il aimait qu'elle le porte. D'ailleurs, il avait fait une remarque au sujet des perles dans le carrosse, ce soir même. Selon lui, elles la mettaient en valeur. Non, c'était le contraire : c'était elle qui soulignait la beauté des perles, avait-il dit. Une manière originale de voir les choses.

Après avoir congédié sa bonne, elle gratta à la porte du dressing de son mari. Quand il lui ouvrit, elle vit Drummond quitter la pièce dans l'entrebâillement de la porte.

— J'espère que je ne vous dérange pas, s'excusa-t-elle. Si vous n'en avez pas fini avec votre valet, je vais…

— Entrez. Il ne me reste plus qu'à me laver. Nous pourrons parler du dîner, si vous le souhaitez.

Elle s'installa dans un fauteuil. Après avoir enlevé sa chemise, il se tourna vers la cuvette préalablement remplie par Drummond. Muni d'un gant et d'une savonnette, il commença à faire sa toilette.

La lueur de la lampe le mettait à son avantage. Elle contempla son dos musclé, la grâce de ses gestes. Et tandis que son regard s'égarait sur ses épaules, le dessin de ses bras et la plastique de son buste, elle fut prise d'une bouffée d'excitation.

— J'ai une chose à vous dire. Mais ce n'est pas en rapport avec le dîner.

Attrapant une serviette, il s'essuya le visage, puis pivota vers elle tout en passant le tissu sur sa poitrine et ses bras.

— Je vous écoute.

— J'ai un service à vous demander. J'ai besoin de votre aide.

— À en juger par votre air, je devine que ce n'est pas pour me demander une nouvelle robe.

— Non, rien de matériel.

— Quelque chose me dit que votre requête ne va pas beaucoup me plaire. Je me trompe ?

Que répondre à cela ? Non, il n'allait pas aimer. Ses yeux s'étaient assombris, comme à chaque fois qu'il se fâchait. Son visage s'était rembruni.

— Je vois que vous portez toujours votre collier. Dois-je me préparer à un assaut en règle ?

Il partit d'un rire léger.

Se levant, elle s'approcha de lui. Quelques gouttelettes oubliées par la serviette luisaient sur son torse. Elle les tamponna une à une, du bout des doigts.

— Si vous comptez aborder un sujet qui ne va pas me plaire, reprit-il, vous feriez mieux d'employer le maximum de subterfuges féminins, Verity.

— Et si j'en manque ?

— Vous vous sous-estimez.

Malheureusement, elle n'était pas sûre d'avoir assez d'atouts de son côté. Même lorsqu'elle faisait preuve d'audace, elle ne s'aventurait pas bien loin.

Elle posa les lèvres sur son buste, là où les gouttes d'eau s'étaient trouvées. Puis elle recula d'un pas, tout en défaisant les boutons de sa nuisette. La charmante batiste blanche bâilla, révélant sa gorge. Les rebords du tissu flottèrent sur ses seins.

Immobile, il attendait qu'elle poursuive. Elle fit glisser le tissu le long de ses épaules et de ses bras. Il dégringola à ses pieds pour former une flaque.

Hawkeswell effleura d'abord les perles, avant de caresser sa poitrine.

— Vous vouliez que je me déshabille toute seule ? murmura-t-elle.

— Oui. Mais gardez les perles.

— Allez-vous me dire ce que je dois faire, ou préférez-vous que je le devine ?

— Si je vous le dis, vous vous sentirez obligée de le faire pour obtenir de moi ce que vous désirez.

— Je ne fais jamais rien par obligation. Ce n'est pas dans ma nature.

Il esquissa un sourire tandis que, du bout des doigts, il descendait le long de son ventre.

— Alors, je vais vous dire et vous montrer ce que je veux. Ce sera à vous de décider si vous voulez m'accorder ces faveurs. Et à moi de vous convaincre de me les accorder toutes.

Elle avait déjà oublié la requête qu'elle était venue lui présenter. L'anticipation du plaisir accaparait son esprit, sa manière de contempler son corps embrasait ses sens. Ses caresses l'envoûtaient.

Il y avait certaines choses qu'elle savait déjà faire. Elle continuerait à prendre l'initiative, du moins pour commencer. S'approchant encore un peu de lui, elle plaça les mains sur son torse et baisa sa poitrine, son cou, puis ses lèvres.

Saisissant ses fesses à pleines mains, il la pressa si fort contre lui que ses seins s'écrasèrent sur son buste et son ventre sur son érection. Enflammé, il goûtait sa bouche, son cou, sa poitrine. Prise d'un désir étourdissant, elle voulut se déchaîner à son tour.

Elle glissa les mains le long de son dos. S'arrêtant à la taille, elle suivit le tracé de sa ceinture et tritura les boutons du pantalon ; le tissu se détendit. Dans un geste impatient, elle le tira vers le bas, puis baissa son caleçon et libéra son érection. S'agenouillant, elle descendit le pantalon jusqu'à ses pieds.

Il baissa la tête, le visage grave, les yeux brûlants. Le corps tendu. Le désir les enveloppait d'un délicieux frisson de volupté.

Elle le débarrassa complètement de son pantalon en lui soulevant les pieds un à un. Il la contemplait.

— Vous êtes dans une posture très érotique.

Elle se redressa, sentant la pièce chavirer autour d'elle.

Du bout des doigts, il flatta sa nuque et sa gorge, jouant avec les perles, caressant la peau sous le collier, traçant un sillage de la perle centrale à la lisière de ses seins. Alors, il esquissa des cercles de plus en plus étroits sur ses seins, se rapprochant des pointes raidies. Verity entendit résonner dans sa tête une mélopée implorante.

— Il est temps d'employer un nouveau subterfuge, dit-elle en refermant la main autour de son membre durci. Celui-ci, par exemple ?

Il se tendit. Du pouce, elle dessina des ronds sur le sommet, puis elle l'enserra entre ses mains. Mû par le désir, il renforça ses propres caresses, frottant ses mamelons jusqu'à ce qu'elle fût transportée par une frénésie telle qu'on eût dit qu'il caressait le bouton de chair au sommet de son intimité.

— Que voulez-vous ? demanda-t-il.

— Vous, répliqua-t-elle.

Le monde tanguait autour d'elle. Ses jambes la soutenaient à peine. Elle avait du mal à respirer. À articuler.

— Non, ce n'est pas ce que je voulais dire, précisa-t-il. Quelle est cette faveur que vous vouliez me demander ?

Elle contempla ses mains. S'il était si prompt à rendre les armes, c'est qu'elle ne s'y prenait pas si mal.

— J'aurais cru qu'il me faudrait employer quelques ruses supplémentaires...

Il cueillit son visage dans le creux de ses mains tout en vrillant ses yeux aux siens.

— Quelle que soit votre requête, je vous l'accorde. Je ne veux pas que vous vous donniez à moi par intérêt.

— Vous ne savez même pas ce que je souhaite vous demander.

Il hocha la tête. Elle l'étreignit et écrasa ses lèvres sur sa bouche.

— J'ai de la chance d'avoir un mari que le plaisir rend si complaisant.

En guise de réponse, il s'empara à son tour de sa bouche et l'enlaça. D'une main, il pressa ses fesses avec délicatesse, avant de suivre le tracé de la fente jusqu'à ce qu'il parvienne au doux renflement de son intimité, déclenchant en elle une salve de volupté.

— Caressez-moi encore, murmura-t-il dans le creux de son oreille.

Elle obéit, prenant plaisir à voir qu'il luttait pour ne pas perdre le contrôle.

— C'est tout ?

— Non, marmonna-t-il entre deux baisers.

— Quoi d'autre, alors ?

— Votre bouche. Si vous êtes d'accord.

Quoique ces paroles fussent obscures, elle eut soudain une idée très précise de ce qu'il attendait d'elle.

— Ce ne serait pas un peu indécent ?

— Certains le pensent. Je vous ai choquée, dit-il en s'emparant de sa bouche. Oubliez ce que je viens de vous demander. Allons au lit.

Il la souleva dans ses bras, la transporta dans sa chambre et la déposa sur le lit.

Tandis qu'il diminuait l'intensité des lampes pour obtenir une lumière tamisée, elle contemplait son corps aux reflets cuivrés. Ses cheveux noirs dégringolaient sur son visage. Quand il la rejoignit, elle était encore en train de considérer sa requête, lorgnant, fascinée, le membre dressé.

— Peut-être…

— Peut-être ?

— Est-ce une chose que les ladies font d'ordinaire ?

Il grimpa sur le lit.

— La plupart, non. Je ne le pense pas. Certaines.

— Celles qui participent aux orgies ?

— Pas seulement. D'autres aussi. N'y songez plus. J'aurais dû attendre encore cinq bonnes années avant d'aborder le sujet.

— J'aurais sans doute trouvé votre suggestion très amusante dans cinq ans. Mais mieux vaut battre le fer tant qu'il est chaud.

— C'est ce que je croyais. Toutefois…

Elle tâta son érection du bout du doigt.

— Il y a du vin dans vos appartements ?

Il parut reprendre espoir.

— Il y a du porto.

— J'aime le porto.

À peine eut-elle prononcé ces mots qu'il bondit du lit. Il revint quelques instants plus tard, muni d'un verre et d'une carafe. Il lui servit un peu de liqueur. Elle en avala une gorgée tout en lui indiquant de s'allonger sur le lit.

Versant un peu de liqueur sur son torse, elle traça ensuite une ligne jusqu'à son bas-ventre. Quelques gouttelettes ruisselèrent sur le côté pour finir sur les draps.

— Seigneur ! Drummond va être fou de rage ! s'exclama-t-elle.

— Au diable Drummond ! rétorqua-t-il en tendant les bras pour l'attraper.

Elle le repoussa.

— Ne bougez pas. Contentez-vous de rester allongé et priez pour que je sache m'y prendre.

Il croisa les bras sous sa tête.

— Essayez un peu, pour voir ! Je survivrai.

Elle sourit. À quatre pattes au-dessus de lui, elle plongea la tête sur son torse et se mit à lécher le vin, s'attardant sur ses mamelons. Il parut apprécier l'attention portée à cette partie de son anatomie. Puis elle suivit le ruisselet de liquide sombre jusqu'à son bas-ventre. Une fois parvenue à son sexe érigé, il lui sembla naturel de poursuivre ses coups de langue. Elle le goûta. Répéta l'expérience. Hawkeswell, ivre d'euphorie, marmonna un juron.

Il était fichu, songea-t-il, étendu sur le lit dans un brouillard bienheureux. Verity était lovée dans ses bras.

Fichu. Certes, pour l'heure, c'était le dernier de ses soucis ; mais, même le brouillard dans lequel l'avait plongé le plus extraordinaire des orgasmes ne dure-rait pas indéfiniment. Une fois le voile levé, la vérité ne tarderait pas à le rattraper, comme une claque en pleine figure.

Dans son malheur, il avait au moins une consolation : celle de savoir qu'elle avait agi de son plein gré. Il avait accédé à sa requête avant même qu'elle accepte de se livrer à la petite expérience.

Mais il venait de lui donner la clé d'une recette infaillible. Désormais, elle savait comment le mani-puler à sa guise.

Elle avait les yeux grands ouverts et semblait satisfaite – d'une certaine manière. Il veillerait toutefois à la contenter vraiment une fois qu'il aurait repris des forces. Cette pensée l'émoustilla.

Il caressa les rangées de perles tout en admirant leur doux reflet au-dessus de sa charmante poitrine.

— Que vouliez-vous me demander ?

Elle se mordit la lèvre inférieure, tout en gardant les yeux rivés sur les doigts de son mari.

— Rien ne vous oblige à honorer votre promesse. Vous ignoriez ce que j'allais demander.

— Vous ne m'avez pas manipulé. Je vous ai donné ma parole en connaissance de cause. À présent, dites-moi tout.

— J'ai besoin de votre aide. Vous êtes un lord. En tant que tel, vous pouvez obtenir des renseignements d'ordinaire inaccessibles. Il faut que vous m'aidiez à savoir ce qu'est devenu le fils de Katy.

— Michael.

— Oui.

— Vous voulez que je retrouve Michael.

Son humeur changea brutalement, et sa bulle de bien-être éclata. Bien sûr qu'elle voulait savoir ce que Michael était devenu. Rien d'anormal à cela. Michael n'était pas son rival, voulut-il se convaincre.

Une voix contradictoire s'éleva aux confins de son être, lui rappelant que sa femme s'était préparée à épouser un homme tel que Michael, qu'elle n'avait jamais vraiment souhaité devenir l'épouse d'un comte. Or, cette voix qui le forçait à ouvrir les yeux avait des inflexions infiniment tristes.

De cet aveu naquit une rage féroce. Plus puissante qu'il ne l'aurait cru. Une douloureuse rancœur. Il fit couler les perles sur ses doigts, contempla la blancheur laiteuse de sa peau, sa silhouette délicate.

Il devait admettre la vérité. La petite Verity Thompson, simple fille de forgeron, s'était emparée de son cœur, et il était voué à l'aimer en vain.

C'était encore pire que ce qu'il s'était imaginé.

— Je veux juste savoir, précisa-t-elle. Même s'il s'avère qu'il est mort.

— Et s'il est toujours en vie ? Que se passera-t-il ? Vous voudrez que je le fasse libérer et que je le ramène à Oldbury ?

À présent, la colère voulait prendre le dessus pour étouffer le chagrin pesant sur son cœur telle une chape de plomb.

Elle se tourna sur le flanc et vrilla son regard au sien.

— Je suis navrée d'avoir à vous demander cela. Mais il ne s'agit pas uniquement de lui... D'autres ont sans doute subi le même sort.

Alors elle lui parla de Bertram, de Cleobury et des autres qui s'arrangeaient pour faire disparaître des hommes. Albrighton était peut-être mouillé lui aussi. Une fois son récit terminé, elle l'embrassa.

— Évidemment, je parle sans preuve matérielle. J'ai conscience de ce que je vous inflige, et ce n'est pas juste pour vous.

Pourtant, elle le lui avait quand même demandé. Elle avait une trop haute opinion de lui.

Il ajusta le collier de manière à dégager sa poitrine, puis il tendit le bras vers la table de chevet où reposait la bouteille de porto.

— À votre tour de vous plier à une petite expérience.

Elle fronça les sourcils tandis qu'il enduisait son corps de porto. Il commença par ses seins. Elle suivit du regard le filet sombre qui dégoulinait sur son ventre, le souffle suspendu. Respirant de nouveau quand le liquide s'arrêta à la limite de sa féminité. Il reposa le verre sur la table.

Il fit tournoyer sa langue sur sa poitrine tout en aspirant le porto.

— Allongez-vous et laissez-vous aller.

Elle croisa les bras sous sa tête. Cette position la forçait à arquer le dos et à tendre les seins.

— Écartez les cuisses, dit-il.

Elle obéit, achevant de réaliser l'image érotique qu'il avait en tête.

Écrasant les lèvres contre sa poitrine, il lui assena des coups de langue, prenant autant de plaisir qu'il lui en prodiguait. Le feu de sa colère s'était calmé. À présent, il n'en restait que des braises, juste assez pour animer son désir. Il la goûta lentement, savourant sa peau, la liqueur, son odeur et ses plaintes. Il descendait vers son entrecuisse, résolu à prendre possession de ce qui lui appartenait, sachant qu'il ne pourrait jamais l'obtenir entièrement.

Une fois parvenu à l'extrémité du ruisselet, il ne s'arrêta pas. Au lieu de cela, il s'empara de son intimité à pleine bouche. Elle sursauta.

— Mais vous n'avez pas…

— Je ne voudrais pas le gâcher.

D'un geste délicat, il caressa son entrecuisse et l'étonnement de Verity céda sous la volupté.

— Je vous promets que vous allez aimer, fit-il en l'amadouant avec ses caresses et ses mots.

Elle ondula contre la paume de sa main et ferma les yeux. Instinctivement, presque imperceptiblement, elle écarta un peu plus les cuisses. Il ajusta la position de sa tête entre ses jambes et le parfum enivrant du musc l'enveloppa.

Le diable s'empara de lui. L'entraînant dans sa frénésie, il la flatta jusqu'à ce qu'elle se mette à gémir. Alors il la fit hurler, encore et encore.

Une puissante vague de jouissance balaya la jeune femme.

Puis, glissant au sol, il l'attira sur le rebord du lit et lui posa les pieds sur le parquet.

Il l'incita à se retourner, lui fit arquer le bassin de manière que ses fesses culminent dans une position suggestive. Surprise par cette nouvelle initiative, elle tourna le visage vers lui. Les dents serrées, les mâchoires contractées, il la força à creuser le dos jusqu'à ce qu'il obtienne d'elle la posture souhaitée, la tête et les bras plaqués sur le lit, la croupe surélevée, la vulve offerte à son regard, rose et humide.

Il la caressa jusqu'à ce qu'elle frissonne de plaisir. Alors, il la pénétra violemment. Les mains de part et d'autre de ses hanches, il s'insinua en elle jusqu'à ce qu'il eût libéré toute la rage et le désir qui le rongeaient, corps et âme.

24

Hawkeswell descendait le Strand à cheval. Cela faisait deux jours qu'il remuait ciel et terre pour retrouver Michael Bowman. En vain.

Il avait passé des heures à parcourir des archives poussiéreuses, pour finalement ressortir bredouille. Il était clair désormais que Michael n'avait pas été déporté. Pas plus qu'il n'avait fini au cachot ou comparu aux assises. D'après ce qu'il avait pu découvrir, il n'avait pas non plus comparu au tribunal de grande instance du Shropshire, du Staffordshire ou du Worcestershire, encore que les archives auxquelles il avait eu accès ne fussent pas complètes, les originaux demeurant dans les comtés.

Selon toute vraisemblance, le jeune homme était tout bonnement parti tenter sa chance ailleurs. Une explication dont Hawkeswell se serait volontiers contenté.

Perdu dans ses pensées, il sursauta en voyant soudain apparaître à sa hauteur un autre cavalier, alors qu'il approchait de l'extrémité ouest du Strand.

Bertram Thompson cala sa monture au rythme de la sienne. Haut-de-forme et redingote bleue flambant neufs, il s'imposa sans plus de cérémonie.

— Il faut que nous parlions, Hawkeswell. Vous n'avez pas répondu à mes lettres.

— Je les ai ignorées. Je pensais avoir été suffisamment clair, Thompson. Je ne veux plus vous voir. M'avez-vous suivi à travers toute la capitale pour me harponner de cette manière ?

— Je n'avais pas d'autre choix. Des gentlemen m'ont fait une proposition pour la fonderie. Or, tant que vous n'aurez pas considéré leur offre, je serai dans l'incapacité de leur donner une réponse.

— Une offre pour la fonderie ?

Il freina son cheval pour se ranger sur le bas-côté.

Bertram le suivit, un sourire narquois aux lèvres, satisfait d'avoir forcé Hawkeswell à s'arrêter.

— Une offre *très* alléchante.

— L'usine n'est pas à vendre. Certes, j'ai l'usufruit des biens et des revenus, mais c'est Verity qui en est propriétaire. Je suis sûr qu'elle s'y opposera fermement.

— On ne me propose pas de racheter la fonderie, mais de la louer.

Quoique Hawkeswell fût expert dans le domaine de l'affermage, il ignorait tout de la location des entreprises.

— Combien propose-t-on ?

— Une moyenne des revenus des cinq dernières années moins quinze pour cent. Étant donné la chute actuelle de la demande en fer et la baisse des commandes, la sécurité financière que nous garantit ce versement annuel est très tentante.

En effet. Mais ce serait plus tentant encore si les cinq années en question ne constituaient pas les pires dans l'histoire de la fonderie. Malgré tout, il faudrait être fou pour ne pas considérer sérieusement une offre qui mettrait les propriétaires à l'abri des risques et des aléas inhérents au secteur industriel.

— Un bail de combien de temps ?

— Cinquante ans.

Cinquante ans de revenus fiables, à moins que les nouveaux gérants dirigent mal l'affaire, auquel cas ils feraient faillite et le bail serait résilié. Inutile de le nier, l'offre était alléchante. Voyant qu'il n'y était pas indifférent, Bertram afficha un sourire entendu.

— Et vous dans cette histoire, Thompson ? Qu'allez-vous faire si l'on conclut ce marché ?

— D'autres projets m'attendent, ne vous en faites pas. Je ne serai pas mécontent de laisser derrière moi cette maison et tous les ennuis qui vont avec. Dois-je leur dire d'établir le contrat, de manière qu'on puisse l'étudier en détail ?

Cinquante ans, songea Hawkeswell. Avec l'argent que lui garantissaient les revenus promis, il pourrait aisément entretenir son patrimoine.

Seulement, s'il signait le contrat, Verity ne le lui pardonnerait jamais. Elle serait furieuse. Ses souvenirs, son enfance, tout était ancré là-bas. Or, le bail la forcerait à rompre les liens avec son passé de manière radicale, contrairement à l'arrangement actuel des choses. Jamais il ne pourrait lui demander un tel sacrifice.

— C'est inutile. Nous ne signerons pas de bail.

La déception de Bertram se peignit sur ses traits. Il afficha un sourire dédaigneux.

— Ah bon ? C'est pourtant une offre généreuse.

— Non.

— Permettez-moi de vous expliquer les faits, milord. Imaginez que vous louiez des fermes à des bergers. Vous percevrez le loyer, que les moutons soient tondus ou qu'ils meurent, dit-il en accompagnant ses mots de gestes grandiloquents. Or, la situation est telle qu'il se peut que les bergers n'obtiennent pas beaucoup de laine. Mieux vaut laisser quelqu'un d'autre parier sur la santé des moutons. Il s'agit d'opter pour la prudence.

— Si je comprends bien, vous me traitez d'imprudent et de sot. En réalité, j'ai tout simplement plus foi en l'industrie anglaise que vous. De même que les hommes qui vous ont fait cette offre étrangement généreuse.

Bertram tira sur ses rênes d'un geste sec. Son cheval fit une volte.

— Vous ne savez pas de quoi vous parlez. Je suis condamné à partager mon héritage avec un idiot.

— Idiot, peut-être, mais je ne vois pas l'intérêt de payer quinze pour cent des bénéfices pour qu'on gère la fonderie à notre place. Un bon gérant coûte moins cher. J'ai entendu dire beaucoup de bien d'un jeune homme dénommé Michael. Mieux vaudrait le réembaucher pour seconder M. Travis.

— Bon sang ! Cet homme est parti. Il ne reviendra pas. Si vous persistez à ne pas vouloir m'entendre, nous mourrons tous ruinés.

Il semblait très sûr de ses dires. Thompson savait que Michael était parti pour toujours. Hawkeswell le sentait.

— De toute façon, je vais faire rédiger le contrat, que je vous ferai parvenir. J'espère que vous demanderez le conseil avisé d'hommes plus expérimentés que vous dans ce domaine, et qu'ils parviendront à vous faire entendre raison.

Sur ces mots, Thompson s'éloigna au trot. Hawkeswell attendit quelques minutes, puis il lança à son tour son cheval dans la même direction.

Le cousin de Verity aurait beau encourager les acheteurs, aucun bail ne serait signé. Hawkeswell ne supporterait pas de blesser la jeune femme en acceptant cette offre.

En outre, il n'avait pas l'intention de demander conseil à des experts. Il avait déjà reçu l'avis d'un homme aguerri, dont l'immense fortune témoignait de l'aptitude de sa famille à amasser de l'argent.

— *Ne laisse pas cette usine te filer entre les doigts.*

Un tel conseil, donné par un Castleford presque sobre, n'était pas à prendre à la légère.

— Si je comprends bien, tu ne lui as pas rendu visite depuis un bout de temps, hasarda Summerhays.

— Effectivement, répondit Hawkeswell qui chevauchait à son côté. Du reste, je me sens bête de lui rendre visite si tôt.

— Nous n'avons pas d'autre choix. Si nous ne voulons pas avoir à attendre jusqu'à mardi prochain, mieux vaut nous y rendre de bonne heure. Avant qu'il ne se mette à faire... ces choses qu'il a à faire, quelles qu'elles soient.

— Se taper des prostituées, tu veux dire ?

— On trouvera sans doute déjà des femmes chez lui.

— Ô joie ! Il me tarde d'y être, ironisa-t-il.

— Tu y vas pour lui demander une faveur, Hawkeswell. À ta place, je ne serais pas trop regardant.

— Je vais juste lui demander de me renseigner sur les tréfonds de l'humanité. Et s'il n'est pas encore réveillé ? Sacristi ! Il n'est même pas dix heures.

— Dans ce cas, nous attendrons.

Hawkeswell arrêta son cheval.

— Toi, tu peux attendre si cela te fait plaisir. En revanche, moi, on ne me fait pas attendre. Peut-être s'agit-il de Castleford, mais je suis le comte de Hawkeswell. Mes aïeux conseillaient déjà le roi quand les siens n'étaient que de simples nobles campagnards rongés par l'ambition. Les Hawkeswell n'ont de patience à accorder qu'à la famille royale, et à personne d'autre. Certainement pas à des parvenus tels que la maison des St. Ives.

— Mes plus plates excuses. Je rectifie : s'il dort encore, tu peux rentrer chez toi et attendre jusqu'à mardi prochain pour revenir le voir.

Ils remirent leurs montures aux valets en perruque postés devant l'entrée de la maison de ville de Castleford. Hawkeswell parcourut la façade du regard.

— Regarde-moi cette monstruosité. C'est encore plus grand que Somerset House. Prussien des fondations à la corniche. Son grand-père avait la folie des grandeurs. Un trait qui se transmet de génération en génération, apparemment.

— Tout comme l'endettement dans ta famille.

— Merci, Summerhays, tu sais toujours me prendre dans le sens du poil.

Un majordome affublé d'une livrée et d'une perruque les invita à entrer dans une salle de réception, prit leur carte, et s'excusa. L'attente permit à Hawkeswell de calmer ses nerfs. Summerhays s'était sacrément fourvoyé, songea-t-il, en lui suggérant de demander l'aide de Tristan. Il voyait mal comment leur ancien ami, dont le cerveau était embrumé par l'alcool, pourrait lui permettre de sortir de l'impasse Michael Bowman.

Bon sang ! Ce n'était pas comme s'il avait vraiment envie de le retrouver. S'il y parvenait, Verity pleurerait sans doute de joie et se jetterait dans les bras du jeune homme. Qui sait, elle entamerait peut-être une liaison avec lui aussi sec !

— Qu'est-ce qui te fait grogner ainsi ? s'enquit Summerhays.

— L'ironie de la vie.

Le majordome reparut. Le duc, les informa-t-il, allait les recevoir dans ses appartements.

Ils empruntèrent l'escalier monumental qui les mena dans un immense salon, donnant à son tour dans un dressing ridiculement grand accablé d'ornements. Le majordome les conduisit jusque dans la chambre, où il les abandonna.

Sur un lit gigantesque aux tentures de soie, appuyé contre une vingtaine de coussins au moins, sirotant un café, nu comme un verre sous les draps, était avachi Castleford, récupérant de sa nuit de débauche.

Heureusement pour ses visiteurs, il n'y avait pas de prostituées à l'horizon.

— Merci d'avoir accepté de nous recevoir, fit Summerhays.

— J'ai failli refuser. Je suis exténué. Abrégez ; j'ai besoin de rattraper ma nuit.

Hawkeswell jaugea le torse nu et les cheveux en bataille de leur hôte.

— Tu t'attends peut-être à ce que nous te regardions prendre ton petit déjeuner alors que tu es complètement débraillé ? Bon sang, ayez au moins la décence de mettre une chemise, *Votre Grâce* !

Castleford leva lentement les yeux. Puis il s'adressa à Summerhays.

— Qu'est-ce qui lui prend ? Il est constipé ?

— C'est l'ironie de la vie, se moqua Summerhays.

Castleford avala une gorgée de café.

— Autrement dit, il est amoureux.

— Summerhays, je te prierai de bien vouloir sortir, car je vais étrangler notre vieil ami et je ne veux aucun témoin.

— Arrête de jouer au nigaud, Hawkeswell. C'est adorable que tu sois amoureux de ta petite épouse fugitive. Même si ce n'est plus vraiment à la mode, c'est très touchant, fit Castleford en posant le plateau de côté pour leur indiquer des fauteuils. À présent, dites-moi pourquoi vous m'avez dérangé. Je vous préviens, vous avez intérêt à ce que ce soit pour une raison distrayante.

Hawkeswell mit sa colère en sourdine. Il prit une chaise qu'il approcha du lit. Summerhays l'imita.

— Nous nous demandions si tu serais d'accord pour nous aider à échafauder des hypothèses démoniaques, un talent dont tu as fait preuve en diverses occasions, expliqua Hawkeswell. Voici l'histoire : imaginons que quelques hommes haut placés désirent se débarrasser de quelqu'un. Le faire disparaître sans laisser de traces. Comment s'y prendraient-ils ?

Castleford haussa les épaules.

— Le plus simple serait évidemment de le tuer. Le problème, c'est que le corps risquerait d'être retrouvé. Un autre détail peut s'avérer dangereux : tu as mentionné « quelques hommes ». Au pluriel. Un meurtre est une tâche dont il vaut mieux s'acquitter seul, pour éviter qu'un complice ne vous envoie ensuite à la potence en vous dénonçant, ou qu'il vous fasse chanter.

— Tu as déjà réfléchi au sujet, à ce que je vois, fit remarquer Summerhays.

— Vite fait.

— Admettons que, pour les raisons que tu as invoquées, on n'ait pas opté pour le meurtre, reprit Hawkeswell.

Castleford considéra la question.

— Il y a dix ans de cela, je l'aurais fait tatouer et expédier aux Antilles. Mais aujourd'hui, ce serait plus difficile. Je m'arrangerais plutôt pour le faire enfermer sur un ponton[1].

— Sans aucune trace d'arrestation, de procès ou de condamnation ?

— Ces vaisseaux sont des lieux où tout est pourri. Le commandant et les geôliers sont corruptibles. Imaginez qu'on accoste le long du vaisseau, une nuit, qu'on dise au geôlier qu'on est accompagné d'un condamné, et qu'on le lui remette avec une bourse bien pleine. Vous croyez vraiment qu'il sera regardant sur l'identité du type ? Ou qu'il se demandera pourquoi un noble l'a déposé sur le ponton sans aucun papier ?

— En revanche, s'il était pointilleux, ton plan tomberait à l'eau.

---

1. Vieux vaisseau immobilisé transformé en prison. *(N.d.T.)*

— Dans ce cas, échange ton homme contre un véritable condamné. S'il clame qu'il n'est pas le prisonnier en question, qui l'écoutera ? Oui, vous devriez choisir cette solution, les amis.

Summerhays se figea. Hawkeswell fixa Castleford, qui lui renvoya platement son regard.

— Je peux l'étrangler, Summerhays ?

Ce dernier poussa un soupir.

— Tristan, tu nous as mal compris. Nous n'avons pas l'intention de faire disparaître un homme.

— Tu as mentionné des hommes haut placés. J'ai supposé que...

— Nous sommes à la recherche d'un homme dont d'autres se sont sans doute débarrassés.

— Je vois. C'est tout de suite moins drôle. Mais ce n'est pas dépourvu d'intérêt pour autant.

— Quel soulagement ! s'exclama Hawkeswell. Nous ne sommes malheureusement pas des criminels, mais cela ne nous rend pas complètement inintéressants ! ironisa-t-il.

— Quoi qu'il en soit, vous devriez jeter un œil du côté des pontons.

— Il n'a pas tort, répliqua Summerhays. Cela vaut le coup d'essayer. Je peux envoyer un avocat à la cour supérieure de justice pour obtenir un mandat qui nous permettra de fouiller les pontons et...

— Que de procédures barbantes ! s'écria Castleford avec un grognement d'impatience. Je vais tout simplement y aller avec Hawkeswell. Ces gens n'oseront pas tenir tête à un duc et un comte, même en l'absence d'un mandat. Tu peux nous accompagner, à condition de promettre de ne pas te comporter comme le membre du Parlement que tu es. Il ne faudra pas oublier nos épées, ajouta-t-il en adressant un large sourire à Hawkeswell.

Ce dernier était sidéré par le culot de Castleford, qui partait du principe qu'il était le bienvenu pour se joindre à leur expédition. Pendant quelques instants, Summerhays parut lui aussi tomber des nues.

— Malheureusement, Castleford, cette histoire ne peut pas attendre jusqu'à mardi prochain, dit-il.

— Il a raison, renchérit Hawkeswell. Je veux régler cette histoire dans les deux jours. En croisant les doigts pour que ton idée soit la bonne. J'irai après-demain muni de mon épée, comme tu le suggères, et lorsque je la brandirai, ce sera un peu en ton honneur.

— Deux jours ?

— Et de très bon matin.

— Vers huit heures, renchérit Summerhays. Non, en fait, sept heures, c'est mieux, rectifia-t-il en se levant. Tu nous as été d'une grande aide. À présent, nous te laissons récupérer de ta nuit.

Une fois parvenus à la porte, ils furent rattrapés par la voix tonitruante de Castleford.

— Sept heures ! C'est sacrément tôt, mais j'imagine que vous aurez besoin de mon bateau. Je mourrais plutôt que de rater ça ! Rendez-vous sur les quais.

25

Hawkeswell fut d'humeur maussade tout le reste de la journée, et le lendemain en grande partie. Il faillit envoyer un message à Summerhays et Castleford pour annuler leur petit périple sur les pontons.

Bien qu'il cherchât à s'inventer des prétextes, il ne se voila pas la face bien longtemps. Quoique Verity lui eût affirmé le contraire, il savait que ses retrouvailles avec son amour de jeunesse ne seraient pas insignifiantes.

Et plus son humeur s'assombrissait, plus son imagination s'emballait. Il repensa à tout ce qu'elle avait pu lui dire sur Oldbury, Katy et Bowman, sur le motif de sa fuite, analysant chacune de ses paroles.

Porté par un élan d'optimisme, il avait voulu croire à son histoire. Qu'il avait été crédule ! En réalité, comme il l'avait soupçonné dès le début, elle avait fugué pour en rejoindre un autre. Le visage décomposé de Katy Bowman lui revint en mémoire. N'avait-elle pas supposé la même chose ?

Ensemble, ils avaient pourtant partagé d'agréables moments. Mais s'il s'avérait que le cœur de sa femme appartenait à un autre, leur bonheur tournerait court.

Plongé dans ses pensées, il entra chez Brooks et passa devant Summerhays sans même le remarquer.

Lorsque son ami l'interpella, il s'extirpa de sa torpeur pour se retrouver nez à nez avec lui.

— Quelqu'un est mort ? Tu fais une tête d'enterrement, fit remarquer Summerhays en lui tendant une chaise.

Il s'installa et déclina un brandy.

— Je songe à notre expédition de demain.

Summerhays l'examina longuement. Puis son visage se fendit en un sourire.

— Peu après mon mariage, tu m'as donné un conseil fort avisé. Le moment est-il venu de te rendre la pareille ?

— À cette époque-là, j'ignorais tout du mariage. C'est la seule raison pour laquelle je n'ai pas eu plus d'égards pour ta jalousie.

— Et pourtant, pour une union qui n'était pas au départ un mariage d'amour, tu m'as donné un conseil plutôt éclairé. Selon lequel les liaisons adultères étaient inévitables, et que je serais stupide de me persuader du contraire.

— En effet, c'était un conseil avisé. Je suis si clairvoyant que j'en viens à me dégoûter moi-même.

Il regarda dans le vide, trouvant quelque réconfort dans la sagesse de ces paroles. Quoique son malaise se calmât, la chape de plomb qui lui comprimait la poitrine demeura. Il se préparait au pire.

— S'il s'avère que j'ai vu juste, je ne pense pas que je le tuerai.

— C'est tout à ton honneur. Leur histoire, quelle qu'elle soit, appartient au passé, elle n'a pas d'incidence sur le présent, et tu ne peux pas anticiper le futur.

Sauf que leur histoire n'était pas sans conséquences, et nul doute qu'elle affecterait le futur de leur mariage. D'ailleurs, Verity ne ferait-elle pas ce qu'elle voudrait de son corps ?

Il broya du noir toute la journée. Cette nuit-là, le plaisir qu'il éprouva en fut d'autant plus poignant. Il lui fit l'amour avec lenteur et douceur, les sens à l'affût de chaque sensation. Elle atteignit la jouissance à maintes reprises. Vers la fin, la tendresse de ses gestes céda la place à la rage.

Il empoigna les cuisses de la jeune femme, les souleva et s'arc-bouta au-dessus d'elle pour contempler la manière dont leurs corps s'unissaient, ainsi que l'expression de son visage, déformé par la passion. À chaque nouvelle poussée, son corps et son sang martelaient *mienne*, comme si la puissance de leurs ébats suffirait à marquer à jamais le cœur de Verity.

Cette nuit-là, il l'éblouit. Le plaisir vint doucement, telle une kyrielle de gouttelettes se déversant une à une dans ses veines pour se déployer à travers ses membres. Il montra une extrême délicatesse, comme si elle était un précieux trésor. Cet excès de prévenance lui déchira le cœur.

Complètement envoûtée, elle fut prise au dépourvu lorsque, soudain, il vira du tout au tout, le regard impérieux, les gestes pressants, exigeant d'elle une soumission totale. Après cela, elle reposa inerte sous lui, le souffle court, le corps rompu, emplie de lui, de son odeur, de sa présence.

Quand il finit par rouler sur le côté, elle éprouva un sentiment de vide.

— Je ne serai pas là à votre réveil, annonça-t-il. J'ai quelque chose à régler demain aux aurores.

Elle trouva bizarre qu'il aborde un sujet si pragmatique à cet instant précis. Leur intimité invitait à d'autres paroles. Douces et solennelles. Elle venait de toucher à un univers mystérieusement envoûtant, et voilà que par ces mots, son mari la faisait brusquement retomber sur terre.

— Et moi, je ne serai pas là à votre retour. Daphné nous a organisé une visite privée de Kew Gardens.

— Pourquoi ne pas rester quelques jours de plus avec vos amies ? suggéra-t-il en se redressant pour récupérer sa robe de chambre.

Elle ne pensait pas qu'il la quitterait si brusquement. Quand il avait dit qu'il serait parti à son réveil, elle avait cru qu'il voulait dire parti de son lit.

— J'en serais ravie. Je prendrai votre carrosse pour aller à Cumberworth, et je le renverrai ensuite à Londres.

— Les Fleurs Rares de nouveau réunies. Tâchez d'en profiter. Nous nous reverrons dans quelques jours, dans ce cas.

Il l'embrassa. Une nouvelle vague de mélancolie la saisit. Elle s'aperçut alors que cette tristesse émanait en réalité de son mari. Et il la lui avait transmise à travers son baiser.

— Tu as oublié ton épée, fit remarquer Summerhays.

— Je n'ai pas besoin d'une épée pour impressionner un geôlier. Castleford peut-être, mais pas moi.

Il contempla l'immense voilier qu'un équipage composé d'une dizaine d'hommes appareillait.

— Nous voulons juste descendre le fleuve, pas traverser l'océan.

— Ce qui est sûr, c'est que nous ne manquerons pas d'impressionner les officiers des pontons. Si cela fait plaisir à Castleford !

— Il a deux minutes pour ramener son derrière imbibé d'alcool sur le quai, ou alors je monte à bord de ce voilier sans lui.

À vrai dire, il n'était pas d'humeur à attendre, ne serait-ce que quelques minutes de plus.

— Le voilà, fit Summerhays en plissant les yeux pour distinguer l'autre bout de la digue. Enfer et damnation ! Il n'est pas seul !

C'était le moins qu'on pût dire. Il s'avançait d'un pas joyeux, une femme à chaque bras et une bouteille de vin dans une main.

— Pas question qu'elles nous accompagnent, décréta Hawkeswell dès que Castleford fut à portée de voix.

— Oh que si ! C'est mon voilier. Allons, mes colombes, grimpez à bord.

Il remit les deux femmes entre les mains d'un membre de l'équipage à l'œil concupiscent, qui les guida à bord.

— Elles ont insisté pour m'accompagner, reprit Castleford. Du même coup, elles me montrent leur reconnaissance.

Bien qu'il parût relativement sobre, Hawkeswell préféra lui arracher la bouteille des mains. Le duc se laissa faire.

— Tu as oublié ton épée, dit-il en caressant la sienne.

— Heureusement pour toi.

— Messieurs, il est temps de lever l'ancre ! annonça Castleford à l'équipage. Nous partons à l'aventure ! En route ! Levez les amarres, déployez les voiles, et patati et patata.

Les prostituées le trouvèrent très spirituel. Lui-même semblait assez satisfait de lui. Dans un long soupir, Summerhays grimpa à bord. Enfin, Hawkeswell l'imita, non sans appréhension.

— Inutile de déployer les voiles, milord, objecta un membre de l'équipage. Il n'y a pas de vent. Il va falloir ramer.

— Heureusement que vous êtes dix, dans ce cas, répliqua Castleford en ôtant son épée.

Il s'avachit sur un divan disposé sous une marquise, puis il fit signe aux courtisanes de le rejoindre.

Summerhays s'installa aussi loin que possible du divan et plongea le regard sur le fleuve d'un air stoïque.

Hawkeswell se joignit à lui.

— Tu crois qu'il va copuler avec ces deux-là juste sous notre nez ?

— Je crois surtout qu'il nous en veut de ne pas avoir attendu mardi pour entreprendre cette expédition, et qu'il tient à nous prouver que, sous aucun prétexte, il ne changera son emploi du temps. Attends-toi à ce qu'il nous propose de participer à la fête.

— J'espère qu'il aura la décence d'attendre le voyage du retour. Si nous accostons à un ponton où pullulent les condamnés en plein milieu de sa performance, nous risquerons de provoquer une émeute.

Summerhays jeta un coup d'œil par-dessus son épaule.

— Eh bien, trop tard. Comme d'habitude, inutile de compter sur sa discrétion et son bon sens.

Des gloussements de femmes et des petits cris aigus emplirent l'air. Hawkeswell fixa le fleuve tout en songeant à l'infraction qu'il s'apprêtait à commettre. Accoster sur une série de pontons répugnants et exiger de les fouiller à la recherche de Michael Bowman.

26

— Quelqu'un pourrait-il m'expliquer pourquoi ce type a besoin d'une telle escorte ? C'est un simple forgeron, nom de Dieu ! Probablement un radical, débusqué sur un ponton qui plus est, s'impatienta Castleford. Et surtout, pourrait-on m'expliquer ce que je fiche ici ?

— Nous n'avions pas sitôt quitté le ministère de l'Intérieur que tu t'es mis à roupiller. Et impossible de te réveiller. Du coup, te voilà parmi nous, expliqua Hawkeswell.

Le visage sombre, Castleford jeta un nouveau coup d'œil par la vitre.

— Trois carrosses, tous trois ornés d'armoiries. Bon sang ! On dirait la procession d'un mariage royal ! Pourquoi Summerhays a-t-il sorti la voiture de Wittonbury ?

— Il récupère sa femme et part ensuite se réfugier dans l'Essex pour quelque temps.

— Et que fabriques-tu ici, avec moi, alors que tu pourrais être dans ton propre carrosse ?

— Disons que je préfère mille fois ta compagnie à celle de notre nouvel ami.

Cette explication parut convenir à Castleford, qui se calma. Que sa compagnie surpasse de loin celle de n'importe qui d'autre lui semblait couler de source. Il bâilla deux ou trois fois, croisa les bras.

— Dans ce cas, qu'est-ce que Summerhays fait dans sa voiture alors qu'il pourrait lui aussi profiter de ma compagnie ?

— Parce que, Votre Grâce, lorsque tu dors, tu as tendance à t'étaler et t'agiter dans tous les sens. Autrement dit, tu prends la place de trois hommes à toi tout seul. Summerhays ne s'est pas fait prier pour monter dans son propre carrosse.

Hawkeswell pensait que Castleford allait maintenant reprendre sa sieste où il l'avait laissée, et dormir jusqu'à ce que le dernier chapitre de cette déplorable histoire soit achevé. Au lieu de cela, le duc afficha un large sourire.

— Je n'arrive pas à oublier la tête de Sidmouth quand il nous a vus entrer dans son bureau en traînant Thompson par la cravate !

Bouche bée et yeux écarquillés, il imita la réaction du ministre de l'Intérieur, stupéfait de leur intrusion.

Summerhays aurait préféré éviter une scène. Hawkeswell, pour sa part, voulait juste en finir avec cette affaire une fois pour toutes. Face à l'indifférence de ce dernier, Castleford avait tranché en faveur d'une entrée théâtrale, prenant d'assaut le ministère comme ils avaient envahi le ponton.

Ce matin-là, ignorant les protestations des fonctionnaires qui tentaient de s'interposer, ils avaient bousculé clercs et secrétaires pour débarquer dans le bureau de Sidmouth, entraînant de force avec eux Bertram Thompson, horrifié.

Sans autre cérémonie, Hawkeswell avait ordonné à Sidmouth de s'asseoir et d'écouter ce qu'ils avaient à dire. Bertram était aussitôt passé à table, craignant pour sa vie s'il n'avouait pas son crime. Il avait alors raconté une histoire à glacer le sang.

— Cela m'a agacé que Sidmouth prétende qu'on ne faisait que confirmer ses soupçons, grommela Castleford. C'est pur orgueil et vanité. Il a tout simplement refusé d'admettre que nous avions mis le doigt sur une intrigue qu'il n'a pas vue venir.

En réalité, c'était Verity qui avait découvert le pot aux roses. Si elle ne s'était pas entêtée à retrouver Michael Bowman, Cleobury et ses complices auraient pu continuer à faire disparaître des hommes en toute quiétude.

— À vrai dire, Sidmouth avait sans doute flairé quelque chose, répondit Hawkeswell. Je crois qu'il a posté un émissaire dans le Nord pour soulever le lièvre. Je l'ai rencontré. Ce n'est autre qu'Albrighton.

— Albrighton ? Pas possible ! Il est de retour ?

— Oui. Il mène une vie de châtelain dans le Staffordshire.

— Quel ennui ! Il doit avoir envie de se tirer une balle dans la tête.

— C'est précisément ce que j'ai pensé. D'où l'idée qu'il travaille pour Sidmouth. C'est un espion au service du gouvernement et non pas un agent provocateur. Comment expliquer autrement sa présence ?

— En tout cas, son aide ne sera plus nécessaire dorénavant, grâce à moi.

— Tu t'attribues tout le mérite, à ce que je vois.

— À juste titre ! C'est moi qui ai eu l'idée d'aller jeter un œil sur les pontons, c'est mon voilier qui nous y a menés, mes valets qui ont nettoyé Bowman, ma veste qu'il porte en ce moment même, et c'est moi qui ai convaincu Thompson de passer à table.

Tous ces points étaient vrais, en particulier le dernier. Hawkeswell n'avait pas assisté à la scène, la veille, mais elle avait porté ses fruits.

— Que lui as-tu dit ? Ou fait ?

— Peu importe. C'était efficace, n'est-ce pas ?

Hawkeswell le dévisagea. Castleford soutint son regard.

— Mieux valait qu'il ait affaire à moi qu'à Albrighton, crois-moi.

Le carrosse prit un virage. Hawkeswell reconnut l'allée des Fleurs Rares. Quand il comprit qu'ils étaient arrivés, son cœur bondit dans sa poitrine.

— Où sommes-nous ? demanda Castleford, une fois les trois carrosses immobilisés.

Il passa la tête par la vitre pour inspecter la demeure et son jardin. Hawkeswell souleva le loquet de la portière.

— C'est ici que vivent les amies de ma femme et de lady Sébastien.

— Sont-elles aussi charmantes que ton épouse ?

Hawkeswell se figea sur le marchepied.

— N'y songe même pas. Et je suis sûr que Summerhays partage mon avis. Ces femmes s'aiment comme des sœurs. Si tu te comportes mal, nous n'hésiterons pas à te remettre à ta place.

— Bon sang ! Je t'ai simplement demandé si elles étaient jolies !

— Rendors-toi.

Sur ces mots, il descendit du carrosse. Summerhays était déjà parvenu sur le seuil. Audrianna ouvrit la porte.

— Seigneur ! Quelle impressionnante procession. Vous avez dû produire un certain effet en chemin, commenta-t-elle en embrassant du regard les trois voitures. Verity est dans sa chambre, Hawkeswell. Les autres sont dans la serre.

Summerhays tendit la valise de sa femme au cocher.

— Pourquoi ne viens-tu pas passer quelques jours avec nous dans l'Essex, Grayson ? proposa-t-il.

— Oui, venez avec nous. Je crois que Verity a beaucoup apprécié la côte et que cela lui ferait plaisir d'y retourner, ajouta Audrianna.

Affichant un sourire triste, Summerhays jeta un regard entendu à son ami.

— Dans l'Essex ou à Londres, nous nous reverrons très bientôt.

Après avoir fait leurs adieux, ils se dirigèrent vers leur véhicule.

— Ne serait-ce pas le carrosse de Castleford ? Que fait-il ici ? s'enquit Audrianna en balayant les alentours. Qui donc se trouve dans celui de Hawkeswell ?

Summerhays lui prit le bras.

— Je t'expliquerai tout cela durant le trajet, ma chérie.

Il l'aida à monter et, après avoir jeté un dernier regard à son ami, il grimpa à son tour dans la voiture.

Hawkeswell suivit le carrosse des yeux tandis qu'il s'éloignait. Puis il reporta son attention sur la maison, prit une profonde inspiration, serra les dents et se dirigea vers la portière de sa voiture. Il jeta un coup d'œil à l'intérieur de la cabine.

Un jeune homme blond aux yeux verts pétillant d'intelligence et à l'expression agréable le regarda à son tour, les traits empreints de curiosité.

La colère frémit dans ses veines, mais Hawkeswell lutta. Bon sang ! Il aurait volontiers donné libre cours à sa rage, mais Verity méritait mieux. Hors de question qu'elle le croie jaloux.

Il ouvrit la portière.

— Venez avec moi.

C'était une magnifique journée d'automne ensoleillée. Une brise fraîche emplie des parfums saisonniers s'engouffrait entre les carreaux de la fenêtre où Verity était assise, dans son ancienne chambre. Elle observait le jardin balayé par les feuilles jaunissantes.

Elles avaient passé la nuit à bavarder longuement de sujets très intimes, comme seules les femmes savent le faire. Verity avait fini par leur parler de Bertram, de ses peurs, des raclées et des coups de fouet. Si elle pouvait se livrer sans s'effondrer, c'était parce qu'elle avait déjà libéré le gros de sa colère et de ses émotions en se confessant à Hawkeswell.

Audrianna avait pleuré. Apparemment, Daphné avait déjà plus ou moins deviné son secret. Celia aussi. Quant à Katherine – eh bien, Katherine comprenait mieux que quiconque, n'est-ce pas ?

Évoquer cette triste époque la soulagea beaucoup. Ce fut également éreintant. Elle avait dormi à poings fermés. Aussi trouva-t-elle toute la maisonnée levée depuis longtemps lorsqu'elle ouvrit enfin les yeux le lendemain matin.

Elle devait s'habiller en hâte. Summerhays viendrait chercher Audrianna, et le carrosse de Hanover Square ne tarderait pas à arriver à son tour. Elle avait certes profité de ce court séjour à Cumberworth, mais il était temps de rentrer à la maison.

On gratta discrètement à sa porte. C'était sans doute Katherine. Elles avaient tissé des liens durant ces quelques jours. Verity la pria d'entrer.

La porte s'ouvrit. Cependant, ce ne fut pas Katherine qui apparut sur le seuil, mais Hawkeswell.

Elle était magnifique, assise près de la fenêtre. La brise soulevait de minuscules mèches qui l'auréolaient d'une couronne. La lumière conférait à sa peau un éclat de rosée. Il s'imprégna de cette image. Son épouse semblait si fraîche et si pure, les cheveux relâchés et les yeux brillant d'une étincelle accueillante.

Elle sourit et tendit le bras. Il s'approcha d'elle, lui baisa la main, et une bouffée d'amour l'envahit.

— N'allez-vous pas me donner un baiser digne de ce nom ? demanda-t-elle. Je n'ai rêvé que de cela pendant deux nuits entières.

— Bien sûr.

Du bout des lèvres, il caressa les siennes. Le contact de cette bouche, la chaleur qui en émanait, et la joie qu'elle lui prodigua ébranlèrent son âme.

Cueillant son visage au creux de ses mains, il s'empara de ses lèvres avec plus de voracité.

Elle caressa la main posée sur sa joue.

— Je m'habille en vitesse, et nous pourrons prendre la route.

C'est alors qu'il remarqua qu'elle était encore en nuisette, les épaules couvertes d'un simple châle. Il eut un moment d'égarement, se demandant s'il allait la laisser s'habiller.

En son for intérieur, il rit jaune. À quoi bon, maintenant ?

Plongeant le regard dans le bleu de ses yeux, il lui ouvrit son cœur pendant un instant poignant qui sembla durer une éternité. Puis il reprit le contrôle de ses émotions.

— J'ai une surprise pour vous, Verity. Un cadeau très spécial. Vous m'en serez redevable à vie.

— Ah bon ? s'étonna-t-elle en souriant avec l'enthousiasme d'une enfant.

Ce sourire l'ensorcela. Le cœur serré, il retourna à la porte. Il l'ouvrit en faisant un geste.

Un jeune homme malingre aux cheveux d'or et au sourire espiègle entra dans la chambre. Verity écarquilla les yeux.

— Michael ! s'écria-t-elle en bondissant de son siège.

Hawkeswell quitta la pièce en refermant la porte derrière lui sans même se retourner.

Il descendit les escaliers, sortit de la maison, dépassa son carrosse pour rejoindre celui de Castleford. Pourvu que Tristan soit endormi. La dernière chose dont il avait besoin, c'était d'un témoin à son malheur. D'ailleurs, il n'était pas d'humeur à bavarder.

Pour ne prendre aucun risque, il fit signe au cocher de lui faire de la place, et grimpa à côté de lui sur la banquette. Il souffrait et il avait du mal à respirer, comme si on venait de lui assener un coup au plexus.

Il ordonna au cocher de rentrer à Londres.

Ce dernier fit claquer sa chambrière, et l'attelage se mit en branle. Hawkeswell fixa bêtement leur crinière mouvante, tout en tâchant de ne pas songer aux retrouvailles qui avaient lieu aux Fleurs Rares.

— Tu n'es qu'un imbécile, Hawkeswell.

L'insulte provenait de la petite vitre de séparation.

— Merci de remuer le couteau dans la plaie. À présent, rendors-toi.

— Je vois clair dans tes intentions, et c'est complètement insensé. Tes sentiments pour elle sont évidents.

Hawkeswell poussa un grognement.

— Précisément. C'est justement pour cela que tes conseils ne me seront d'aucune aide. Nous ne parlons pas de l'une de tes courtisanes.

— Raison de plus pour ne pas faire l'idiot.

— Je ne suis pas d'humeur à écouter un ivrogne me lancer des insultes dans mon dos. Je suis plutôt irrité, alors je te suggère de retirer ton nez de cette ouverture.

— Tu me menaces ? Moi ? Enfer et damnation ! Arrêtez la voiture !

Le cocher ne se fit pas prier. Castleford descendit de la cabine et fit signe au cocher de quitter la banquette. Celui-ci posa la chambrière, alla se poster à l'arrière du carrosse. Castleford prit sa place, saisit la chambrière et aiguillonna les chevaux.

Croisant les bras, Hawkeswell fixa la route. Castleford se contenta de tenir compagnie à son ami sans ouvrir la bouche jusqu'à Londres.

Heureuse de retrouver son ami d'enfance, Verity étreignit Michael. Hawkeswell venait de lui offrir un cadeau très spécial, en effet. Le plus beau cadeau imaginable !

Elle jeta un coup d'œil en direction de la porte pour le lui dire, toutefois il avait disparu.

— Viens t'asseoir près de moi. Je voudrais te regarder pendant des heures. Où t'a-t-il trouvé ? dit-elle en attirant Michael vers le fauteuil de la fenêtre.

— J'étais prisonnier sur un ponton. Tu imagines ? Un jour, je me retrouve dans une cellule chez lord Cleobury, le lendemain dans un wagon, puis, sans que je sache comment, on me transfère dans un autre wagon plein à craquer de bagnards. J'ai eu beau leur rabâcher mon nom, leur répéter que je n'étais pas l'homme qu'ils pensaient, les bâtards n'ont rien voulu entendre.

— Sur un ponton ? Il paraît que ces vaisseaux sont des endroits épouvantables.

— C'est peu dire. Les hommes y tombent comme des mouches.

Son sourire s'évanouit et ses yeux se vidèrent. Il parut soudain beaucoup plus âgé.

— En tout cas, tu as l'air en bonne santé, Michael. Maigre, certes, mais pas trop mal.

— Ils m'ont nettoyé avant de m'amener devant toi. C'est comme ça qu'on les porte à Oldbury ? s'enquit-il en indiquant ses cheveux. C'est le valet du duc de Castleford qui m'a taillé la tignasse. Maintenant, je ressemble à un minet. Je vais être la risée du village à mon retour.

Ils rirent de bon cœur au sujet de sa coupe de cheveux, et elle complimenta la veste raffinée que le duc lui avait prêtée.

— Si tu voyais sa maison, Veri. Un vrai palais. Le genre d'endroit où tu n'oses même pas respirer. Et tu n'as pas intérêt à péter !

Nouvel éclat de rire. Puis ils se calmèrent et se contentèrent de se regarder en silence. Elle ne pouvait pas s'empêcher de sourire. Et dire que si peu de temps auparavant, elle était persuadée qu'il était de son devoir d'épouser ce vieil ami.

— Tu es devenue une vraie femme, hein ? remarqua-t-il. Et tu t'es dégoté un mari pas mal du tout.

— C'est un homme bien. Très bien, même.

— Vu qu'il s'est décarcassé pour me retrouver, je dirais en effet que c'est un chic type. Tu aurais dû les voir quand ils sont descendus dans ce gouffre ! Le commandant a rechigné, mais il a suffi que le duc de Castleford effleure son épée et lui lance un regard menaçant pour que l'autre se ratatine devant lui. C'est alors que ton comte a hurlé mon nom à tue-tête. Bon sang ! Ni une ni deux, j'ai bondi sur mes pieds !

Elle se figura la scène et rit de nouveau.

— J'espère que tu as envoyé un message à ta mère.

— Je l'ai fait sur-le-champ. Je l'ai adressé à M. Travis ; il ira le lui lire.

Katy serait tellement soulagée. Tout ce drame était enfin terminé !

Michael afficha son sourire en coin.

— Dis-moi, ton comte... est-ce qu'il est au courant ?

— De mon premier baiser ? Oui, mais je crois qu'il se demande s'il n'y a pas eu plus.

— En même temps, s'il me laisse en tête à tête avec toi alors que tu es encore en petite tenue, c'est qu'il n'est pas si inquiet que ça.

— Il trouve sans doute ma tenue plutôt sobre, après ce qu'il a eu l'occasion de voir de moi.

Michael fit mine d'être choqué, et ils rirent de bon cœur.

— Allons, dit-il en se levant. Nous ne devrions pas tarder à partir. Je te laisse te préparer. Un très beau carrosse nous attend dehors, prêt à nous ramener chez nous en grande pompe. Je ne pense pas que ça m'arrivera une autre fois, du coup j'ai bien l'intention de m'arrêter à chaque relais pour manger à ma faim en compensation des deux dernières années. Pendant que tu m'attendras gentiment.

— Je ne viens pas avec toi, Michael.

— Ce n'est pas ce que ton lord a dit. Il a même fait charger tes bagages. D'après lui, tu tiens à t'assurer du bon fonctionnement de l'usine. Il a dit que...

Il n'avait pas fini sa phrase qu'elle s'était précipitée dans le couloir. Elle dévala l'escalier et sortit de la maison en trombe. La voiture de Hawkeswell attendait là, l'attelage bai dignement immobile. Elle parcourut frénétiquement l'allée du regard à la recherche de son mari.

Ses propres bagages étaient sur le toit de la voiture. Trois valises en tout et pour tout. Un terrible sentiment la saisit. Michael sortit à son tour de la maison, un sourire espiègle aux lèvres tout en s'approchant du carrosse.

Perplexe, Verity n'arrivait pas à croire que Hawkeswell lui permette de retourner à Oldbury si peu de temps après leur retour. Avec Michael pour seule escorte, qui plus est.

La porte s'ouvrit de nouveau derrière elle. Elle pivota et se retrouva face à Katherine.

— C'est pour toi, dit-elle en lui tendant une lettre. Lord Hawkeswell est venu me trouver dans la cuisine. Il voulait que je te la remette.

Elle posa le regard sur le papier. En découvrant le nom du destinataire, elle cessa de respirer. *Miss Verity Thompson*. Appréhension, frayeur et chagrin se bousculèrent en elle tandis qu'elle dépliait la lettre.

Ma chérie,
Comme vous le constatez, nous avons retrouvé M. Bowman. Je vous décrirai notre aventure en détail ainsi que l'intrigue dans son ensemble dans une

prochaine lettre. Pour le moment, l'important est que le fils de Katy soit de retour parmi les vivants.

Votre cousin Bertram a finalement avoué vous avoir maltraitée et forcée à ce mariage, des aveux qu'il a couchés sur papier au milieu d'autres confessions de crimes pour lesquels il nous a donné les noms de ses complices. Cette preuve en main, appuyée par mon accord, vous devriez obtenir l'annulation du mariage rapidement après avoir déposé une demande. Ce n'est que justice.

Votre femme de chambre a veillé à ranger vos toilettes favorites dans vos bagages ainsi que vos bijoux préférés. Votre cousin et sa femme ne remettront plus les pieds dans la maison sur la colline, aussi êtes-vous libre de vous y réinstaller. Je suis sûr qu'une fois les pièces emplies de vos sourires, les bons souvenirs ressurgiront au détriment des mauvais.

Si je vous rends votre liberté, Verity, ce n'est pas parce que je me suis lassé de vous. Je vous en prie, ne vous mettez pas cette idée dans la tête. C'est plutôt le contraire. Mon amour pour vous m'a ouvert les yeux. J'ai compris que vous méritiez la vie à laquelle vous vous croyiez destinée. Même si cela implique que je dois renoncer à l'épouse que j'ai appris à adorer.

M. Bowman semble être un homme bien. Je préférerais ne pas l'apprécier autant. Je ne doute pas qu'il saura veiller à ce que vous arriviez à Oldbury saine et sauve. Ce faisant, il m'épargnera des adieux difficiles.

Votre dévoué,
Hawkeswell.

27

Hawkeswell pénétra dans la bibliothèque, se débarrassa de son manteau et dénoua sa cravate. La soirée qu'il venait de passer à Londres aurait sans doute diverti n'importe qui, mais pas lui. Heureusement, Audrianna et Sébastien, tout juste rentrés de l'Essex, ne s'étaient pas formalisés des manières frustes de leur invité.

Il s'approcha du buffet à alcools et se versa un verre de cognac. Il jeta un coup d'œil aux livres de comptes posés sur son bureau. Ils n'annonçaient sans doute rien de bon ; mais il ne pourrait pas les négliger indéfiniment. Et dire qu'il avait accès à une fortune qui réglerait ses problèmes pécuniaires en un tournemain. Il en avait l'usufruit, rien ne l'empêchait de piocher dedans. Mais il avait le sentiment que ce n'était pas à lui d'en profiter.

Quoiqu'il n'eût pas encore reçu de demande d'annulation, cela ne tarderait pas. Cela faisait dix jours que Verity était partie. À présent, elle devait être installée.

Une lettre d'elle lui était parvenue. Succincte, pleine de gratitude, et d'une insupportable ambiguïté. Il l'avait apprise par cœur. Des soirs comme celui-ci, alors qu'il faisait mine de suivre les discussions ou de se concentrer sur un spectacle, il se la repassait en boucle.

Cher lord Hawkeswell,

Vous êtes parti sans me laisser l'opportunité de vous remercier d'avoir retrouvé mon ami d'enfance. Et juste après, vous me gratifiez une fois encore de votre générosité en me permettant d'effectuer un nouveau séjour à Oldbury.

Vous êtes trop bon. Plus que vous ne le croyez. Et c'est pour cela que je vous aime.

Verity.

C'est pour cela que je vous aime. Les yeux fermés, il la revit, assise près de la fenêtre chez les Fleurs Rares.

Cette déclaration d'amour, bien qu'étrange, lui donnait une chose à laquelle se raccrocher.

Ces quelques mots l'avaient ravi. Elle avait eu le courage d'admettre ses sentiments. Si cela ne changerait rien à la situation, du moins était-ce appréciable de connaître enfin la vérité. Dans un sens, il était rassuré de constater qu'il ne s'était pas complètement fourvoyé. Ils avaient bel et bien éprouvé l'un pour l'autre des sentiments sincères.

Remettant la comptabilité au lendemain, il s'installa dans le canapé, face à la cheminée où se consumait un maigre feu. La nuit serait froide. Avant de filer au lit, il devrait se rappeler de se rendre dans la serre pour y allumer les poêles.

En dépit de ses efforts et de ceux du jardinier, l'une des plantes était morte. Peut-être succomberaient-elles toutes, une à une, avant la fin de l'hiver. Pourvu que non ! La serre était devenue son refuge. Dans ce lieu encore empreint de la présence de Verity, il s'abandonnait à une douce nostalgie.

Un livret était posé sur le canapé. Il le saisit. C'était une carte du pays qu'il avait consultée pour suivre la progression de sa femme vers le Nord. Il l'ouvrit à la page consacrée à la région d'Oldbury.

Derrière lui, la porte s'ouvrit. Un valet venu alimenter le feu, songea-t-il. S'apprêtant à lui dire que ce ne serait pas nécessaire, qu'il comptait bientôt se retirer dans ses appartements, il tourna la tête.

Son sang ne fit qu'un tour.

Verity posa son petit sac et son ombrelle, et dénoua les rubans de son chapeau, qu'elle mit également de côté, puis elle s'attaqua aux boutons de son spencer.

Il se contenta de la regarder, stupéfait, empli à la fois d'espoir et d'appréhension.

Un large sourire aux lèvres, elle s'approcha de lui. Se hissant sur la pointe des pieds, elle déposa un tendre baiser sur sa joue.

— On croirait que vous venez de voir un fantôme. C'est bien moi, Hawkeswell. Vous ne rêvez pas.

Elle écarta les pans de son spencer et l'ôta, révélant son décolleté où brillait le collier de perles.

La prenant dans ses bras, il s'empara de ses lèvres avec un empressement presque désespéré. Dans son baiser s'exprimaient toute sa joie et tout son soulagement.

Un vacarme les interrompit. Des bruits de pas et des cris provenant de l'escalier. Verity jeta un coup d'œil par-dessus son épaule.

— Ce sont sans doute mes valises que l'on monte à l'étage.

— Alors, vous êtes revenue pour de bon ?

Elle sourit.

— Oui, Grayson. Je suis rentrée à la maison.

Verity s'emmitoufla dans son châle avant de se blottir au creux de son bras. Ils étaient installés sur le canapé de la bibliothèque.

— Vous n'êtes pas restée très longtemps à Oldbury, remarqua-t-il. En prenant en compte le trajet aller et retour, vous n'avez pas dû y passer plus de quatre jours.

— Je suis restée juste assez longtemps pour faire empaqueter les effets personnels de mon cousin. Juste assez pour chasser les mauvais esprits de la maison de mon père, comme vous me l'aviez conseillé. Juste assez pour apprendre que M. Albrighton a fait arrêter quatre hommes, des complices de mon cousin. Évidemment, Cleobury est intouchable. J'espère que la Chambre des lords finira par le discréditer tôt ou tard.

Ce qu'elle ne disait pas, c'est qu'elle avait voulu également s'assurer qu'elle avait bien tourné la page sur cette période de son existence.

Elle avait souhaité avoir un aperçu de ce que serait sa vie à Oldbury avant de tirer un trait dessus pour toujours. Michael n'était même pas entré en ligne de compte. À la seconde où elle l'avait revu dans sa chambre à Cumberworth, elle avait su qu'un mariage entre eux, même un mariage de raison, aurait été inconcevable.

Mais une vie sans Hawkeswell, avait-elle songé, serait une vie sans joie, sans satisfaction, sans passion. Elle n'aimerait jamais que lui. Même libre, elle n'aurait pu se remarier.

— La Chambre des lords réglera son compte à Cleobury, lui certifia-t-il. Les preuves de sa culpabilité sont accablantes.

— M. Albrighton a retrouvé deux corps. Autrement dit, ceux qui ont été envoyés sur les pontons ont eu de la chance. Michael m'a chargée de vous remercier d'avoir remué ciel et terre pour le retrouver. Il a trouvé cela très noble de votre part.

— Je ne l'ai pas fait par noblesse d'âme.

Elle tendit le visage vers lui, l'embrassa sur la joue et effleura ses lèvres du bout des doigts.

— Non, vous l'avez fait pour moi. Parce que c'était important pour moi, même si vous ne compreniez pas. Je sais aussi pourquoi vous nous avez laissés seuls, Grayson. Il faut aimer beaucoup une femme pour lui permettre de rester en tête à tête avec un homme, alors que l'on a des doutes.

— Aimer à en être complètement stupide, vous voulez dire.

— Vous n'avez rien manqué ce jour-là, mis à part les retrouvailles de deux vieux amis et le discours d'une femme fière de son époux.

Il plongea son regard dans le sien.

— Vraiment ?

— Oui. Il y a toutefois des choses que j'ai préféré garder pour vous avant de les avouer aux autres.

— Quelles choses ?

Elle l'embrassa encore.

— Que je suis amoureuse de mon comte ; qu'il ébranle mon âme, avive mon cœur, et me donne le sourire. Nos amis ne vont-ils pas trouver cela cocasse, Hawkeswell ? Moi qui ai fui notre mariage et me suis battue bec et ongles pour recouvrer ma liberté ! Je suis maintenant ravie d'être votre prisonnière et ce, pour le restant de mes jours.

Il ne rit pas. Il n'esquissa même pas un sourire. Au lieu de cela, il la dévisagea, et elle put lire l'étonnement dans son regard.

— Je ne suis pas doué avec les mots, Verity. Du moins, dans ce genre de situation, je ne parle pas avec éloquence. Pas quand il le faudrait.

— En revanche, vous agissez avec brio, Hawkeswell. Rendre à Verity Thompson sa vie volée est le plus beau des cadeaux. Je suis fière d'être votre comtesse.

Il leva sa main pour y déposer un long baiser, puis il transféra ce baiser à ses lèvres.

— Je m'étais résigné à vous aimer en vain, Verity. Je pensais que je n'arriverais jamais à capturer votre cœur, que vous regretteriez toujours de ne pas avoir eu la vie à laquelle vous vous sentiez destinée. Avec ces paroles, vous faites de moi le plus heureux des hommes.

Ils échangèrent alors un baiser venant du fond du cœur. Elle le savoura, sentant souffler un vent léger qui balaya les vestiges de ses souffrances passées, de ses rancœurs et de ses doutes.

Elle se lova entre ses bras, la tête contre son torse, dans un silence délicieux. S'ensuivit un moment hors du temps, qu'elle ferait en sorte de garder à jamais dans sa mémoire.

Peut-être restèrent-ils dans cette position pendant une heure. Ou pendant quelques minutes. Elle l'ignorait. Elle avait perdu la notion du temps.

— J'imagine qu'il va falloir trouver un remplaçant à Bertram, finit-elle par dire.

— En effet.

— M. Travis s'acquitterait très bien de la plupart des tâches. Il s'occuperait des commandes, suggéra-t-elle.

— Mais il n'aurait plus le temps de travailler à l'atelier.

La discussion se dissipa dans la nuit. Elle n'insista pas.

— J'ai entendu dire qu'un jeune homme, un certain Michael Bowman, serait parfaitement qualifié pour remplacer M. Travis à l'atelier, à condition que nous décidions de lui transmettre le secret, reprit Hawkeswell.

— C'est une solution envisageable.

— À laquelle vous êtes favorable, il me semble.

— Mais il faudrait que nous passions à Oldbury plusieurs fois par an pour garder un œil sur la fonderie.

— Je ne pense pas que ce soit un problème.

Elle le serra fort. Il lui restituait son héritage. Elle gouvernerait le patrimoine de son père, réalisant ainsi son destin.

310

L'amour qu'elle éprouvait pour lui s'enracina au plus profond de son être, où il se propagea, déployant ses racines. Elle était bouleversée.

— Hawkeswell, vous pensez que les domestiques sont partis ? Qu'ils se sont « éclipsés » ?

— Il me semble. Pourquoi ?

— Je vous réserve des surprises auxquelles il ne vaudrait mieux pas qu'ils assistent.

Il éclata de rire.

— Mes prières sont exaucées !

— J'ai passé des heures à rêver de toutes ces faveurs dont je pourrais vous gratifier, vous et aucun autre.

Elle s'agenouilla sur le canapé et captura ses lèvres avec avidité, laissant libre cours à ses fantasmes. Il retroussa ses jupes et elle s'installa sur ses genoux, face à lui.

— C'est parfait, dit-elle. Exactement comme dans l'un de mes rêves. Sauf que je suis bien éveillée.

Écartant son châle, elle déboutonna sa pelisse.

— Les boutons de cette robe se trouvent sur le devant du corsage. C'est pratique, n'est-ce pas ?

— Et ce qui est encore plus pratique, c'est que vous ne portiez rien en dessous. Vous aviez tout prévu.

— J'étais pleine d'espoir.

Ce disant, elle tira sur les pans de sa robe pour exposer sa poitrine au regard de son mari.

— Touchez-moi comme dans mon rêve. Caressez-moi et dites-moi que vous m'aimez, et je vous le dirai à mon tour. Nous nous le répéterons indéfiniment, car l'amour rend le plaisir plus appréciable encore.

— Je vous aime, Verity. Vous me rendez heureux, car vous êtes parfaite.

Et tandis que ses mains parcouraient sa poitrine et ses cuisses, il réitéra ses vœux d'amour. Il lui répéta qu'il l'aimait tout en l'accablant de baisers enfiévrés. Il le répéta encore, une fois en elle, lorsqu'une vague de désir envahit la jeune femme et la fit grimper peu à peu vers la volupté, la liberté et la frénésie.

Elle enlaça son cou pendant qu'il l'empoignait par les hanches. Leurs sensations s'intensifièrent.

Quand la jouissance les emporta tous les deux, elle sut que désormais elle menait précisément la vie qui lui était destinée.

*Découvrez les prochaines nouveautés
des différentes collections J'ai lu pour elle*

AVENTURES
&PASSIONS

Le 4 avril

Inédit **_Les fantômes de Maiden Lane_** - 2 -
Troubles plaisirs ∞ **Elizabeth Hoyt**
Si Hero trouve son fiancé ennuyeux et dépourvu d'humour, elle s'y
est résolue jusqu'au moment où elle rencontre le frère de ce dernier, Griffin Remmington, en plein cœur du quartier St. Giles.
Choqué de croiser une si sage lady dans ces ruelles, Griffin insiste
pour l'escorter. Hero est stupéfaite : ce débauché aux mœurs
dépravées, opposé en tout point à ce qu'elle aime, éveille en elle
une folle envie d'aventures...

Les blessures du passé ∞ **Lisa Kleypas**
Ce jour-là, lady Aline accueille un homme d'affaires new-yorkais
et ses associés. Parmi les invités, elle remarque un homme aux
cheveux noirs. Soudain, l'inconnu se retourne, leurs regards se
croisent. Lady Aline tressaille : McKenna est de retour ! Elle aurait
préféré ne jamais le revoir...

Passion d'une nuit d'été ∞ **Eloïsa James**
Quand Charlotte Calverstill a accepté de se rendre au bal masqué
de Stuart Hill avec son amie Julia, elle était loin d'imaginer que sa
vie basculerait ! Irrésistiblement attirée par un inconnu, elle
s'abandonne à lui sans réserve. La voilà irrémédiablement
compromise... Trois ans plus tard, elle reconnaît son amant d'un
soir en la personne d'Alexander, duc de Sheffield.

Le 18 avril

Les archanges du diable - 1 -
Le cavalier de l'orage ❧ **Anne Gracie**
Après avoir récolté gloire et honneur sur les champs de bataille, Gabriel Fitzpaine aspire enfin à vivre en paix et s'installe dans la splendide demeure qu'il vient d'hériter. Mais le danger rôde toujours et semble le guetter à chaque seconde... Une nuit, le long des falaises, il croise une ravissante lady en détresse.

Terres d'Écosse - 1 - Prisonnière de ton cœur
❧ **Mary Wine**
Depuis la mort du roi, l'Écosse est en proie à de terribles complots. Avec effroi, lord Torin McLeren découvre que McBoyd, son voisin, conspire contre le royaume avec la complicité des Anglais. Pour Torin il n'y a qu'une façon d'éviter la guerre : enlever la fille de son ennemi, Shannon McBoyd, promise en mariage aux alliés de son père...

Les Lockhart - 2 - Le bijou convoité ❧ **Julia London**
Le précieux dragon d'or, jadis volé au clan des Lockhart, aurait été offert à une certaine Amelia ! Chargé de récupérer l'objet, Griffin Lockhart s'installe à Londres sous une fausse identité. Aux bals de la saison, à défaut de retrouver Amelia, il rencontre la belle Lucy Addison. Mais sa sœur, Anna, comprend bientôt qu'il n'est pas celui qu'il prétend être...

Le 4 avril

CRÉPUSCULE

Inédit **Les ombres de la nuit** - 7 -
Le plaisir d'un prince ❧ **Kresley Cole**

Il y a des siècles, pour fuir le sadique Cruach, Lucia a fait vœu de chasteté à la déesse Skathi. En échange, elle a reçu le don de manier les arcs : sa seule défense contre Cruach qui, tôt ou tard, reviendra à la vie. Mais Lucia pourrait bien trahir sa promesse et courir un grand danger si elle succombe à sa passion pour Garreth MacRieve, prince des Lykae.

Inédit **Le royaume des Carpates** - 2 -
Sombres désirs ❧ **Christine Feehan**

La chirurgienne Shea O'Halloran est étrangement attirée jusqu'aux confins des Carpates, appelée par une voix profonde et masculine, qui semble faire partie d'elle-même. Elle y fait la connaissance d'un homme tourmenté. Par quels sombres désirs est habité ce bel étranger et pourquoi l'avoir fait venir auprès de lui ? Fera-t-il d'elle sa bienfaitrice, sa proie ? Ou peut-être son âme sœur…

Le 4 avril

FRISSONS

Du suspense et de la passion

Le 18 avril

Passion intense

Des romans légers et coquins

Inédit **Carrément sexy** ❧ **Erin McCarthy**

Après le décès brutal de son mari dans un accident de voiture, Tamara s'est promis de tirer un trait sur le monde des courses... Jusqu'à ce qu'elle rencontre Elec. Beau comme un dieu, il éveille instantanément en elle un brasier ardent. Mais voilà, Tamara est plus âgée que lui et mère de deux petits garçons... Jusqu'où l'entraînera la passion ?

Pris au jeu ❧ **Nicole Jordan**

Provoqué au jeu par Damien Sinclair, le prince des Libertins, Aubrey Wyndham dilapide tout son héritage en quelques parties de dés. Pour récupérer l'argent, sa sœur Vanessa a une solution, implorer la bonté de Sinclair. Mais pourquoi ferait-il preuve de clémence envers elle ? Contre toute attente, le débauché lui propose un marché : il annulera la dette si elle se soumet à ses moindres caprices...

Le 4 avril

PROMESSES

Rendez-vous a risques cx **Julie James**

Xander Eckhart, riche propriétaire d'une superbe cave à vin, lieu de rendez-vous très privés, est la cible du FBI. Seul un spécialiste peut pénétrer cet endroit ultra-protégé. Jordan Rhodes est l'une de ces privilégiés. Directrice d'un bar réputé, elle compte parmi sa clientèle Xander. Après discussion, elle accepte de collaborer avec le séduisant agent Nick McCall.

Et toujours la reine du roman sentimental :

Barbara Cartland

« Les romans de Barbara Cartland nous transportent dans un monde passé, mais si proche de nous en ce qui concerne les sentiments.
L'amour y est un protagoniste à part entière : un amour parfois contrarié, qui souvent arrive de façon imprévue.
Grâce à son style, Barbara Cartland nous apprend que les rêves peuvent toujours se réaliser et qu'il ne faut jamais désespérer. »
Angela Fracchiolla, lectrice, Italie

Le 4 avril
Cœur d'artiste

Le 18 avril
Le bel aventurier

9895

Composition
FACOMPO

Achevé d'imprimer en Italie
par Grafica Veneta
le 21 février 2012.

Dépôt légal : février 2012.
EAN 9782290039977

ÉDITIONS J'AI LU
87, quai Panhard-et-Levassor, 75013 Paris

Diffusion France et étranger : Flammarion